GESTÃO EDUCACIONAL

G393	Gestão educacional: uma nova visão / organizado por Sonia Simões Colombo ... [et al.]. – Porto Alegre : Artmed, 2004. 264 p. : il. ; 23 cm.
	ISBN 978-85-363-0392-5
	1. Administração – Educação – Gestão. I. Colombo, Sonia Simões. II. Título.
	CDU 658.8:37.07

Catalogação na publicação: Mônica Ballejo Canto – CRB 10/1023

SONIA SIMÕES COLOMBO
& COLABORADORES

GESTÃO EDUCACIONAL
UMA NOVA VISÃO

Reimpressão 2012

bookman   artmed

2004

© Artmed Editora S.A., 2004

Capa: *Gustavo Macri*

Preparação do original: *Cecilia Luisa Kemel Aued*

Leitura final: *Rubia Minozzo*

Supervisão editorial: *Mônica Ballejo Canto*

Editoração eletrônica: *Laser House*

Reservados todos os direitos de publicação, em língua portuguesa, à
ARTMED® EDITORA S.A.
Av. Jerônimo de Ornelas, 670 - Santana
90040-340 Porto Alegre RS
Fone (51) 3027-7000 Fax (51) 3027-7070

É proibida a duplicação ou reprodução deste volume, no todo ou em parte, sob quaisquer formas ou por quaisquer meios (eletrônico, mecânico, gravação, fotocópia, distribuição na Web e outros), sem permissão expressa da Editora.

SÃO PAULO
Av. Embaixador Macedo Soares, 10.735 - Pavilhão 5 - Cond. Espace Center
Vila Anastácio 05095-035 São Paulo SP
Fone (11) 3665-1100 Fax (11) 3667-1333

SAC 0800 703-3444

IMPRESSO NO BRASIL
PRINTED IN BRAZIL
Impresso sob demanda na Meta Brasil a pedido de Grupo A Educação.

Autores

Sonia Simões Colombo (org.). Psicóloga e especialista em administração de empresas; autora do livro *Escolas de sucesso*; examinadora do Prêmio Nacional da Qualidade, 1997, 1999, 2000 e 2001; *Lead Assessor* pela Quality Management International; diretora da Humus Consultoria Educacional. sonia@humus.com.br

Ana Célia Ariza. Mestra em administração de empresas; professora da ESPM-SP;. *ombudsman* do Colégio Objetivo; diretora da ACA Marketing Escolar. aca@acacursos.com.br

Celso Carlos Fernandes. Advogado; especialista em metodologia no ensino superior; diretor da Celso Carlos Fernandes e Melo Advocacia. celso.fernandes@meirafernandes.com.br

Donizete Fernandes. Superintendente da Meira Fernandes Auditoria, Contabilidade e Consultoria Educacional; contador; auditor independente. donizete@meirafernandes.com.br

Fernando Barão. Economista pela FEA-USP; consultor financeiro de escolas privadas há nove anos; sócio-diretor da Corus Consultores. barão@corusconsultores.com.br

Jânia do Valle Barbosa. Graduada em processamento de dados e especialista em tecnologias interativas aplicadas à educação; diretora de informática do Colégio Augusto Laranja; dezesseis anos de experiência no estudo e na aplicação em integrar a tecnologia como um instrumento didático-pedagógico no processo de ensino-aprendizagem. jania@augustolaranja.com.br

Márcia Rosiello Zenker. Psicóloga pela USP-Ribeirão Preto; psicóloga educacional pelo Sedes Sapientiae; especialista em educação infantil; consultora educacional. mzenker@terra.com.br

Maria Carmem Tavares Christóvam. *One year graduate studies in administration and management* – Harvard University (Boston, MA, Estados Unidos); Pedagoga com habilitação em administração escolar e supervisão escolar, Universidade Estadual de Minas Gerais; diretora da Genesis Consultoria Educacional. carmemtr@uol.com.br

Maria de Lourdes Oliveira Martins. Mestranda em educação tecnológica no CEFET-MG e especialista em novas tecnologias em educação e treinamento e em informática na educação; assessora para o uso das tecnologias da informação na área educacional nos ensinos fundamental e médio, na graduação e na extensão do Grupo Pitágoras; diretora administrativo-financeira da Sociedade Brasileira da Gestão do Conhecimento. lourdes.martins@uol.com.br

Mirza Laranja. Graduada pela Faculdade de Educação da USP, com especialização em supervisão escolar; especialista em planejamento e gestão estratégica pela FGV-SP; diretora do Colégio Augusto Laranja. mirza@augustolaranja.com.br

Oliver Mizne. Administrador de empresas em engenharia de materiais pela Universidade da Pensilvânia; foi diretor do Banco CSFB Garantia, de 1998 até 2001, responsável pela cobertura do setor de educação desde 1999; diretor da Ideal Invest, empresa especializada em produtos financeiros para o setor de educação. oliver.mizne@idealinvest.com.br

Paulo Heitor Colombo. Psicólogo; especialista em administração de empresas; co-autor do livro *A família 5S vai visitar a sua casa. Uma aula de Qualidade...*; *lead assessor* pelo The Business Excellence Partnership; Diretor da Humus Consultoria Educacional. paulo@humus.com.br

Paulo Antonio Gomes Cardim. Advogado; reitor do Centro Universitário Belas Artes de São Paulo; diretor-presidente da Febasp Sociedade Civil, entidade mantenedora do Centro Universitário Belas Artes de São Paulo; vice-presidente da CONFENEN – Confederação Nacional dos Estabelecimentos de Ensino. presidencia@belasartes.br

René Birocchi. Mestre em administração; pesquisador da FEA USP; diretor da Universidade Virtual Brasileira. rene@iuvb.edu.br

Teresinha Otaviana Dantas da Costa. Doutora em administração – área de concentração administração educacional, Universidade Makenzie; mestra em administração – área de concentração administração educacional, Universidade Makenzie; diretora geral das Faculdades Torricelli, Elite e IDEPE. terezinhaotaviana@hotmail.com.br

Apresentação

Ao idealizarmos este livro, tínhamos a intenção de suprir uma lacuna na escassa referência documentada sobre gestão educacional no Brasil. Acreditamos que gerir é mais amplo e profundo do que administrar, pois, além de planejar, organizar, controlar e avaliar, também engloba a busca e a implementação de inovações e de melhorias nos processos relacionados ao negócio, identificando oportunidades e agindo preventivamente perante possíveis ameaças.

Desde a nossa proposta inicial, acreditávamos que o desenvolvimento de um livro útil e abrangente sobre este tema exigia que não nos prendêssemos a uma única visão ou modalidade de gestão. Desta maneira, convidamos para participar desta obra renomados mantenedores, executivos e consultores educacionais com vasta experiência em gestão de instituições de ensino. Cada autor oferece, dentro de sua especialidade, uma perspectiva exclusiva sobre a forma de gerir um estabelecimento de ensino: algumas alicerçadas sobre o presente; outras com base em tendências e projeções futuras. A composição propicia um tesouro de análises e conhecimentos. Esperamos que os seus pensamentos e suas opiniões estimulem o leitor a reflexões sobre a profissionalização e a modernização da forma de dirigir as escolas brasileiras, enriquecendo e ampliando sua visão de futuro.

Dividimos o livro em quatro partes, contemplando os aspectos mais relevantes para as instituições de ensino com abordagens sobre as gestões administrativa, econômico-financeira e acadêmica, bem como sobre as especificidades existentes no ensino superior, no básico e no infantil. Concedemos ampla liberdade aos autores e nossa revisão foi secundária, zelando para não haver repetições e redundâncias entre as idéias apresentadas.

A Parte I, "Gestão Administrativa", apresenta os conceitos e a metodologia para o planejamento estratégico, as diretrizes para a avaliação institucional e os caminhos para a estruturação de um sistema de qualidade, com melhoria dos processos pedagógico, administrativo e de apoio. Abrange o planejamento e as possíveis ações para o *marketing* educacional, os cuidados ao estruturar os contratos de prestação de serviços e uma análise sobre os direitos dos professores. Destaca, ainda, a estruturação do moderno *Enterprise Information Portal* – EPI, um portal de informações empresarias que propicia aos clientes, parceiros e componentes das equipes acadêmica e administrativa agirem mutuamente em um único sistema.

A Parte II, "Gestão Econômico-Financeira", examina a educação como negócio, com dados estatísticos e perspectivas para este setor no Brasil; discorre sobre as mudanças que vêm ocorrendo em nosso sistema educacional; analisa a entrada de investidores e referencia a sistemática de crédito para alunos. Relata ainda o fluxo das principais operações financeiras, apontando as "doenças" que podem contribuir para a decadência econômico-financeira, e comenta a importância dos sistemas gerenciais.

A Parte III, "Gestão Acadêmica", enfoca a necessidade da formação permanente do educador, com reflexões críticas a respeito da relação entre sua formação e as mudanças corporativas nas instituições de ensino. Destaca, também, a tecnologia como instrumento educacional, propondo a quebra de velhos paradigmas no processo de ensino-aprendizagem em escolas de educação básica. Apresenta um grande *case* nacional – o UVB, a primeira instituição de ensino brasileira credenciada pelo MEC para ministrar um conjunto de cursos de graduação *on-line* na área de negócios.

A Parte IV, "Gestão Aplicada aos Segmentos", detalha a organização universitária e seu processo de gestão, contendo análises de cenários e os instrumentos específicos utilizados nas instituições de ensino superior. Faz uma reflexão crítica e profunda sobre a gestão do ensino básico, discutindo o caráter empresarial e a importância dos líderes, das equipes e dos clientes. O último capítulo aborda as particularidades das escolas de educação infantil, a relação existente entre família-instituição e os papéis do educador e do gestor.

A leitura deste livro não precisa ser realizada de forma sequencial, podendo começar por aquela parte ou capítulo que mais lhe interessar. Em cada texto, há um ganho, e o entrecruzamento deles propicia uma leitura rica, com ampliação do conhecimento.

Esperamos que você, leitor, usufrua o máximo de cada capítulo e que aplique o que aprendeu, gerando efeitos positivos na instituição de ensino em que atua e nas pessoas que lidera.

Agradecemos a todos os funcionários da Humus Consultoria Educacional, que, de forma direta ou indireta, participaram ativamente deste projeto, sendo incansáveis em todas as atividades que propiciaram a sua concretização.

O meu agradecimento, de forma muito especial, a cada autor que colaborou com o conteúdo desta obra, pessoas detentoras de vastos conhecimentos e incrivelmente ocupadas, que não pouparam esforços para centrar suas ideias no foco acordado e para cumprir o curto prazo estabelecido.

Sonia Simões Colombo

Sumário

Apresentação — vii

PARTE I GESTÃO ADMINISTRATIVA

Capítulo 1 Planejamento estratégico — 17
Sonia Simões Colombo

Planejamento — 17
Estratégia — 18
Competitividade — 18
Diagnóstico estratégico — 19
Estratégia – foco e posicionamento — 25
Desdobramento e ativação — 33
Controle — 36
Aprendizado — 36

Capítulo 2 Avaliação institucional – uma ferramenta para o sucesso da instituição educacional — 38
Terezinha Otaviana Dantas da Costa

Introdução — 38
Panorama histórico — 38
Bases legais — 40

Participantes	42
Princípios	43
Pressupostos	43
Objetivos	43
Metodologia	44
Considerações finais	48

Capítulo 3 Gestão da qualidade no sistema institucional de ensino — 51
Paulo Heitor colombo

A instituição de ensino como sistema	52
Gestão de processos	54
Reconhecimentos pela qualidade	65

Capítulo 4 Planejamento e ações de *marketing* — 67
Ana Célia Ariza

O que é *marketing*	67
Marketing escolar	67
Planejamento	68
Planejamento estratégico	69
Plano de *marketing*	70
Tarefas do gestor	71
Alguns tipos de *marketing*	71
Fidelização de clientes	72
Fortalecimento da marca	73
Captação	75
Descobrindo oportunidades	76
Guerra da competitividade	77

Capítulo 5 Implementando portais corporativos nas instituições de ensino — 79
Maria de Lourdes Oliveira Martins

Por que usar ambientes interativos que a internet oferece?	79
Por que implementar um EIP em uma instituição de ensino?	81
Múltiplas tecnologias	84
Conclusão	91

Capítulo 6	Contrato de prestação de serviços educacionais *Celso Carlos Fernandes*	93

Introdução	93
O contrato	93
Fundamentos legais do contrato	94
Providências preliminares para a elaboração do contrato	94
Elaboração do contrato	95
Reflexos do contrato	100
Cadastro	105

Capítulo 7	Direitos dos professores: visão histórica e ótica gerencial *Fernando Barão*	107

Visão geral da questão	107
Entendendo os benefícios	108
Visão histórica da questão	111
Impacto e incômodo dos benefícios	114
Aspectos gerenciais	116
Lições para outros estados	120
Tendência de médio prazo	120

PARTE II GESTÃO ECONÔMICO-FINANCEIRA

Capítulo 8	A educação como negócio *Oliver Mizne*	125

Globalmente, a educação torna-se um setor da economia	125
O setor de educação no Brasil	126
Segmentos	135
Investidores tradicionais e novos	142
Conclusões: oportunidades e desafios para o gestor educacional	151

Capítulo 9	Administração econômico-financeira *Donizete Fernandes*	153

Introdução	153
O fluxo das principais operações financeiras	155

A importância de um processo de gestão eficaz 158
Sistemas gerenciais como instrumento de gestão 164

PARTE III GESTÃO ACADÊMICA

Capítulo 10 A formação permanente do educador e o processo ensino-aprendizagem 171
Maria Carmem Tavares Christóvam

Uma visão da correlação existente entre o processo de reformulação da prática pedagógica e empresarial e a formação de educadores 171
Mudanças corporativas como resultado de mudanças pessoais 174
Os três pilares no processo de formação de um grande educador 176
Habilidades e competências necessárias ao educador 183
O processo de formação e o fator de inovação 184

Capítulo 11 Do giz ao *mouse*: a informática no processo ensino-aprendizagem 186
Jânia do Valle Barbosa

Educação e tecnologia 186
A tecnologia na escola: mudança de paradigma 187
Tecnologia como instrumento educacional 193
A escola e o mundo em constante transformação 197

Capítulo 12 Implantando e gerindo uma instituição de ensino superior virtual: *case* UVB 201
René Birocchi

Introdução 201
Histórico do Instituto UVB 202
Estrutura organizacional de relacionamento 202
Produção das disciplinas 205
Ministração das disciplinas 210
Portal 217

PARTE IV GESTÃO APLICADA AOS SEGMENTOS

Capítulo 13 Gestão universitária em tempos de mudança 223
Paulo Antonio Gomes Cardim

Introdução 223

Construindo os instrumentos do processo de gestão universitária	224
O que as instituições têm feito para se adequar e se atualizar dentro desses novos cenários de mudanças e novas posturas de gestão?	233

Capítulo 14   Discutindo a gestão de ensino básico   238
Mirza Laranja

Novo cenário, nova escola	238
Escola? Empresa?	239
O empresário do ensino	240
Escola: instituição de ensino	240
Liderança: mestres e maestros	241
Pessoas	243
Cursos, disciplinas, setores	243
Administração do tempo e estratégia	244
Pensando o futuro	245
O que se entende por qualidade?	245
Informação ou formação?	246
Uma boa escola	246
Tomando as rédeas de seu futuro	247

Capítulo 15   A gestão da educação infantil – particularidades   249
Márcia Rosiello Zenker

Convite	249
Que escola é essa?	250
Contexto da educação infantil: particularidades muito próprias – constatações e comentários	252
Duas peculiaridades relevantes	254
O gestor escolar – arquiteto da construção de uma nova identidade da educação infantil	257
Desafios e perspectivas	258
Palavra final	259

Parte I
Gestão Administrativa

Capítulo 1
Planejamento Estratégico

Sonia Simões Colombo

O planejamento estratégico é um importante instrumento de gestão que auxilia, consideravelmente, o administrador educacional em seu processo decisório na busca de resultados mais efetivos e competitivos para a instituição de ensino.

A proposta deste capítulo é apresentar os conceitos básicos, analisar cada etapa do planejamento e expor uma metodologia eficiente para que o gestor educacional possa incorporar e posicionar a atividade estratégica no cotidiano de sua escola.

Antes de abordar o processo de planejamento estratégico, é necessário que se definam os conceitos de planejamento, de estratégia e de competitividade.

PLANEJAMENTO

O planejamento consiste na identificação, na análise e na estruturação dos propósitos da instituição rumo ao que se pretende alcançar, levando em consideração suas políticas e recursos disponíveis. Contempla indagações no âmbito do que fazer, como, por que, quando, por quem e onde. Não é previsão ou plano, pois:

Previsão – é a análise e a verificação de quais situações poderão ocorrer no futuro, levando em consideração uma série de fatos, de acontecimentos e de probabilidades. Consiste em fazer conjecturas ou dizer de antemão.

Plano – é a consolidação, por meio de um documento formal, dos dados desenvolvidos no planejamento.

Há três tipos de planejamento: o estratégico, o tático e o operacional.

- Planejamento estratégico – voltado para decisões estratégicas, com objetivos de longo prazo e que impactam na instituição como um todo.
- Planejamento tático – relacionado à otimização de uma determinada área ou macroprocesso, derivando dos objetivos e das estratégias concebidas no planejamento estratégico. Contempla os recursos, os prazos e os respectivos responsáveis.
- Planejamento operacional – aborda, em detalhes, os procedimentos que serão utilizados.

ESTRATÉGIA

Deriva da palavra grega *strategos*, que significa general. Quando surgiu, tinha como referência a arte e a ciência de dirigir as composições militares para derrotar o inimigo. No contexto corporativo, abrange um conjunto de decisões que orientam as ações organizacionais, mobilizando a empresa para construir o seu futuro perante o ambiente em que está inserida. É o caminho escolhido ou a maneira considerada adequada para alcançar, de forma diferenciada, os desafios estabelecidos.

As estratégias podem ser construídas para se obter um desempenho superior à média, criando e desenvolvendo uma posição exclusiva, competitiva e sustentável ao longo do tempo. O posicionamento exclusivo oferece a "passageira" vantagem competitiva, mas não é suficiente para manter essa posição permanentemente, pois ela tem vida curta. Para obtermos a desejável sustentabilidade, é necessário, continuamente, planejar e agir rumo a objetivos inovadores e relevantes para a comunidade na qual se está inserido.

COMPETITIVIDADE

Está relacionada com o competir, mas também com o alcance do alto desempenho da organização, com a liderança da excelência e do saber fazer, levando em consideração as necessidades e as expectativas dos clientes e do mercado.

As instituições de ensino, em geral, conviveram durante vários anos com um confortável ambiente não competitivo. A procura era maior do que a oferta, gerando alta rentabilidade a essas organizações. Desta maneira, não fortaleceram o processo de elaboração e implementação da estratégia, tão imprescindível, atualmente, para a sobrevivência e o crescimento. Novas empresas surgiram no segmento educacional, bem como as já existentes aumentaram consideravelmente a oferta de cursos tornando o mercado mais competitivo, diminuindo a lucratividade e causando o encerramento das atividades para algumas que não conseguiram sobreviver à crise com que se deparavam.

Atualmente, as escolas não questionam mais a necessidade de inovar e de agir estrategicamente. Entretanto, ao pensarem em estratégia, precisam transpor a barreira do velho e tradicional paradigma de buscar somente posições de curto prazo. O foco deve ser na transformação permanente do hoje, do amanhã e de um futuro mais longínquo, direcionado à superação os desafios, obtendo e aperfeiçoando a excelência.

Cabe ao principal executivo da instituição de ensino ser o grande líder de todo o processo estratégico, sendo o incentivador para o alcance rumo à vantagem competitiva.

Essa vantagem identifica os serviços e os mercados nos quais a escola tem competências para atuar, de maneira diferenciada, com relação à concorrência. Está contida na estratégia e pode advir basicamente de três fatores: dos baixos custos no processo de elaboração de seus produtos e, consequentemente, na disponibilização de preços atrativos aos clientes, da diferenciação pela qualidade e da diferenciação pela inovação. O enfoque na diminuição dos custos não pode prejudicar a qualidade do serviço oferecido; a diferenciação deve se concentrar nos benefícios únicos aos clientes, mas sem altos dispêndios.

Geralmente, com a diferenciação, a organização incorre em custos mais elevados, mas se torna valiosa para os seus clientes, distanciando-se de possíveis ameaças da concorrência. Para obter a sustentabilidade pela diferenciação, precisa que seu valor seja percebido continuamente pelos alunos e que a concorrência não imite o que é considerado singular.

O planejamento estratégico pode ser dividido em várias etapas, começando com o diagnóstico que abrange a reflexão inicial de seus fundamentos, a análise e o alinhamento e concluindo com o próprio aprendizado que abrange o seu aperfeiçoamento (ver Figura 1.1).

DIAGNÓSTICO ESTRATÉGICO

É a determinação da situação atual, de como está a instituição de ensino, levando em consideração o seu negócio, a sua missão, seus princípios, a análise do ambiente em que está inserida e suas competências competitivas. Pode-se dividir o diagnóstico em dois momentos: fundamentos e análise e alinhamento.

Fundamentos do Planejamento Estratégico

Negócio

Muitas vezes, ao questionarmos os profissionais de educação sobre qual é o negócio de sua instituição de ensino, nos deparamos com respostas voltadas ao produto da empresa. Esse equívoco é frequente e, com certeza, gerará uma miopia na equipe ao se estabelecerem os objetivos estratégicos organizacionais (etapa a ser detalhada no item "Objetivos estratégicos").

```
Diagnóstico      Fundamentos ─── Negócio ──▶ Missão ──▶ Princípios
Estratégico
                 Análise e ─── Análise do Ambiente ──▶ Competências ──▶ Alinhamento
                 Alinhamento                           Competitivas

Estratégia:
Foco e          Visão ──▶ Perspectivas ──▶ Objetivos ──▶ Indicadores ──▶ Estratégias
Posicionamento            Equilibradas     Estratégicos   e Metas        Competitivas
                          ├───────── Futuro a ser construído ─────────┤  ├ Como construir
                                                                          o futuro ┤

Desdobramento   Planos ──▶ Consistência ──▶ Divulgação ──▶ Implementação
e ativação      de Ação    e Aprovação

Controle        Acompanhamento

Aprendizado     Aperfeiçoamento do Processo
```

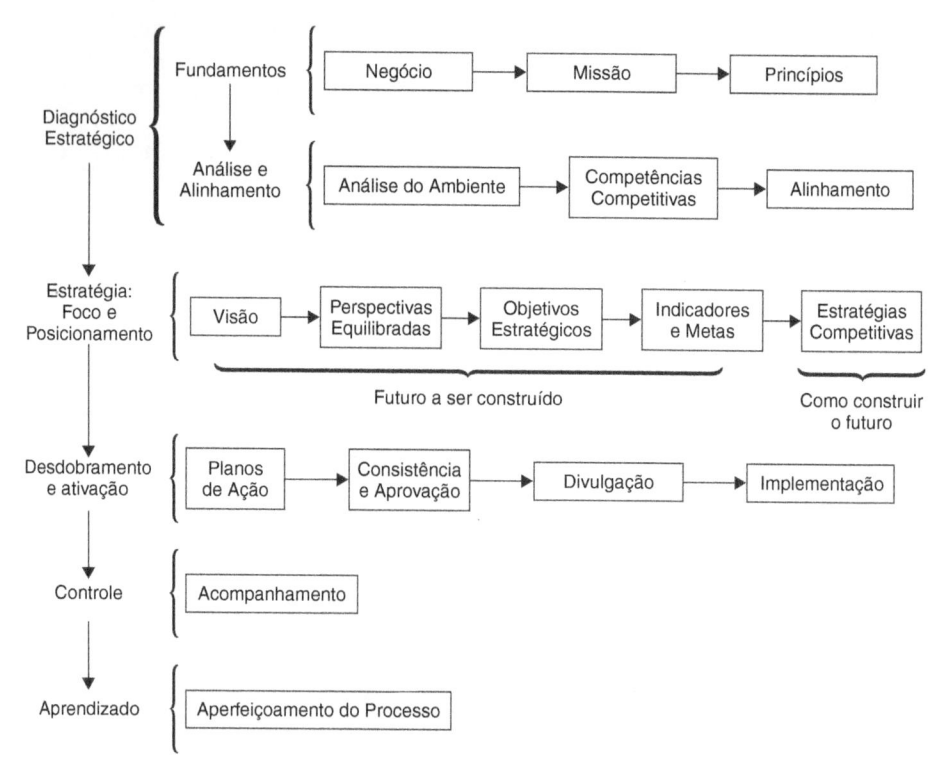

Figura 1.1 Etapas do Planejamento Estratégico.

Negócio consiste no conhecimento profundo dos pontos fortes da base competitiva da escola e no entendimento do principal benefício esperado pelo cliente no hoje e no amanhã. Desta maneira, é muito simplista afirmar que o negócio é apenas ensino ou educação. A análise deve se concentrar sobre qual benefício o aluno quer obter para hoje e para o futuro.

Ao definir dessa maneira, a instituição de ensino estará identificando o seu diferencial competitivo, fator altamente relevante para a sobrevivência e o sucesso no mercado. Com isso, poderá direcionar, com maior precisão, os investimentos necessários para a estrutura e os processos, as diretrizes para o *marketing*, a identificação dos concorrentes, as ações para capacitação da equipe, etc.

Depois de estabelecido o negócio, dentro do prisma do cliente, é necessário divulgar e esclarecer esse aspecto a todos os colaboradores da instituição.

Missão

Missão é o norte! É a razão de ser da instituição de ensino no seu negócio – *Core Competence*. Contempla as necessidades sociais a que ela atende, as suas habilidades essenciais e o seu foco de atuação.

Ao definir a missão, cabe o questionamento:

- Quem somos como instituição de ensino?
- Por que existimos? Quais são as necessidades que satisfazemos na sociedade?

A missão é um forte componente para a estruturação do planejamento estratégico, servindo de alicerce para o seu desenvolvimento, bem como para as definições das políticas e diretrizes organizacionais.

Alguns exemplos de missões:

- Produzir novos conhecimentos contribuindo para o desenvolvimento dos alunos e da comunidade regional do nordeste.
- Promover e incentivar ações educacionais que estimulem o empreendedorismo do aluno e sua atuação como profissional.
- Preparar os alunos para o mercado de trabalho na área industrial.
- Formar profissionais competentes, promovendo e incentivando a pesquisa na saúde.

A missão não deve ser genérica, e sim objetiva e específica, focada para o negócio da escola. Ela precisa estar "viva", compreendida e praticada por todos que compõem a força de trabalho na instituição.

Princípios

São compromissos assumidos pela instituição de ensino e que, portanto, servem de balizamentos para suas estratégias, decisões e ações.

Caracterizam como a organização e seus respectivos profissionais se comportam para cumprir a missão estabelecida. Pode-se dizer que constituem a carta magna da instituição.

Os princípios somente serão válidos se forem adotados e praticados por todos. Desta maneira, não devem ser numerosos, e sim concisos e simples, possíveis de serem lembrados facilmente pelos profissionais.

Alguns exemplos de princípios aplicáveis às instituições de ensino:

- Estímulo à reflexão crítica e construtiva.
- Ética em todas as ações.
- Melhoria e inovação nos processos.
- Inserção no mundo do conhecimento.
- Compromisso com a qualidade.

- Capacitação permanente da equipe.
- Atualização tecnológica.
- Satisfação do cliente.
- Responsabilidade social.

Análise e Alinhamento

Análise do ambiente

Os cenários são imagens de prováveis futuros que permitem a análise para tomada de decisões. São visões consistentes sobre o que poderá ser o amanhã longínquo. Não devem ser conclusivos, pois não são fatos, mas sim um instrumento de gestão para diagnosticar e fornecer caminhos que melhorem o estado atual da organização no ambiente em que está inserida.

A análise do ambiente considera, dentro de um limite específico, as variáveis competitivas e as tendências relevantes que afetam a performance da instituição de ensino, sendo possível fazer previsões sobre os riscos e as oportunidades. Uma análise abrangente contempla os fatores externos, internos, a concorrência e os clientes.

   a) *Externos* – é a visão da estrutura, da dimensão e do posicionamento do setor educacional integrado com os aspectos legal, econômico, político, social, demográfico, cultural e tecnológico da comunidade na qual a instituição de ensino está inserida.

Contempla uma compreensão holística das oportunidades e das ameaças relevantes advindas do mercado. Por oportunidades caracterizam-se as situações, atuais e futuras, que podem impactar positivamente na performance da escola; por ameaças entendem-se os fatores, atuais ou futuros, que podem interferir negativamente na estratégia e/ou no desempenho da instituição.

As oportunidades podem favorecer as estratégias, desde que identificadas e aproveitadas enquanto perdurarem. Cabe uma reflexão, neste ponto, sobre se realmente a escola tem condições de usufruir delas e interesse em implementá-las. Já as ameaças poderão, ou não, ser evitadas, sendo recomendável que o gestor educacional as reconheça em tempo hábil.

Depois de realizado o delineamento das oportunidades e das ameaças, é interessante estimar os riscos para as alternativas estabelecidas, avaliar as possibilidades de concretização dessas ocorrências, as melhores maneiras de evitar as situações, ou usufruir delas, bem como o reflexo que isso causaria no desempenho da escola.

   b) *Concorrência* – esta etapa em geral é analisada juntamente com a externa; entretanto, devido à sua importância no processo de planejamento estratégico, vamos considerá-la separadamente.

É importante mapear os atuais e futuros concorrentes em grupos específicos, avaliar a posição de cada um no mercado educacional e prever sua atuação futura, considerando os seguintes aspectos:

- Desempenho global.
- Qualidade dos serviços disponibilizados.
- Estrutura administrativa e acadêmica.
- Estratégia de *marketing*.
- Capital intelectual.
- Recursos financeiros.

Geralmente, os concorrentes são vistos como inimigos que precisam ser eliminados ou enfraquecidos. Embora eles possam trazer ameaças, na maioria das vezes, alguns fortalecem o segmento educacional, sendo líderes de mercado. É importante concentrar esforços para superar os "maus" concorrentes e manter uma posição competitiva próxima aos "bons".

Entretanto, a escola não pode focar o seu desempenho futuro baseado na performance da concorrência. Sun Tzu(2003), referência de grandes líderes corporativos e autor do consagrado livro *A arte da guerra*, enfatiza "A garantia de nos tornarmos invencíveis está em nossas mãos. Tornar o inimigo vulnerável só depende dele próprio". Com esse pensamento e, sem dúvida, entendendo, com as devidas proporções, o termo "inimigo", conclui-se que o sucesso de uma estratégia está diretamente atrelado às nossas competências, e não ao insucesso das outras escolas.

 c) *Internos* – são as forças e as fraquezas dos processos acadêmicos e administrativos, da tecnologia, da estrutura, do *marketing*, das finanças e das pessoas que compõem a organização escolar. Por forças compreendem-se as características positivas da instituição, tangíveis ou não, e que podem impactar positivamente em sua performance; são os pontos fortes que proporcionam vantagem no ambiente em que ela está inserida. Por fraquezas vamos entender os fatores negativos, tangíveis ou não, que interferem inadequadamente em sua performance; são os pontos fracos que proporcionam desvantagem no mercado.

Cabe ao dirigente educacional incluir nesta análise os recursos de que dispõe para alcançar os objetivos e as metas a serem estabelecidas, bem como fazer uma reflexão apurada de todos os serviços oferecidos pela instituição de ensino.

 d) *Clientes* – a satisfação dos clientes é um pré-requisito para a continuidade da escola no mercado. Neste aspecto, são vários os questionamentos:

- Que aspectos do serviço os alunos valorizam mais?
- O que desejam da instituição?
- De onde eles vêm? O que fazem?
- Quais são as mudanças que estão ocorrendo no comportamento dos alunos?
- Que necessidades influenciam os clientes? Como cada concorrente está atendendo essas necessidades?
- Que valor os clientes estão dispostos a pagar pelos serviços oferecidos?
- Qual é o canal de comunicação utilizado para informar os serviços disponíveis? Ele é eficaz?
- Qual é o potencial de crescimento dos futuros alunos?

Competências competitivas

Muito se fala sobre as competências necessárias para os profissionais, mas esquece-se de contemplar esses aspectos na instituição de ensino.

Competência não é um estado, e sim um processo de transformação e de refinamento contínuo. Consiste na mobilização dos conhecimentos (saber), das habilidades (fazer), das atitudes (comportar-se) e das motivações (querer). Com a intensa competitividade, exige-se das instituições de ensino que melhorem permanentemente sua capacidade de oferecer valor aos clientes. Desta maneira, podemos dizer que competência é o atributo marcante que efetivamente cria benefícios para os clientes, conquistando-os e obtendo a sua lealdade.

Algumas reflexões são relevantes:

- A escola possui alguma competência única frente à concorrência?
- Como a instituição se posiciona frente à concorrência quanto às competências básicas necessárias?
    Desempenho superior?
    Desempenho igual?
    Desempenho inferior?
- Alguma competência deverá ser desenvolvida no futuro para satisfazer novas expectativas do mercado, da comunidade e dos clientes?

As competências essenciais levam a desempenhos excepcionais e, portanto, ao sucesso. Por meio delas é que podemos desenvolver os diferenciais, obtendo, assim, a vantagem competitiva. Os diferenciais podem advir não só das competências diretamente ligadas ao processo acadêmico, mas também das atividades de apoio.

A inovação deve ser o valor máximo e envolver uma profunda competência da instituição de ensino.

Alinhamento

Com o alinhamento, integramos as informações obtidas em fatores externos, internos, entre concorrentes, clientes e competências competitivas, possibilitando o planejamento futuro da organização como um todo. Os dados não podem ser considerados isoladamente; devem ser conectados, formando um conjunto de aspectos que nortearão a composição da estratégia.

ESTRATÉGIA – FOCO E POSICIONAMENTO

Visão

É a explicitação do que se visualiza para a instituição de ensino em seu futuro. É o desejo e a intenção do direcionamento da empresa.

Ao definir a visão, os gestores educacionais estarão projetando os resultados da escola para longo prazo, com componentes racionais e emocionais. Racionais, pois é fruto de uma análise apurada de aonde se quer chegar; emocionais devido ao fato de se criarem compromissos internos perante o sonho desejado.

Toda instituição precisa desenvolver sua visão para o futuro, não se estagnando perante o resultado alcançado e saindo, assim, da zona de conforto, tão prejudicial para a sua sobrevivência no mercado educacional.

Uma visão não deve ser resultante da vontade de uma pessoa, e sim do consenso do grupo de líderes. Precisa ser inspiradora para todos os componentes da comunidade escolar, formada por mantenedores, funcionários, corpo docente, parceiros, fornecedores e clientes, criando uma cadeia positiva e sinérgica em prol do futuro a ser alcançado.

Com a visão definida, pode-se projetar, com maior segurança, os objetivos e os investimentos necessários, proporcionando o delineamento do planejamento estratégico.

Alguns exemplos de visões:

- Ser reconhecida pelo mercado como a melhor instituição de ensino superior no Brasil.
- Ser referencial de excelência na educação infantil.
- Tornar-se a maior instituição de ensino na Região Sul do Brasil.
- Ser percebida pelos alunos como a melhor escola de educação básica.
- Consolidar-se como centro tecnológico de educação profissional.

Perspectivas Equilibradas

Formam o direcionamento e o foco de atenção. Kaplan, professor na Harvard Business School, e Norton (1997) consideram quatro perspectivas imprescindíveis: financeira, clientes, processos internos além de aprendizado e crescimento. Levando em consideração a importância da tecnologia no segmento educacional, incluiremos este aspecto no conjunto, totalizando cinco perspectivas.

Financeira

Cada instituição de ensino encontra-se em uma fase financeira específica. Desta maneira, os objetivos futuros poderão ser direcionados para diminuição de custos, manutenção, crescimento rentável e contínuo ou alta lucratividade.

Muitas vezes, encontramos, nas organizações, processos separados para o planejamento estratégico e o orçamento anual. Nessa situação, dificilmente as alocações de recursos estarão integradas às prioridades estratégicas, e esse é um grande equívoco, pois os investimentos deveriam abranger principalmente as diretrizes para o alcance da visão desejada. É um grande erro entendermos que o processo de planejamento estratégico de longo prazo deva ser desenvolvido apenas para alimentar o plano orçamentário da escola. Os dois processos, tanto o estratégico como o orçamentário, são relevantes demais para a instituição de ensino e não deveriam ser realizados separadamente.

Cliente e mercado

A identificação do público-alvo da escola é altamente relevante para se estabelecerem estratégias seguras. As análises das características dos clientes, atuais e potenciais, permitem a escolha e a seleção de em quais segmentos a instituição prefere atuar.

Após a seleção, o gestor educacional deve se aprofundar no que é altamente valorizado por esse segmento, colocando-se intensamente na "pele" desses clientes. Compreender o que o cliente e o mercado esperam propiciará tomada de decisões precisas e resultados mais efetivos.

A utilização de pesquisas é altamente recomendada, pois permite comparações de seus resultados ao longo do tempo e propicia o estabelecimento de metas relacionadas à satisfação dos clientes.

Processos internos

Ao abordar os processos internos, nos referimos tanto aos acadêmicos como aos administrativos. Nesta perspectiva, é crucial que o dirigente educacional analise em quais processos críticos a instituição de ensino deve buscar, alcançar e manter a excelência para se destacar perante o mercado.

Muitas escolas se preocupam com a melhoria de seus processos operacionais críticos, mas geralmente são apenas eficientes. É importante ter qualidades superiores, destacando-se das demais.

Cabe o questionamento: quais processos alcançarão maior impacto na satisfação dos clientes e nos resultados financeiros? A análise deverá levar em consideração não somente os processos atuais, mas também os que precisarão ser implementados, enfatizando-se, nesse momento, a inovação.

Para diagnosticar e selecionar a vantagem competitiva, torna-se necessário definir e mapear toda a cadeia de valores da instituição de ensino. É de responsabilidade do gestor identificar os processos que compõem a cadeia de valores, descobrindo maneiras de sustentá-la e comunicando a todos os envolvidos os elos de interligações.

Com o mapeamento, consegue-se identificar a singularidade presente em uma determinada atividade. A singularidade só resultará em diferenciação se agregar valor ao cliente.

A instituição de ensino ao se concentrar, principalmente, nos pontos fortes estará fortalecendo os seus atributos positivos no que faz de melhor e despendendo menos energia para concretizar o vislumbrado. Isso não significa ignorar as suas deficiências, mas sim potencializar as competências.

Constata-se, regularmente, no dia a dia das escolas, reclamações dos alunos sobre a demora de resposta a determinada solicitação. Nesse aspecto, podemos considerar como um processo crítico o tempo de retorno a um protocolo: geralmente levam-se dias para uma resposta, quando, na verdade, o tempo efetivamente gasto para a análise dura apenas alguns minutos. Por que não rever esse processo desde o recebimento da solicitação até a comunicação da decisão, positiva ou negativa, ao cliente? Com certeza, a tecnologia da informação pode ajudar, e muito, nesse trabalho.

A realidade também demonstra que os ciclos de vida dos currículos dos cursos estão cada vez mais curtos e, portanto, esse fator é crítico, precisando ser sempre revisto.

Tecnológica

A tecnologia é um dos aspectos que mais vem influenciando a gestão educacional, seja no âmbito acadêmico seja no administrativo. Não é mais admissível ignorar a sua força, ou na elevação da produtividade dos processos ou nas interações de ensino-aprendizagem. É relevante ao gestor educacional considerar:

- Quais as possíveis tendências e alterações tecnológicas?
- Os profissionais das equipes estão capacitados? Precisarão de novas qualificações perante os equipamentos a serem adotados?
- Qual é a vida útil dos diversos equipamentos em uso na instituição?
- Qual o potencial de desenvolvimento de novas aplicações tecnológicas?

A evolução tecnológica é um dos fatores que mais acirra a concorrência, fazendo decair a vantagem competitiva de muitas escolas consideradas "tradicionais" que não a consideraram em seus processos.

Aprendizado e crescimento

Mais do que qualquer outra organização, a instituição de ensino deveria ser, como empresa, um modelo de aprendizagem para toda a comunidade. Infelizmente, não é isso que acontece em várias escolas.

Geralmente, encontramos grandes lacunas entre as competências atuais da instituição de ensino e o que seria necessário para obter o desempenho desejado.

Para atingir as metas de longo prazo, seja de clientes, seja de processos internos, tecnológicos ou financeiros, precisa-se de investimentos e ações na reciclagem das equipes acadêmica e administrativa, nos procedimentos e nas relações com a comunidade, pois é pouco provável que a instituição de ensino alcance os objetivos futuros baseando-se somente em suas capacidades atuais. Desta maneira, também é importante incluir objetivos dentro dessa perspectiva.

Objetivos Estratégicos

São resultados do que se deve alcançar, portanto são enunciados de realizações, e não de atividades; derivam da visão e das perspectivas, devendo ser pontos de referência para todo o processo gerencial. São direcionados a resultados para dois a cinco anos posteriores e que, se alcançados, propiciarão um alto desempenho à instituição de ensino, bem como diferenciação perante suas congêneres e vantagem competitiva.

Os objetivos devem constituir um desafio, portanto é recomendável apresentarem um certo nível de dificuldade e de exigência de energia nos esforços que possam ir além da rotina das atividades já existentes no estabelecimento de ensino, alterando o *status quo*. Entretanto, não podem ser inatingíveis, pois isso causaria uma grande frustração em todos os profissionais envolvidos na consecução.

Outro aspecto a ser considerado é com relação ao custo para a concretização do objetivo, sendo recomendável que seja analisada a proporcionalidade perante o benefício a ser obtido. Apesar de nesta etapa ainda não se estabelecerem os recursos, pois esse aspecto será detalhado nos planos de ações (item "Planos de ação"), não é adequado um gestor vislumbrar um objetivo que exigirá recursos superiores ao provável retorno.

Para cada perspectiva citada no item "Perspectivas equilibradas", podem-se desenvolver vários objetivos interdependentes em relações de causa e efeito com os demais. Por exemplo, se houver, na perspectiva financeira, o objetivo "elevar a lucratividade", este precisará estar interligado aos objetivos da perspectiva de cliente e de mercado, como "intensificar o crescimento agressivo (ou moderado)"e, por sua vez, deverá ter continuidade nos demais objetivos dentro da própria perspectiva e das outras. Didaticamente, podem-se ilustrar essas inter-relações conforme demonstrado na Figura 1.2.

Os objetivos, quando em número elevado, precisam ser priorizados, pois orientam o processo decisório. Com a priorização, haverá uma melhor análise do impacto (reduzido, moderado ou elevado) e do retorno (imediato, a médio prazo ou a longo prazo) que trarão para o alcance da visão (ver Figura 1.3).

Indicadores e Metas

São dados numéricos que quantificam o desempenho dos processos, dos serviços oferecidos e da instituição como um todo. Se um gestor não medir os resultados, não saberá, com precisão, se conseguiu atingir a meta desejada.

Os indicadores não se limitam a medir as mudanças e o patamar de desempenho alcançado, vão além. Eles servem de estímulo e mobilização para as mudanças, pois os profissionais responsáveis pelo alcance das metas estipuladas encontram referências para aonde se quer chegar.

Geralmente, o uso de indicadores ajuda a interpretar e compreender conceitos complexos, transformando-os em ideias mais simples e propiciando o alinhamento e a sinergia de todos os colaboradores da equipe.

Como propriedades dos indicadores, cabe ressaltar a não ambiguidade, as facilidades no levantamento dos dados, a compreensão e a comparação com outros referenciais.

Podem-se destacar dois tipos de indicadores:

Indicadores Operacionais – mais comuns em rotinas. Exemplos:

- Número de horas de capacitação.
- Tempo de atendimento a uma solicitação do cliente.
- Índice de atendimento no protocolo por número de alunos: pico e rotina.
- Índice de acidente de trabalho.
- Índice de aproveitamento interno de profissionais em novas funções (transferência ou promoção) em função de número de vagas disponíveis.
- Número de professores de intercâmbio.
- Número de docentes capacitados em novas tecnologias.

Indicadores de Resultado – mais direcionados para o desempenho global da organização. Exemplos:

- Índice de satisfação dos clientes.
- Índice de retenção de clientes.
- Índice de aumento do número de alunos.

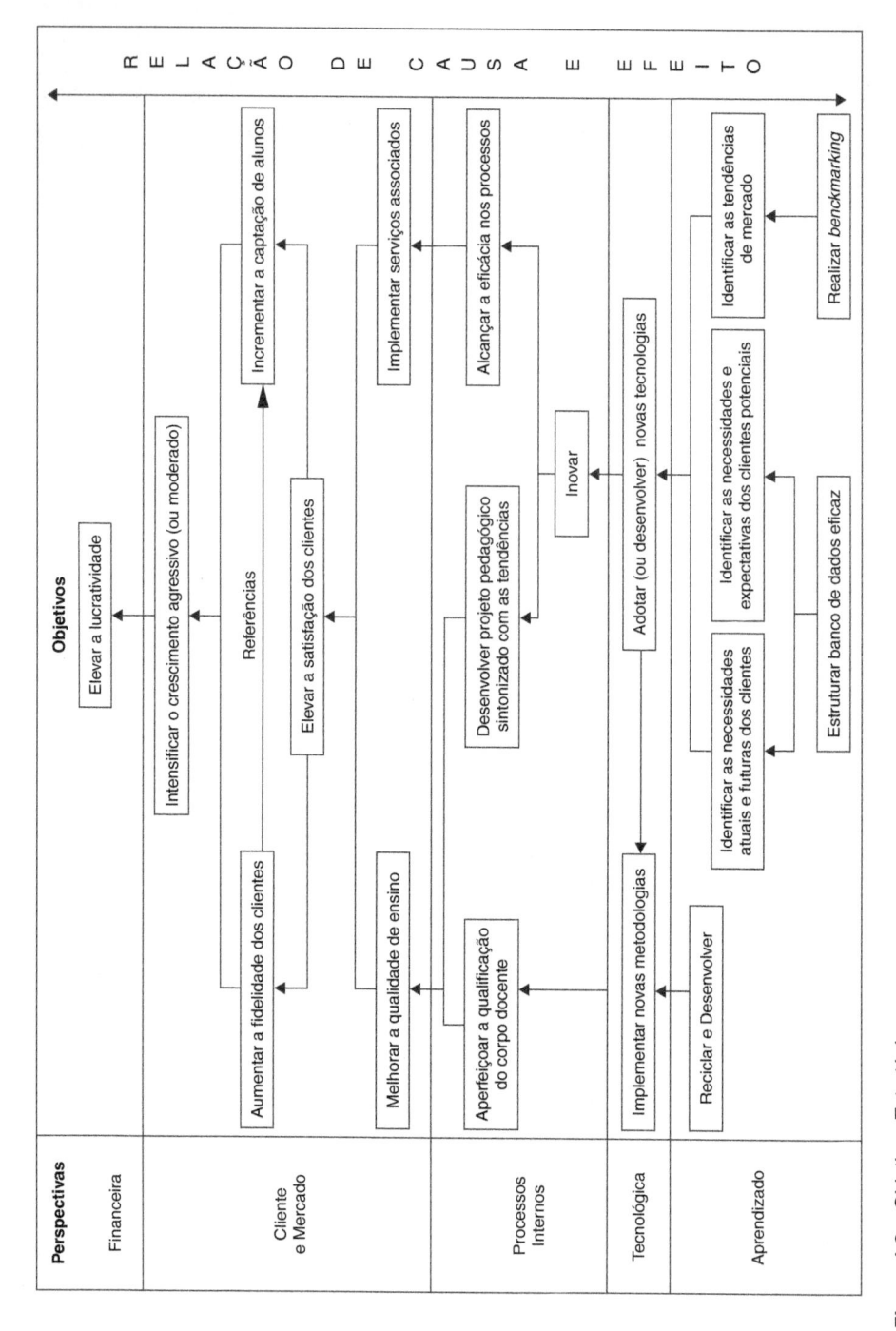

Figura 1.2 Objetivos Estratégicos.

Objetivo: _____

Retorno \ Impacto na visão	Reduzido	Moderado	Elevado
Imediato			
A médio prazo			
A longo prazo			

Figura 1.3 Priorizando os objetivos.

- Lucratividade.
- Retorno sobre o capital empregado.
- Participação no mercado.
- Número de veteranos rematriculados nos cursos de pós-graduação e extensão.
- Índice de evasão.
- Índice de docentes doutores, mestres, especialistas e graduados.

Ao estabelecer metas de curto, médio ou longo prazo para os indicadores, os gestores educacionais projetam o que será alcançado e quando (data limite), bem como assumem o compromisso e reiteram a responsabilidade de alcançar a visão estabelecida para a sua organização.

Os indicadores podem ser comparados com os resultados das empresas congêneres ou referenciais de excelência (prática considerada a melhor na categoria ou liderança reconhecida na comunidade, no país ou mundialmente).

Não se devem criar muitos indicadores, apenas aqueles que serão relevantes para demonstrar como a escola está se saindo, bem como para estimular os profissionais rumo a desempenhos e resultados significativos. É melhor ter poucos, mas que agregam valor à estratégia, do que muitos, perdendo-se um precioso tempo na coleta de dados. Caso um processo ou objetivo não possa ser medido diretamente, podem-se considerar, na etapa de planejamento, as condições que deverão apresentar à época de sua conclusão.

Estratégias Competitivas

Abrange a análise do que fazer e também do que não fazer para alcançar os objetivos.

Como escolher a melhor estratégia perante as incertezas do futuro? Qual o caminho mais adequado? As estratégias devem equilibrar, de maneira harmônica, os riscos e resultados: de preferência, baixos riscos e obtenção máxima nos lucros. Quanto menor for o estabelecimento de ensino e com poucos recursos, geralmente, menores serão os riscos que os dirigentes estarão dispostos a enfrentar.

A tomada de decisão sobre uma determinada estratégia modela consideravelmente uma instituição de ensino, podendo colocá-la em posição competitiva e de destaque perante as demais do setor. Isso é extremamente desafiador! Para acolher todas as estratégias a serem definidas, devem-se considerar as macroestratégias e as macropolíticas. Por macroestratégias entendem-se as grandes ações que a escola poderá adotar para interagir com o ambiente e propiciar vantagens competitivas; por macropolíticas compreendem-se as grandes diretrizes que nortearão a tomada de decisões, tais como: política de preços das mensalidades, política financeira, política de recursos humanos, política de investimentos, política de responsabilidade social, política de *marketing*, etc.

Para cada estratégia, é interessante considerar sua possível eficácia nos cenários que foram levantados na etapa de análise do ambiente.

O gestor educacional, ao fazer escolhas estratégicas, deve considerar o impacto e as consequências que elas trarão ao próprio segmento educacional a longo prazo. Um exemplo negativo sobre essa afirmativa é a prática adotada por algumas instituições de ensino com relação à política de mensalidades, divulgando ao mercado, na época de matrículas, valores que são x% mais baixos do que os do concorrente. Temos observado, em algumas regiões, a diminuição desenfreada das mensalidades apenas porque a concorrência passou a adotar preços inferiores, sem considerar os custos envolvidos na estrutura, nos processos acadêmicos e administrativos, etc. O resultado dessa estratégia é o desgaste, a aniquilação a curto e médio prazo das organizações envolvidas e a imagem negativa do setor perante a comunidade. Sem dúvida, a instituição, ao conseguir diminuir ou manter os valores das mensalidades, pode conseguir vantagem competitiva, mas desde que essa prática esteja coerente com suas possibilidades de custos e de sustentação financeira.

Outros aspectos a serem observados na escolha de estratégias:

- Está sintonizada com a visão de futuro?
- Favorece o cumprimento da missão?
- É clara e será compreendida pelos componentes da equipe?
- Respeita os princípios da instituição?

- É inovadora?
- É coerente com as demais estratégias da instituição?
- Contribui para obter a vantagem competitiva?
- Está pertinente com os recursos disponíveis? Se não está, quais serão as formas de captação dos recursos necessários?

Ao estabelecer as estratégias, o gestor terá melhores condições de estruturar e planejar as ações de *marketing*, assunto a ser aprofundado no Capítulo 4.

Sem dúvida, a estratégia, apesar de sua relevância para o desempenho de uma escola, não deve ser considerada como o único fator determinante para o seu sucesso ou fracasso. Outras variáveis também precisam ser observadas pelo administrador educacional, tais como as competências dos profissionais que compõem a força de trabalho, os recursos disponíveis, a estrutura, etc.

DESDOBRAMENTO E ATIVAÇÃO

Planos de Ação

Nesta etapa, já se vislumbra o planejamento tático, considerando os meios para a concretização dos objetivos.

Os planos de ação preveem atividades programadas, contendo o detalhamento de como deverá ser realizada e concretizada a estratégia para se atingir o objetivo. É o desdobramento da estratégia para as diversas áreas da empresa a curto, médio e longo prazo.

De nada adianta termos boas estratégias se elas não se transformarem em fortes planos de ação. É nesta fase que se indicam os responsáveis por cada etapa do plano, os prazos (início e término) e os recursos necessários para o seu cumprimento, tais como: humanos, de equipamentos, financeiros, etc. Um cuidado a se tomar é o de não aprovar a realização de uma ação se ela exigir investimentos superiores às disponibilidades financeiras da escola, a não ser que esteja prevista a captação de recursos advindos de fontes alternativas.

Já foi abordado, no item "Perspectivas equilibradas", sobre a importância da total integração do planejamento estratégico com o plano orçamentário da escola. É nesta etapa, a dos planos de ação, que a congruência entre os dois torna-se altamente relevante.

Cabe também ao gestor educacional determinar, de acordo com as competências das áreas e as respectivas equipes, os limites das responsabilidades e autoridades, incentivando a cooperação entre os seus membros e prevenindo possíveis conflitos interpessoais.

Consistência e Aprovação

Nesta fase, o planejamento estratégico está concluído. Porém, recomenda-se que, antes de divulgá-lo e implementá-lo, seja verificada a sua consistência no âmbito interno, externo, de clientes e dos riscos.

Em relação à consistência interna, podem-se verificar os fatores de recursos e as capacitações das equipes; em relação à externa, os aspectos ligados à legislação educacional, à conjuntura econômica e política e ao mercado. Quanto aos clientes, é importante verificar se o planejamento estará agregando valor a eles e se favorecerá a captação dos *prospects*; para os riscos, deverão ser contemplados os fatores sociais, econômicos, financeiros e políticos.

Recomenda-se que todo processo de planejamento estratégico seja aprovado formalmente pela alta direção. Geralmente é nesta etapa, após a elaboração dos planos de ação e a verificação da consistência, que se providencia a documentação para a devida homologação.

Divulgação

Os objetivos a serem alcançados precisam ser comunicados a todos os membros da equipe para que a estratégia da escola seja bem-sucedida; torna-se difícil realizá-los se não forem claros e compreendidos.

A estratégia não é apenas algo que os dirigentes de uma instituição elaboram cuidadosamente, ela contempla um processo que vai além, devendo ser vivenciada pelos profissionais que colaborarão para a sua implementação. Não basta criar, é imprescindível torná-la presente nas ações do cotidiano, com objetivos integrados e interdependentes do que se pretende alcançar.

As habilidades e a motivação dos colaboradores da organização serão necessárias para o alcance dos objetivos e para a superação das metas. Todos, independentemente da "distância" do processo de planejamento, precisam conhecer e se envolver para a concretização da vantagem competitiva da organização. Com isso, professores e funcionários, com aspirações compartilhadas, tornam-se comprometidos e capazes para estabelecer metas táticas e locais que apoiem a estratégia global.

Para tanto, o sistema de comunicação interna deve contemplar o repasse de informações valiosas sobre os clientes, os processos, o ambiente, a comunidade e as consequências financeiras de suas ações. Ao criar uma cultura coesa em prol da implementação da estratégia, estarão se alinhando, de forma sinérgica, todas as etapas para a sua concretização e eficácia.

Implementação: Foco e Determinação

Não há muito mistério em formular uma estratégia; o mais complexo é fazê-la funcionar.

Geralmente, há uma grande lacuna entre o desenvolvimento da estratégia e a efetiva implementação. Infelizmente, várias escolas elaboram estratégias inovadoras e bem-estruturadas, mas estas ficam engavetadas nas mesas dos seus gestores, gerando estagnação nos processos e desmotivação da equipe.

Não é possível tratar a formulação e a implementação de uma estratégia separadamente, é necessário haver uma interligação, uma ponte entre a concepção e a efetiva realização.

São várias as barreiras que as instituições de ensino encontram ao direcionarem seus esforços para colocar em prática o que foi desejado:

- falta de clareza e entendimento dos profissionais quanto à visão;
- estratégias não integradas às metas dos departamentos, seja acadêmico ou administrativo;
- não alocação de recursos adequados às necessidades futuras;
- excesso de prioridades estabelecidas na rotina escolar;
- arrogância no acreditar que já é bom o suficiente;
- complacência ao aceitar ações modestas e não condizentes com o que foi estipulado;
- desperdício de tempo ao realizar ações ineficazes.

Para diminuir essas barreiras e superar os obstáculos, é preciso preservar o foco e a determinação. Com o foco, obtém-se a atenção concentrada nos objetivos, com ações pró-ativas rumo às estratégias formuladas, sem desvios na rota e nem dispersões diante das prioridades estabelecidas. Com a determinação, surge a energia, manifestada no vigor, no compromisso profissional para a ação e na busca incessante para o alcance do desejado.

Essas duas características, juntas, potencializam a capacidade executiva dos gestores educacionais. Separadas, apesar de serem positivas, não proporcionam a sinergia necessária para a consecução de todos os propósitos organizacionais.

Para o sucesso da implementação, é necessário ter profissionais que possuam a conjugação dessas características, e isso não é fácil. Torna-se cada vez mais claro e transparente que as pessoas devem ser colocadas no centro da estratégia, pois o capital humano, nas instituições de ensino, é o fator mais relevante para a sua competitividade no mercado. Desta maneira, não se pode relegar a um segundo plano a seleção, a capacitação e o desenvolvimento das equipes para as novas competências desejadas, pois é muito mais difícil encontrar e manter profissionais habilitados para desenvolver as atividades requeridas do que elaborar uma estratégia. Conservar os melhores talentos passa a ser uma vantagem competitiva e, portanto, um fator de grande atenção dos líderes visionários.

Várias instituições de ensino têm adotado a pesquisa de clima organizacional para identificar o nível de satisfação de seus funcionários. Em algumas, constata-se a real preocupação em identificar os fatores que estão relacionados ao desempenho dos profissionais; em outras, apenas se adota esse instrumento por ser politicamente correto na gestão de seus recursos humanos. Ganham em vantagem competitiva as primeiras, pois há uma correlação direta entre funcionário motivado pelos resultados da empresa e clientes satisfeitos.

CONTROLE

O processo estratégico não se finda com a sua elaboração e o início da implementação. É necessário que o gestor educacional tenha um controle sistemático, acompanhando e participando ativamente no desenvolvimento dos trabalhos, realizando comparações entre as situações alcançadas e as previstas.

Com o acompanhamento, os líderes educacionais podem verificar se suas estratégias estão conseguindo os resultados desejados e se as ações estão adequadas às situações atuais. Esse é também um momento de reflexão e análise sobre a necessidade de desenvolver novas estratégias perante oportunidades atuais ou ameaças não contempladas no momento da elaboração do planejamento estratégico. Com o controle, assegura-se de forma mais efetiva o desempenho a ser alcançado, pois se identificam os erros e as falhas, tendo-se a oportunidade de corrigi-los.

Um fator relevante nessa fase é fornecer *feedback* às equipes sobre o desenvolvimento das atividades, tanto os resultados obtidos no planejamento tático como no estratégico. Reuniões mensais de análise e resultados operacionais, bem como reuniões trimestrais para verificação das ações estratégicas, propiciarão um efetivo controle sobre o andamento do planejamento, assegurando sua realização e eficácia. É preciso incentivar o otimismo, a determinação e a disciplina para não perder o foco e manter o rumo a ser seguido.

APRENDIZADO

Nesta fase, considera-se o que é preciso fazer para aperfeiçoar o processo, pois todo o trabalho de planejamento necessita ser melhorado e incrementado para que, a cada ano, a equipe educacional possa formular estratégias mais condizentes com o futuro desejado.

Ao avaliar os métodos que utiliza e os padrões de desempenho obtidos, ocorre a retroalimentação do sistema, tendo-se condições de aprender sobre o ocorrido e consequentemente planejando de modo mais eficaz. Com o mercado altamente competitivo, é necessário aprender continuamente a "jogar" de modo mais astuto e inteligente.

Ao melhorar os processos ou inovar a sistemática de se fazer bem feito, os gestores levarão a instituição a patamares superiores de excelência, permitindo, com isso, conduzi-la à liderança de mercado. No Capítulo 3, encontraremos os conceitos principais sobre melhoria de processos.

REFERÊNCIAS

ANSOFF, H. Igor. *A nova estratégia empresarial*. São Paulo: Atlas, 2000.

COLOMBO, Sonia Simões. *Escolas de sucesso*. São Paulo: STS, 2000.

HARVARD Business Review. *Planejamento estratégico*: Rio de Janeiro: Campus, 2002.

KAPLAN, Robert S.; NORTON, David P. *A Estratégia em ação – balanced scorecard*. Rio de Janeiro: Campus, 1997.

OLIVEIRA, Djalma P. R. *Planejamento estratégico*. São Paulo: Atlas, 2003.

PAGNONCELLI, Dernizo; VASCONCELOS FILHO, Paulo. *Construindo estratégias para vencer*. Rio de Janeiro: Campus, 2001.

PORTER, Michael E. *Estratégia competitiva*. Rio de Janeiro: Campus, 1998.

PORTER. Michael E. *Vantagem competitiva*. Rio de Janeiro: Campus, 1989.

TIFFANY, Paul. *Planejamento estratégico*. Rio de Janeiro: Campus, 2002.

TZU, Sun. *A arte da guerra*. Rio de Janeiro: Record, 2003.

Capítulo 2

Avaliação Institucional

*Uma Ferramenta para o
Sucesso da Instituição Educacional*

Terezinha Otaviana Dantas da Costa

INTRODUÇÃO

Este capítulo tem como objetivo demonstrar a Avaliação Institucional como ferramenta de auxílio à administração das instituições educacionais que buscam a melhoria da qualidade de ensino. Além do convite à reflexão, aborda pautas históricas de avaliações institucionais, ao mesmo tempo em que situa a nossa avaliação no contexto educacional e político das novas diretrizes que conduzem à educação nacional.

PANORAMA HISTÓRICO

Falar sobre Avaliação Institucional – avaliação da instituição educacional – significa falar de algo do qual muito nos orgulhamos. Significa estar engajado em um processo de qualidade, no qual os maiores beneficiados são os alunos, a comunidade e o país.

De certa forma, a história da avaliação dista de muito longe. Desde a implantação das primeiras escolas isoladas de ensino superior no Brasil, alguns princípios de avaliação podiam ser observados. As escolas deveriam atender aos interesses das elites dominantes, idealizadas, portanto, a partir do modelo português de universidade (Amorim, 1992, p.20). Mesmo com a independência, o império e a república, houve pouco avanço em relação aos critérios que norteavam a criação de cursos superiores.

A partir de 1911, com a instituição da legislação educacional, a questão da autonomia universitária começou a merecer atenção por parte dos governantes, os quais atribuíam competência aos institutos para elaboração de seus programas de ensino.

Em 1934, a criação da Universidade de São Paulo foi um marco, pois redundou em discussão a respeito do ensino superior, proporcionando uma reorganização do ensino e da pesquisa e uma mudança de mentalidade na elite educativa.

De maneira geral, até o fim da década de 1950, o critério avaliativo era empregado para controlar autoritariamente a instituição educacional.

Os movimentos avaliativos, surgidos nas décadas de 1940 e 1960, nos anos de ditadura militar, idealizavam uma nova universidade aberta à discussão, à democracia e à luta pela liberdade (Buarque em Amorim, 1992, p.21).

Em 1968, a reforma do ensino superior foi marcada por dois tipos de avaliação: um gerado pela imposição do autoritarismo, que preconizava que a modernização da instituição fosse subordinada ao capital estrangeiro; o outro, da sociedade civil, que desejava uma universidade preocupada criticamente com a modernização e com o desenvolvimento do país (Buarque em Amorim, 1992, p.22).

A década de 1970 foi marcada por movimentos de contestação e de avaliação da reforma do ensino superior. A partir de 1980, essas manifestações de protestos contra o controle oficial da universidade e da vida política da instituição acentuaram-se sobremaneira.

Entretanto, embora tenha havido algumas tentativas formais de avaliação no final da década de 1970, pelo Departamento de Assuntos Universitários (DAV), somados a outros esforços do MEC e de algumas universidades, foi somente a partir da década de 1980 que o quadro começou a se modificar e, a partir de 1990, passou a adquirir maior consistência em estreita relação com a questão da qualidade.

Em 1993, surgiu o Programa de Avaliação das Universidades Brasileiras (PAIUB), com a premissa da avaliação institucional como uma ferramenta de caráter pedagógico para o planejamento da gestão e do desenvolvimento da educação superior, em um processo contínuo de aperfeiçoamento do desempenho acadêmico.

Observando outros países, pudemos constatar que, no início da década de 1970, a avaliação institucional já era utilizada nos Estados Unidos da América e em alguns países da Europa como instrumento de conhecimento da realidade e das necessidades do ensino superior. Posteriormente, passou a ser utilizada como instrumento de melhoria do desempenho das instituições e tornou-se objeto de programas de mestrado e doutorado, bem como da criação de grande número de associações que tinham como objetivo avaliar para prestar contas à sociedade.

No âmbito da educação básica, vários têm sido os esforços para melhorarmos os nossos níveis educacionais. Estatísticas mostram a posição do nosso ensino fundamental e médio em relação a outros países, deixando-nos em uma posição desconfortável por termos comparativamente os menores índices de alfabetização e de escolarização.

Assim, nos perguntamos: Como superar nossas dificuldades e elevar nossos padrões de qualidade e competência? A resposta está na educação. Com ela, somos capazes de nos colocar em condições de igualdade com os padrões internacionais de qualidade. Temos como melhorar, desenvolver nossas potencialidades e crescer profissional, social e economicamente.

Nessa escalada, temos a atual ação do Exame Nacional de Ensino Médio (ENEM) cujos resultados servirão como um instrumento sinalizador para a reforma de ensino médio.

Por sua vez, a globalização impõe-nos padrões de competitividade, visto ser a qualidade essencial, o que torna o mercado empregador mais seletivo, passando a valorizar a qualidade dos cursos, dos profissionais, e não apenas o diploma como comprovação de capacidade.

A avaliação surgiu, portanto, em nosso país, como processo de autocrítica e de transformação. Foi necessária para que não ficássemos à margem da evolução e dos processos globalizados e por já ser praticada em muitos países como ferramenta para melhoria da qualidade do ensino e das instituições educacionais.

Assim sendo, a avaliação vem contribuir com o sistema educacional brasileiro ao fornecer subsídios para a elaboração de políticas educacionais, dar conhecimento à comunidade, ao mesmo tempo em que proporciona a reflexão acerca da educação por todos os envolvidos no nosso processo educacional.

Esse breve retorno às origens da história do ensino superior no Brasil mostra que a questão da avaliação esteve sempre presente e que se evidencia ainda mais nos momentos de crise. Hoje as universidades e instituições de ensino superior passam por um processo de transformação, de alguma forma associado a mudanças no comportamento da sociedade – mais crítica, mais questionadora e mais exigente –, o que vem contribuir para o aperfeiçoamento dos processos educacionais e, conseqüentemente, para um maior desenvolvimento educacional no país.

BASES LEGAIS

No Brasil, a Avaliação Institucional deu seu primeiro passo formal através da Resolução nº 2 de 1994, do Conselho Federal de Educação, que, em seu art. 19, dispunha: "Nos processos de autorização ou reconhecimento de universidade, deverá, necessariamente, constar da proposta o Plano de Avaliação Institucional, cobrindo todas as áreas de ensino, pesquisa e extensão".

Com a promulgação da Lei nº 9394/96 de Diretrizes e Bases da Educação Nacional (inciso IX do art. 9º), a Avaliação Institucional tornou-se uma exigência legal para a educação superior brasileira, tendo sido atribuído à União "autorizar, reconhecer, credenciar, supervisionar e **avaliar** os cursos das instituições de educação superior e os estabelecimentos do Sistema Federal de Ensino Superior". Em seu art. 46, a LDB determina que "a autorização e o reconhecimento de cursos, bem como o credenciamento de instituições de educação superior, terão prazos limitados, sendo renovados, periodicamente, após processos regulares de **avaliação"**.

Nessa vertente e buscando normatizar os princípios da LDB, o poder executivo, através do Decreto 3.860, de 9 de Julho de 2001, atribuiu ao Ministério da Educação a coordenação da avaliação dos cursos, dos programas e das instituições de ensino superior. Ainda no mesmo decreto, define, no seu art. 17, o Instituto Nacional de Estudos e Pesquisas Educacionais (INEP) como órgão organizador e executor da avaliação, assim como as ações que compreendem o referido processo, as quais apresentamos a seguir:

- grau de autonomia assegurado pela entidade mantenedora;
- plano de desenvolvimento institucional;
- independência acadêmica dos órgãos colegiados da instituição;
- capacidade de acesso a redes de comunicação e sistemas de informação;
- estrutura curricular adotada e sua adequação com as diretrizes curriculares nacionais de cursos de graduação;
- critérios e procedimentos adotados na avaliação do rendimento escolar;
- programas e ações de integração social;
- produção científica, tecnológica e cultural;
- condições de trabalho e qualificação docente;
- autoavaliação realizada pela instituição e providências adotadas para saneamento das deficiências identificadas;
- resultados de avaliações coordenadas pelo MEC.

Pelo Parecer CNE-CES nº 63, de 20 de Fevereiro de 2002, foi aprovado o Sistema de Avaliação do Ensino Superior após homologação do Parecer CNE/CES nº 1366/2001.

No conjunto de uma grande reforma do ensino brasileiro, a Avaliação Institucional do Ensino Médio teve como marco o ENEM, criado em 1998 pelo então Ministro da Educação, Paulo Renato de Souza, que trouxe, segundo o ministro, como proposta aos estudantes do ensino médio, o estímulo à formação de cidadãos capazes de pensar com autonomia para atuar de forma dinâmica e habilidosa diante dos problemas da vida moderna.

Com o ENEM, o ensino médio passou a ter outro tipo de preocupação, além do vestibular. Ele veio substituir o conceito de ministrar conteúdos pelo conceito de construir competências e habilidades.

Assim sendo, surgiu, com essa nova forma de avaliação, um novo conceito educacional para proporcionar ao aluno a capacidade de enfrentar a vida moderna como cidadão autônomo, dotado de capacidade reflexiva, para que possa fazer suas análises, comparações e escolhas.

Hoje, conhecer é mais do que acumular respostas prontas, é saber lidar com qualquer nova informação, transformando-a e aplicando-a em novos conhecimentos.

Contextualizando os aspectos legais que avaliam a educação básica brasileira, temos o Sistema Nacional de Avaliação da Educação Básica (SAEB), implantado em 1990. É coordenado pelo INEP e conta com a participação e o apoio das secretarias estaduais e municipais de educação e do Distrito Federal.

A avaliação realizada pelo Sistema Nacional de Avaliação da Educação Básica consiste em levantar dados estatísticos a cada dois anos nos 26 estados brasileiros e Distrito Federal, com o objetivo de aferir os conhecimentos dos alunos das escolas públicas e privadas do ensino básico (4ª a 8ª séries do ensino fundamental e 3ª série do ensino médio), nas disciplinas língua portuguesa, matemática, ciências, física, química e biologia e, a partir de 1999, incluindo, também, história e geografia.

A avaliação pelo SAEB consiste em verificar o que o aluno é capaz de produzir nos diversos momentos de seu percurso escolar com a finalidade de ponderar a equidade e a qualidade do ensino ministrado.

Tal qual a avaliação institucional aplicada ao ensino superior, o Sistema Nacional da Educação Básica avalia, a cada aplicação de instrumentos, perfil dos alunos, perfil dos professores, perfil dos diretores e mecanismos de gestão escolar dados sobre características infraestruturais das disponibilidades das unidades escolares, práticas pedagógicas e características socioculturais.

A análise dos resultados subsidia a definição de ações rumo à correção das distorções identificadas e o aperfeiçoamento das práticas e dos resultados apresentados pelo Sistema Nacional de Educação Básica.

PARTICIPANTES

A Avaliação Institucional envolve todas as dimensões da instituição educacional. São avaliadores e avaliados os corpos docente, discente e técnico-administrativo. Dada a complexidade da matéria, faz-se mister o comprometimento de toda a comunidade interna e externa, para que o processo tenha legitimidade e credibilidade.

No que tange à avaliação externa e, consequentemente, à dos órgãos oficiais – avaliadores da qualidade de ensino no país –, dispomos, para o Sistema de Avaliação da Educação Superior, dos seguintes instrumentos: Avaliação Institucional (AI), Avaliação das Condições de Ensino (ACE) e Exame Nacional de Cursos (ENC)[1]. Agregam-se aos processos de avaliação os dados sistematicamente coletados nas instituições de ensino superior por meio do Cadastro da Educação Superior e do Censo da Educação Superior, que permitem uma visão horizontal e vertical, quantitativa e qualitativa dos cursos e instituições do país.

---

[1] Exame Nacional de Cursos (Provão) está em discussão, com vistas à alteração na sistemática e/ou na sua concepção.

PRINCÍPIOS

A Avaliação Institucional deverá estar fundamentada em princípios de legitimidade, ética, transparência do processo, participação e comprometimento para que produza os resultados fidedignos necessários. Só assim se poderá ter a verdadeira revelação da instituição que, a partir dessa fotografia institucional, buscará corrigir distorções e ratificar pontos positivos identificados.

É importante ressaltar que a Avaliação Institucional serve como um diagnóstico que não se deve pôr como conclusivo, já que o universo acadêmico é essencialmente vivo e dinâmico, passível das mais variadas mudanças. O que se tem é uma radiografia de uma situação momentânea que permite identificar as potencialidades e as limitações vividas nessa ocasião.

Segundo Dias Sobrinho, (1997),"Avaliação Institucional ultrapassa o domínio especializado e técnico, chegando ao social, ético e político".

Não deve ser, portanto, um modismo, uma manifestação de autoritarismo ou uma punição; deve estar ligada às instituições em uma prática de aprovação, visando à melhoria contínua da instituição.

Entendemos essa avaliação como formativa. Segundo Nóvoa (1995, p.25), a avaliação formativa é aquela que cria as condições para uma aprendizagem mútua entre os atores educativos, por meio do diálogo e da tomada de consciência individual e coletiva.

PRESSUPOSTOS

Para que a avaliação cumpra sua missão educativa, devem ser vencidas algumas etapas como:

- construir uma imagem de que a avaliação não é só necessária, mas essencial para a melhoria de desempenho da instituição;
- mostrar que a avaliação veio para ficar;
- compreender e respeitar a identidade institucional em seu permanente dinamismo;
- superar traumas de que a avaliação serve para punir;
- incutir uma visão positiva da avaliação, o que daria início a um processo de autoavaliação contínua e permanente;
- iniciar, em seguida, as avaliações externas.

OBJETIVOS

Além de cumprir uma exigência legal, a Avaliação Institucional é presença obrigatória em toda e qualquer atividade humana, sobretudo, na educação.

São objetivos da Avaliação Institucional:

- Explicitar o papel social da instituição e de seus cursos rumo a uma sociedade mais justa e democrática.
- Desencadear um processo de autocrítica na instituição, visando a garantir a qualidade de suas ações.
- Ampliar a qualidade dos cursos que ministra, introduzindo uma práxis pedagógica de qualidade.
- Contribuir para definições de estratégias que visem a atender melhor às expectativas e necessidades sociais políticas e econômicas da atual conjuntura.
- Gerar subsídios para tomada de decisão e viabilização do Plano de Desenvolvimento Institucional.

METODOLOGIA

Considerando que a Avaliação Institucional envolve campos distintos e considerando ainda a importância da reflexão crítica sobre a operacionalização do processo, faz-se necessária a constituição de uma comissão que faça a coordenação geral e que passe a coordenar as comissões setoriais ou específicas.

Acreditando em um dos princípios de Deming (1980), "avaliar – para criar uma nova cultura para a qualidade", consideramos que a Avaliação Institucional deva estar preparada e disposta a novos desafios. No entanto, para facilitar a criação da cultura para a qualidade, devemos ter presentes os seguintes pontos basilares:

- compromisso ético com os objetivos e os propósitos da avaliação;
- coerência de diretrizes e propostas claramente definidas;
- formação da consciência para o crescimento, seja ele pessoal ou institucional;
- garantia (pela periodicidade) de que nada mais será reconhecido e credenciado *ad eternum*.

De acordo com a estrutura do *Manual de Avaliação Institucional do INEP*, os aspectos a serem avaliados estão organizados em níveis hierárquicos, a saber: dimensões, categorias de análise, indicadores e aspectos a serem avaliados (ver Figura 2.1).

As dimensões compreendem três amplos níveis, que são: **Organização Institucional, Corpo Docente** e **Instalações**.

GESTÃO EDUCACIONAL   45

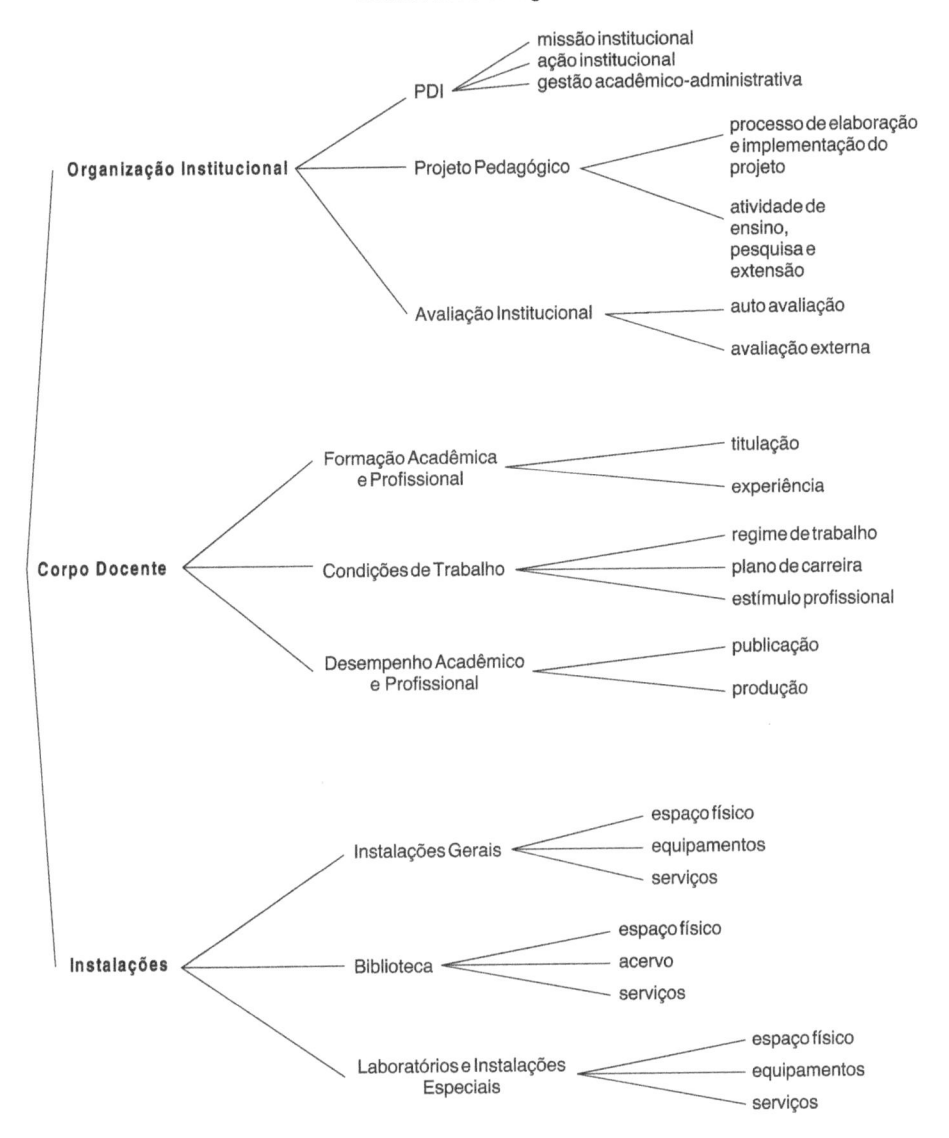

Visualização Gráfica da Avaliação Institucional

Dimensões / Categorias

Organização Institucional
- PDI
  - missão institucional
  - ação institucional
  - gestão acadêmico-administrativa
- Projeto Pedagógico
  - processo de elaboração e implementação do projeto
  - atividade de ensino, pesquisa e extensão
- Avaliação Institucional
  - auto avaliação
  - avaliação externa

Corpo Docente
- Formação Acadêmica e Profissional
  - titulação
  - experiência
- Condições de Trabalho
  - regime de trabalho
  - plano de carreira
  - estímulo profissional
- Desempenho Acadêmico e Profissional
  - publicação
  - produção

Instalações
- Instalações Gerais
  - espaço físico
  - equipamentos
  - serviços
- Biblioteca
  - espaço físico
  - acervo
  - serviços
- Laboratórios e Instalações Especiais
  - espaço físico
  - equipamentos
  - serviços

Figura 2.1 Visualização Gráfica da Avaliação Institucional.

As categorias de análise são desdobramentos das dimensões e, também, estão organizadas em três níveis que compreendem:

■ **Organização Institucional**
- Plano de Desenvolvimento Institucional – PDI.
- Projeto Pedagógico dos Cursos e Articulação das Atividades Acadêmicas.
- Avaliação Institucional (autoavaliação).

■ **Corpo Docente**
- Formação acadêmica e profissional.
- Condições de trabalho.
- Desempenho acadêmico e profissional.

■ **Instalações**
- Instalações gerais.
- Biblioteca.
- Laboratórios e instalações especiais.

Os indicadores são desdobramentos das categorias, estão organizados em função da interdependência e compreendem:

■ **Organização Institucional**
- **Plano de desenvolvimento institucional**

    Para analisar esta categoria são utilizados três indicadores:
    - **Missão institucional** – neste item, avaliam-se a clareza da definição da missão da instituição, sua vocação, seus objetivos e suas metas.
    - **Ações institucionais** – avaliam-se a coerência das ações e propostas acadêmico-administrativas em andamento em relação à vocação, aos objetivos e às metas estabelecidos no PDI.
    - **Gestão acadêmico-administrativa** – neste item, avaliam-se a estrutura organizacional, a integração entre gestão administrativa, órgãos colegiados e comunidade acadêmica, além do fluxo de controle e dos mecanismos de acompanhamento dos processos acadêmicos.

- **Projeto pedagógico dos cursos e articulação das atividades acadêmicas**

    Para esta categoria são utilizados dois indicadores:
    - **Processo de elaboração e implementação dos projetos pedagógicos dos cursos** – este indicador avalia a participação dos coor-

denadores de cursos e docentes na elaboração, atualização e implementação dos projetos pedagógicos de cursos. É considerado de fundamental importância, visto que o envolvimento desses atores potencializa a articulação e a execução das atividades acadêmicas.

- **Atividades de ensino, de pesquisa e de extensão e sua articulação** – este indicador avalia as atividades de ensino, de pesquisa e de extensão, bem como sua articulação com os diversos segmentos da instituição, sejam eles de ordem acadêmica, didática e/ou financeira, através de apoios necessários, visto que potencializam a qualidade de ensino que irá repercutir na formação do discente.

- Avaliação institucional

    Esta categoria de análise compreende dois indicadores:
    - **Autoavaliação** – como processo institucionalizado, com a existência de comissão instituída para elaboração, implementação, discussão e interpretação dos resultados das avaliações internas e externas; sensibilização e motivação da comunidade acadêmica para a participação no processo de autoavaliação.
    - **Avaliação externa** – este indicador diz respeito à avaliação externa, incluindo as várias formas de avaliações realizadas pelo MEC e/ou agentes externos. A avaliação é uma referência para a gestão acadêmico-administrativa, devendo repercutir na transformação da instituição rumo à qualidade das ações e dos serviços prestados.

■ Corpo Docente

Nesta dimensão, temos três categorias de análises que caracterizam a qualidade do corpo docente. São elas:

- **Formação acadêmica e profissional** – dois indicadores são analisados nesta categoria. O primeiro analisa a titulação, e o segundo, a experiência profissional. Assim sendo, são consideradas como contribuição para um ensino de qualidade não só a titulação, como também a experiência profissional dentro e fora do magistério. O tempo de magistério no ensino superior e a formação pedagógica dos docentes são aspectos de grande importância na avaliação da qualidade da instituição educacional.

- **Condições de trabalho** – para análise desta categoria, são utilizados três indicadores: regime de trabalho, plano de carreira e estímulos profissionais. Portanto, através desses indicadores, poder-se-á observar o incentivo aos docentes, quer como apoio à qualificação acadêmica, à participação em eventos à produção, quer pelos critérios de admissão e progressão na carreira docente.

- **Desempenho acadêmico e profissional** – a avaliação sob o ponto de vista desta categoria expressa o comprometimento do docente com a profissão, por meio de produções intelectuais, técnicas, culturais e pedagógicas publicadas sob a forma de artigos, capítulos ou livros.

■ **Instalações**

Esta dimensão é avaliada através de três categorias que, de forma integrada, demonstram a qualidade das instalações das instituições educacionais, considerando-as adequadas para a implementação e o desenvolvimento dos processos institucionais e pedagógicos a serem desenvolvidos. São elas:

- **Instalações gerais** – são três os indicadores desta categoria: o físico, compreendendo salas de aula, instalações para docentes, coordenadores, salas de reuniões e de professores, auditórios, instalações administrativas, entre outras; a existência de equipamentos, tais como recursos audiovisuais e multimídia, bem como o acesso dos corpos docente e discente aos equipamentos de informática, a qualidade dos mesmos, assim como a existência de plano de expansão e atualização dos equipamentos; são analisadas, também, a forma de manutenção e conservação de todo o patrimônio institucional.

- **Biblioteca** – esta categoria é avaliada a partir de três indicadores: o espaço físico, compreendendo as instalações para acervo, estudos individuais e em grupo; o acervo – livros, periódicos, política de atualização, aquisição, expansão e informatização; os serviços prestados sob a óptica do horário de funcionamento, do apoio à elaboração de trabalhos acadêmicos, bem como do acesso do pessoal técnico-administrativo. Todos esses indicadores demonstram as condições de funcionamento da biblioteca numa perspectiva mais ampla.

- **Laboratórios e instalações especiais** – para análise desta categoria são utilizados os seguintes indicadores: espaço físico que abrange os laboratórios; equipamentos e mobiliários, compreendendo disponibilidade e acesso, políticas de conservação, aquisição e atualização; serviços e atividades acadêmicas; disponibilidade de pessoal técnico para orientação e acompanhamento das atividades desenvolvidas no laboratório.

CONSIDERAÇÕES FINAIS

A Avaliação Institucional como ferramenta para o sucesso das instituições educacionais surge da necessidade de se gerir corretamente.

Segundo Dias Filho (1992, p.1), "sem avaliar e sem conhecer qualquer instituição, é impossível fazer um programa de gerenciamento que seja eficiente".

Para se gerenciar qualquer instituição, seja ela uma empresa ou uma escola, é preciso conhecê-la para saber onde estão suas potencialidades e suas carências.

Devemos pensar na avaliação como um instrumento de conhecimento da realidade e de monitoramento para a mudança, tendo em vista que a Avaliação Institucional emite um juízo de valor por meio de estudos feitos para se conhecer as realidades internas e externas (= diagnóstico); envolve um olhar para o cenário interno e externo (= avaliação); um planejamento de metas muito concretas (= PDI); uma verificação do que foi obtido (= monitoramento); e correções das distorções retroalimentando todo o processo acadêmico-pedagógico da instituição.

As instituições que têm a missão específica de educar devem estar cada vez mais conscientes da relevância da aplicação de todos os critérios inerentes a qualquer empresa que busca a qualidade dos serviços prestados e devem ter a consciência da existência de seus mercados e respectivos consumidores, procurando satisfazê-los em seus anseios e necessidades.

A avaliação, tanto institucional quanto por curso, tem sido o instrumento utilizado na indução, na melhoria e na manutenção da qualidade. Contribuir para esse novo contexto significa refletir, empreender esforços e participar de um processo de construção.

> A universidade não pode mais encastelar-se no passado (imobilismo-fixação do conhecimento) como se dele ela pudesse esperar a solução dos problemas do mundo moderno.
>
> (Mézomo, 1996, p.11)

Administrar uma instituição educacional é primeiramente ter consciência ética da missão da universidade e, ao mesmo tempo, colocar em prática as ações que decorrem de uma postura profissional com consciência e responsabilidade.

Estamos falando de futuro – que já é presente; de respeito pelo próximo – que é ação; de responsabilidade – que é cumprir com dignidade as suas atribuições; de qualidade – que é pressuposto básico para o crescimento.

REFERÊNCIAS

AMORIM, Antônio. *Avaliação institucional na universidade*. São Paulo: Cortes, 150 p. (Biblioteca da Educação – série 1 – Escola v. 16).

AVALIAÇÃO INSTITUCIONAL 2002 – *Sistema de Avaliação da Educação Superior – Um estudo sobre o processo e os resultados* – versão Preliminar. INEP, Ministério da Educação.

BALZAN, Newton César. Pesquisa, avaliação institucional e desenvolvimento da qualidade do ensino superior – relações de reciprocidade. *Pro-posições*. Revista Quadrimental da Faculdade da Educação, UNICAMP, v.5 n. 2 (14), p.32–41, 1994.

BRAGA, Ronald. *Qualidade e eficiência do modelo de ensino superior brasileiro*: um reflexão crítica. São Paulo: NUPES – Núcleo de Pesquisas sobre o Ensino Superior – Universidade de São Paulo, 1989. 15p. (Série Documentos de Trabalhos)

BASES PARA UM ENSINO DE QUALIDADE – INEP – Instituto Nacional de Estudos e Pesquisas Educacionais.

DEMING, W. Edwards. *Qualidade*: a revolução da administração. Tradução de Chave Comunicações e Recursos Humanos. Rio de Janeiro: Marques Saraiva, 1990. 367p.

DEMO, Pedro. *Avaliação qualitativa*. 4. ed. Campinas: Autores Associados, 1994. 110p. (Coleção Polêmicas do nosso tempo; v. 25)

DIAS SOBRINHO, José; BALZAN, Newton César (orgs.). *Avaliação institucional* – teorias e experiências. São Paulo: Cortez, 1995. 108p.

DURHAM, Eunice Ribeiro. *A institucionalização da avaliação*. São Paulo: NUPES – Núcleo de Pesquisas sobre o Ensino Superior – Universidade de São Paulo. 9p. (Série Documentos de Trabalhos, 8/90)

LDB anotada e legislação complementar: lei n° 9394 de 20 de Dezembro de 1996 / Celso da Costa Frauches, 4. ed. rev e ampliada (org.). Marília, SP: Consultoria de Administração, 2002.

MEZONE, João Catarin. O desafio da qualidade na educação. *Revista Ung*, Guarulhos, v.1, p.11-15, 1996.

NISKIER, Arnaldo; GOTTLIEB, Liana; VIGNERON, Jacques M. J. *O professor universitário: herói ou vilão?* Manual de autodesenvolvimento do professor. São Paulo: CEDAS, 1994.

REVISTA DO ENEM – Exame Nacional do Ensino Médio – v. 1, n.1, 2001.

SOUZA, Paulo Nathanael Pereira de. *Estrutura e funcionamento do ensino superior brasileiro*. São Paulo: Pioneira, 1991. 206p. (Biblioteca Pioneira de Ciências Sociais, Educação).

Capítulo 3

Gestão da Qualidade no Sistema Instituição de Ensino

Paulo Heitor Colombo

As instituições de ensino, ao contrário do que acontecia anos atrás, já estão mudando seus paradigmas e passando a olhar para si mesmas como empresas inseridas em um cenário de negócios. É evidente que, para permanecerem vivas, terão de se adaptar às regras do jogo, com respostas cada vez mais rápidas e eficazes.

E a regra do jogo é: identificar e atender as necessidades e as expectativas de seus clientes e de outras partes interessadas (proprietários, mantenedores, acionistas, fornecedores, comunidade acadêmica em geral) na busca de melhores posições competitivas, através da conquista de excelentes padrões de qualidade. A melhoria nos padrões de qualidade depende basicamente da eficiência interna e da flexibilidade para a mudança.

O nosso objetivo, neste capítulo, é apresentar uma "proposta" para esta conquista por meio da implantação de um Sistema de Gestão da Qualidade voltado para as instituições de ensino. Não é nossa intenção apresentar novas propostas pedagógicas e nem interferir nas existentes, mas sim melhorar a qualidade do trabalho.

Um Sistema de Gestão da Qualidade é um conjunto de atividades coordenadas, usadas para dirigir e controlar uma organização com base nas políticas e diretrizes estabelecidas para alcançar os objetivos determinados no planejamento estratégico.

A implantação de um Sistema de Gestão da Qualidade deve ser uma decisão estratégica e vir da cúpula, e não ser um simples modismo, um fazer porque o concorrente fez, ou evidenciar uma simples tendência de mercado sem o comprometimento dos dirigentes.

Para uma instituição de ensino funcionar de maneira eficaz e eficiente tem de ter claro, em primeiro lugar, qual é seu negócio, sua missão, seus princípios e sua visão, já discutidos no Capítulo 1. Em segundo lugar, a instituição de ensino deve ser vista como um sistema.

A INSTITUIÇÃO DE ENSINO COMO SISTEMA

Como o Sistema de Gestão da Qualidade trata a instituição como um todo e dentro de seu ambiente, é importante a conceituação de alguns aspectos que facilitarão ao gestor educacional compreender melhor esse assunto.

Sistema

É definido como um conjunto de partes integrantes, interdependentes e interativas que formam um todo unitário com objetivo próprio e específico. Tem seu produto final e busca constantemente a adequação de seus processos por meio de ações de melhoria.

Podemos identificar como elementos componentes de um sistema:

- Os objetivos – é aquilo que é buscado, almejado; alvo ou situação que se pretende alcançar.

- As entradas – também conhecidas como insumo ou *input*, são materiais, informações ou métodos para o processo que gerarão determinadas saídas em concordância com os objetivos estabelecidos.

- O processo – é uma ordenação específica de atividades de trabalho no tempo e no espaço, com começo (entrada) e com fim (saída), usado para fins específicos dos clientes internos ou externos.

- As saídas – também conhecidas como *output*, correspondem ao resultado, produto ou serviço coerentes com os objetivos do sistema.

- As medições e monitoramentos – utilizadas para controlar a coerência das saídas com os objetivos. A eficácia da medição e do monitoramento depende dos métodos e critérios estabelecidos para o controle dos processos.

- As ações de melhoria são atividades recorrentes para aumentar a capacidade dos processos em atender aos objetivos estabelecidos.

Ambiente

É o conjunto de fatores que, de alguma forma, influencia ou é influenciado pelo sistema.

Figura 3.1 Sistema Instituição de Ensino.

No sistema Instituição de Ensino (Figura 3.1) podemos identificar os seguintes fatores: pessoas, regulamentação, mercado, infraestrutura, fornecedores, tecnologia e consumidores.

Todo sistema também é constituído por um conjunto de processos, o qual muitas vezes, pode definir um processo macro.

O processo não se define por aquilo que as pessoas fazem, e sim pela sequência das atividades ou tarefas executadas para gerar o resultado.

Vejamos graficamente esse fluxo:

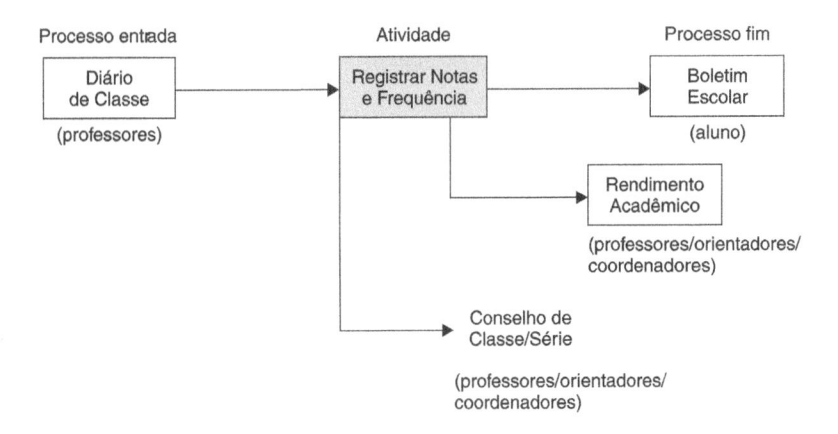

Figura 3.2 Fluxo Atividade Registro de Notas e Frequência.

Os processos tendem a transpor as "barreiras" entre as diferentes áreas, funções e pessoas. Um profissional, ao executar sua atividade, é bem provável que participe de mais de um processo, assim como outros profissionais de outras áreas podem participar de um mesmo processo.

A atividade de um profissional da secretaria escolar, ao registrar as notas e a frequência dos alunos no sistema informatizado, está utilizando informações/entradas/*inputs* de outro processo – avaliação do aluno – realizados por um conjunto de professores de diversas disciplinas. O resultado/saída da atividade registro de notas e frequência pode gerar o processo de emissão do boletim, pode ser entrada para outro processo, que é o acompanhamento do rendimento acadêmico que será utilizado por outros profissionais.

GESTÃO DE PROCESSOS

Para garantir o Sistema da Qualidade através da gestão dos processos, devemos seguir algumas etapas: identificar os processos macro e os processos principais, determinar as sequências e interações, descrevê-los, definir critérios e métodos de operação e controle, estabelecer os recursos necessários, assegurar o monitoramento, a medição e a análise e implementar ações para atingir os resultados e a melhoria.

Para tudo isso funcionar, é preciso estabelecer algumas responsabilidades. Acreditamos que a melhor forma de trabalho é a equipe. Sugerimos, então, a criação de um Comitê Gestor da Qualidade.

Criação do Comitê Gestor da Qualidade – CGQ

O Comitê Gestor da Qualidade é o órgão, dentro da instituição, que planeja, orienta a execução e monitora o Sistema de Gestão da Qualidade.

O primeiro passo é escolher os membros da equipe. Como estamos tratando de processos integrados que envolvem mais de uma área, é fundamental que tenhamos, também, interação entre os representantes. A designação de um membro da direção e supervisores/coordenadores das áreas administrativa, pedagógica e de apoio propiciará um melhor gerenciamento das atividades. Juntamente com eles, é importante a participação daqueles que lidam com os processos no dia a dia. Com certeza, o resultado não será favorável se a tentativa de melhoria dos processos ocorrer somente na sala da direção.

Os participantes do CGQ devem ser pessoas competentes, cooperativas, envolvidas com a instituição e, principalmente, que saibam ouvir e que estejam abertas a mudanças.

Definidos os membros do comitê, a primeira reunião deve ser para reforçar, junto aos participantes, o negócio da instituição, a missão, os valores, a política da qualidade e os conceitos de processos, melhoria contínua e gestão. As demais reuniões serão para a gestão do Sistema da Qualidade.

Quadro 3.1 Atribuições do CGQ

> Atribuições do Comitê Gestor da Qualidade
> - Conscientizar, envolver e comprometer todos os funcionários para o aperfeiçoamento da qualidade.
> - Instalar equipes multidisciplinares de trabalho.
> - Capacitar a equipe quanto aos critérios para o Sistema de Gestão da Qualidade.
> - Divulgar e garantir o atendimento dos requisitos dos clientes.
> - Analisar os procedimentos documentados.
> - Avaliar as não conformidades surgidas e identificar suas causas juntamente com os envolvidos.
> - Propor ações de melhorias para o aperfeiçoamento dos processos.
> - Manter a alta direção informada sobre o andamento das atividades.

Identificação dos Processos

O conhecimento do negócio da organização é fundamental para a identificação e a classificação dos processos macro e principais necessários para a realização do produto/serviço e o atendimento aos requisitos dos clientes e das partes interessadas. Falando de uma instituição de ensino, certamente o processo de fazer cafezinho e servir para os clientes não é primordial como é para uma casa de café.

Para não passarmos por essa situação, o importante é, juntamente com o CGQ, selecionar todos os processos – aqueles que agregam valor para o resultado da instituição – existentes nas diversas áreas.

Em uma instituição de ensino, podemos definir como processos macro o Processo Pedagógico, o Processo Administrativo e o Processo de Apoio.

No quadro a seguir, exemplificamos os processos macro com alguns processos principais.

Determinação da Sequência e da Interação dos Processos

Para esta etapa, devemos visualizar o sistema Instituição de Ensino, obedecendo a suas características, e colocá-lo em um fluxograma. Em caráter didático, estaremos utilizando um fluxo resumido (Figura 3.3).

Como já dissemos anteriormente, nenhum processo é fim em si mesmo, e ninguém é somente agente do seu único processo. Em um determinado momento, podemos ser fornecedores, e em outros, clientes internos.

Quadro 3.2 Processos da Instituição de Ensino

Macro	Processo Administrativo	Processo Pedagógico	Processo de Apoio
Principal	Matrícula	Proposta/Projeto Pedagógico	Laboratório de Informática
	Transferência	Elaboração do Planejamento Anual	Laboratório de Ciências
	Plano Escolar	Plano de Ensino	Biblioteca
	Emissão de Boletins	Reunião Pedagógica	Controle Disciplinar
	Compras	Elaboração do Calendário Escolar	Reunião de Pais e Mestres
	Seleção de Pessoal	Elaboração da Grade Curricular	
	Capacitação da Equipe	Adaptação do Novo Aluno	
	Limpeza	Desenvolvimento das Aulas	
	Segurança	Elaboração de Provas	
	Manutenção	Avaliação do Desempenho do Aluno	
	Contabilidade	Acompanhamento do Rendimento Escolar	
	Gráfica	Reforço e Recuperação do Aluno	
	Enfermaria	Conselho de Classe	
		Registro do Diário de Classe	

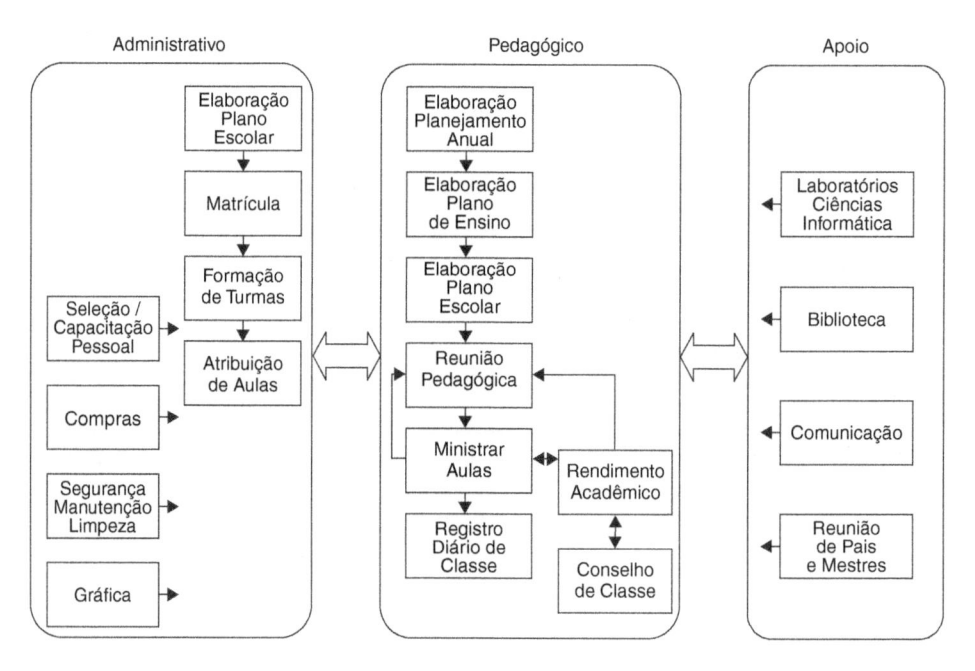

Figura 3.3 Interação dos Processos.

Descrição dos Processos

Identificada a sequência e estabelecida a interação dos processos, a próxima etapa, antes de descrevê-los, é definir por onde começar. Um bom critério é relacionar aqueles que impactam diretamente no resultado do negócio e os que agregam valor ao cliente, depois os que apresentam um maior índice de reclamação de clientes internos, externos ou fornecedores, as atividades com um maior número de erros, retrabalho ou desperdício, verificar se apresentam possibilidade de melhoria significativa e, após, estabelecer uma hierarquia de importância.

A descrição deve ser a mais detalhada possível. Nesse momento, deve ser redigida a forma como a atividade realmente acontece pela pessoa que a executa, ou pelo menos com a sua participação. A análise e a adequação serão feitas numa próxima etapa.

A forma de redação pode variar de acordo com as características individuais, há os que preferem o texto corrido e os que preferem o fluxograma. Porém, a junção dos dois dá uma melhor visualização e compreensão do processo.

Para exemplificarmos esta etapa, utilizaremos o processo de reprografia – confecção e reprodução de provas.

A descrição documentada de um processo, com seu objetivo, com a interação das áreas, atividades, responsabilidades e registros utilizados denominaremos de Procedimento (Figura 3.4).

Após a descrição do procedimento, é importante uma reunião entre os envolvidos para análise crítica, simplificação e adequação das atividades. É relevante, neste momento, verificar se não existem repetições de etapas ou funções diferentes realizando a mesma atividade. Verificar, também, com o fornecedor interno, a melhor forma para a apresentação de informações/materiais/processos e, com o cliente interno, os requisitos para a entrega do produto/serviço. As necessidades das saídas do fornecedor devem coincidir com as necessidades de entrada do cliente.

Para um melhor gerenciamento, deverá ser definido um responsável pelo procedimento. É função do responsável estar atento aos desvios no processo, propor melhorias e informar os demais sobre as alterações.

Critérios e Métodos de Controle dos Processos

A eficácia do processo depende do controle estabelecido durante sua realização. Deverão ser definidos critérios e métodos baseados no grau de criticidade do processo, por exemplo: Todo o processo deverá ser controlado? O controle deverá ocorrer em uma determinada etapa, ou deverá ser feito por amostragem, através de medições, verificações, comparações ou revisões?

Recursos

Um outro aspecto que não deve ser esquecido são os recursos necessários para a execução eficaz do processo. O pessoal envolvido é suficiente e está capacitado?

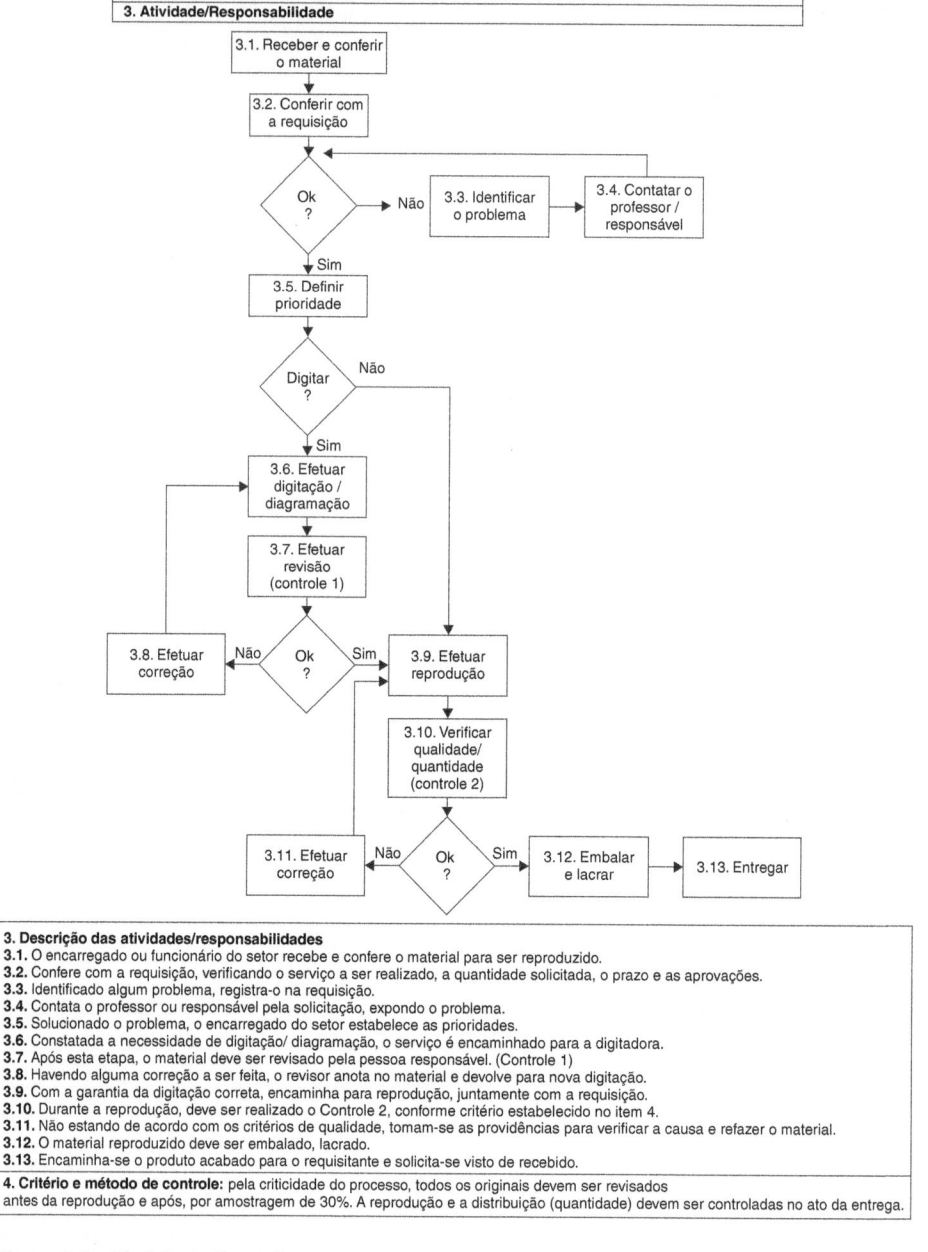

Processo: confecção e reprodução de provas		
Responsável: Encarregado setor reprografia	**Data:** xx/xx/xxxx	**Revisão:** 01

1. Objetivo: Confeccionar o original das provas escolares através da digitação/diagramação do material apresentado e, após aprovação, reproduzir a quantidade solicitada.
2. Interação: corpo docente, coordenação pedagógica, setor de reprografia.
3. Atividade/Responsabilidade

```
3.1. Receber e conferir o material
          │
          ▼
3.2. Conferir com a requisição
          │
          ▼
       < Ok? > ──Não──▶ 3.3. Identificar o problema ──▶ 3.4. Contatar o professor / responsável
          │Sim                                                   │
          ▼                                                      │ (retorna a 3.2)
3.5. Definir prioridade
          │
          ▼
      < Digitar? > ──Não──┐
          │Sim            │
          ▼               │
3.6. Efetuar digitação / diagramação
          │               │
          ▼               │
3.7. Efetuar revisão (controle 1)
          │◀──────────────┘
          ▼
3.8. Efetuar correção ◀──Não── < Ok? > ──Sim──▶ 3.9. Efetuar reprodução
          │                                              │
          └──────▶ (volta a 3.6)                         ▼
                                            3.10. Verificar qualidade/ quantidade (controle 2)
                                                         │
                                                         ▼
3.11. Efetuar correção ◀──Não── < Ok? > ──Sim──▶ 3.12. Embalar e lacrar ──▶ 3.13. Entregar
```

3. Descrição das atividades/responsabilidades
3.1. O encarregado ou funcionário do setor recebe e confere o material para ser reproduzido.
3.2. Confere com a requisição, verificando o serviço a ser realizado, a quantidade solicitada, o prazo e as aprovações.
3.3. Identificado algum problema, registra-o na requisição.
3.4. Contata o professor ou responsável pela solicitação, expondo o problema.
3.5. Solucionado o problema, o encarregado do setor estabelece as prioridades.
3.6. Constatada a necessidade de digitação/ diagramação, o serviço é encaminhado para a digitadora.
3.7. Após esta etapa, o material deve ser revisado pela pessoa responsável. (Controle 1)
3.8. Havendo alguma correção a ser feita, o revisor anota no material e devolve para nova digitação.
3.9. Com a garantia da digitação correta, encaminha para reprodução, juntamente com a requisição.
3.10. Durante a reprodução, deve ser realizado o Controle 2, conforme critério estabelecido no item 4.
3.11. Não estando de acordo com os critérios de qualidade, tomam-se as providências para verificar a causa e refazer o material.
3.12. O material reproduzido deve ser embalado, lacrado.
3.13. Encaminha-se o produto acabado para o requisitante e solicita-se visto de recebido.

4. Critério e método de controle: pela criticidade do processo, todos os originais devem ser revisados antes da reprodução e após, por amostragem de 30%. A reprodução e a distribuição (quantidade) devem ser controladas no ato da entrega.

Figura 3.4 Modelo de Procedimento.

Os equipamentos e materiais são apropriados e estão em boas condições de uso? O local e o ambiente de trabalho estão adequados em termos de higiene, temperatura, iluminação e ergonomia?

Agora o procedimento está pronto para ser aprovado pelos integrantes do CGQ.

Capacitação do Pessoal

Aprovados os procedimentos, todos aqueles que irão, direta ou indiretamente, participar das atividades deverão ser capacitados para a nova sistemática.

Lembre-se de que o sucesso da implantação do Sistema de Gestão da Qualidade está nas pessoas capacitadas e comprometidas. São elas que irão promover a melhoria ou a estagnação do sistema.

Mesmo com a equipe capacitada e comprometida, problemas/não conformidades poderão surgir, por falha de pessoas, processos, equipamentos ou métodos.

Surgindo a não conformidade, ela deverá ser encarada como um processo de aprendizagem, analisando-se suas causas e propondo-se melhorias.

Análise e Correção das Não-Conformidades

Uma não conformidade é o não atendimento do requisito especificado, por um desvio ou omissão de fator importante para a manutenção da qualidade do produto ou serviço.

Uma não conformidade pode ser detectada por um funcionário ou pelo cliente. Para que o problema não chegue ao cliente, os processos devem ser constantemente monitorados e revisados criticamente.

Acontecendo a não conformidade, ela deve ser analisada e adotada uma ação corretiva para a sua não reincidência. Novamente, vamos promover o envolvimento daqueles que realizam a referida atividade na solução do problema e nas propostas de melhoria.

Utilizaremos ainda o nosso exemplo do serviço de reprografia de provas.

Descrição do problema

Na hora em que o professor foi distribuir as provas para seus alunos, observou que algumas apresentavam problema de impressão – páginas em branco, algumas repetidas, outras impressas fora de esquadro e outras borradas.

O primeiro ponto é detectar a origem do problema, se foi reclamação de cliente, processo, auditoria (para as escolas já certificadas pela ISO 9000) ou outro. Neste caso foi a reclamação de um cliente interno.

Existem alguns casos, como este, em que a solução deve ser dada de imediato, não sendo possível a interrupção do processo para outras análises.

Um certo grau de discernimento é sempre bom nessas horas. O professor não culpou ninguém na frente aos alunos – o que poderia comprometer a imagem da instituição – e, como eram apenas seis, solicitou ao auxiliar que fosse imediatamente providenciar novas cópias. Certamente, a decisão poderia ter sido outra, dependendo das condições.

O fato foi levado ao conhecimento do encarregado do setor de reprografia e ao coordenador administrativo. O problema, aparentemente, não foi tão sério, mas poderia ter acarretado maiores complicações. Não era o momento de punir culpados, mas sim de adotar ações corretivas para que o problema não ocorresse novamente.

Identificação da causa-raiz

A próxima etapa é identificar a causa-raiz, isto é, o real fato gerador do problema. O coordenador administrativo, por perceber a provável gravidade do ocorrido e por lembrar de incidências anteriores, resolveu levar a questão ao CGQ – o que é recomendável.

Na primeira reunião, várias possibilidades sobre a causa foram levantadas sem um consenso. Resolveu-se, então, solicitar a presença do encarregado da reprografia e de alguns professores que já tinham passado pelo problema para que apresentassem suas versões. Chegara a hora de organizar as idéias. E a melhor forma era através do diagrama de Ishikawa, conhecido como diagrama de causa e efeito ou espinha de peixe.

O diagrama de causa e efeito é uma forma simples de organizar as possíveis causas de um problema, geralmente divididos em seis categorias de causas: 1. métodos/processos; 2. equipamentos; 3. materiais; 4. pessoas; 5. medidas; 6. ambiente. Para se relacionar as possíveis causas, a técnica mais utilizada é o *brainstorming* (Quadro 3.3).

Quadro 3.3 Regras para *brainstorming*

Algumas regras simples para o *brainstorming*:

1. Delimitar o tempo e indicar alguém para esse controle. Normalmente, boas idéias surgem nos primeiros 15 minutos.
2. Possibilitar a geração do maior número de idéias possível. Todas as idéias devem ser consideradas boas. Não fazer crítica. Não avaliar. Não querer resolver o problema de imediato.
3. Se necessário, solicitar esclarecimentos.
4. Estimular novas idéias.
5 Registrar todas as idéias em um quadro que possa ser visualizado por todos.
6. Esgotado o tempo, solicitar a última idéia.

O próximo passo é enxugar a lista até chegar a um pequeno número realmente significativo. Isso pode ser feito pedindo maiores esclarecimentos ou detalhamento das idéias e agrupando as semelhantes.

Depois, é só estruturar o diagrama de causa e efeito.

Em um primeiro momento, foram levantadas mais de 30 causas; após uma análise crítica, a equipe obteve consenso em 11 causas principais que foram colocadas no diagrama.

Para o caso em questão, o CGQ obteve o seguinte diagrama:

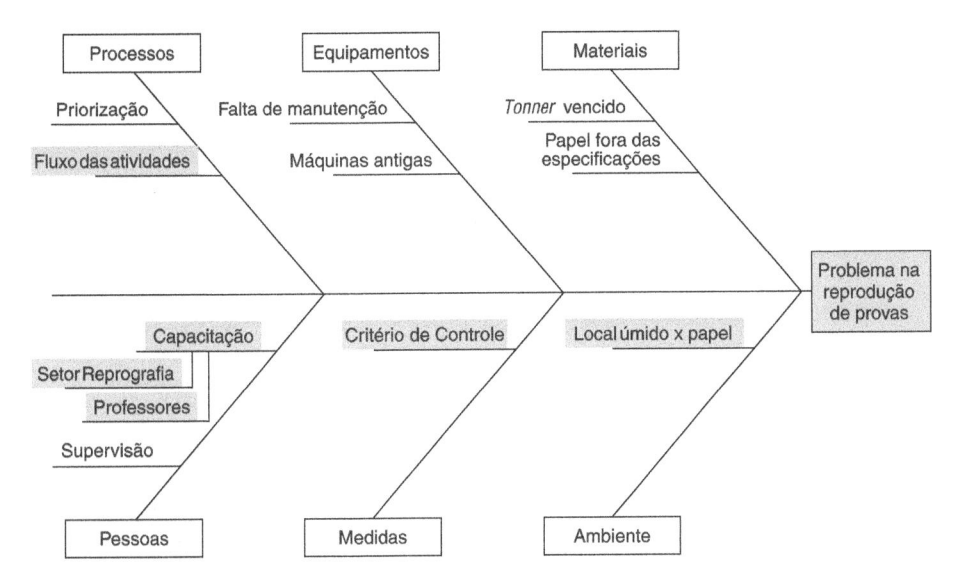

Figura 3.5 Diagrama de causa e efeito – Reprodução de provas.

Com base no diagrama obtido, o CGQ identificou quatro causas-raiz e resolveu implementar ações corretivas para: processos (fluxo das atividades), pessoas (capacitar os funcionários do setor e professores em relação ao processo), medidas (rever os critérios de controle) e ambiente (umidade no local).

Ações corretivas

A proposta das ações corretivas deve partir do responsável pela atividade em comum acordo com as demais áreas envolvidas.

Foi aproveitada a própria reunião do CGQ para esse fim. Quanto ao fluxo do processo, foi incluída a seguinte fase: no item 3.12 (Figura 3.4), antes de embalar e lacrar, o material deve ser novamente inspecionado quanto à qualidade e à quantidade anotada na embalagem e visado pelo técnico responsável.

Outra ação proposta foi a reciclagem dos funcionários da reprografia na operação dos equipamentos e a orientação dos professores quanto ao processo em questão e à forma de agir em situações semelhantes.

O fator principal e de maior consenso foi estabelecer uma ação em relação aos critérios de controle. Passou a vigorar, como critério de controle para as provas, não mais uma amostragem de 30%, mas a verificação de 100% das provas.

O próximo passo foi desenvolver essas ações e estabelecer um prazo para a verificação da implementação – se realmente ocorreu conforme o estabelecido – e uma nova data para a verificação da eficácia – se a ação corretiva solucionou o problema, se não ocorreu reincidência. Caso não tivesse havido solução, a ação devia ser revista e reiniciado o processo.

Tanto para a verificação da implementação quanto da eficácia, é importante eleger um membro do CGQ.

A garantia do controle, em todas as etapas, é o registro. Para isso, sugerimos um modelo de planilha de Relatório de Não Conformidades e Ações (Figura 3.6).

Para fixarmos esses conceitos, vamos ver um outro caso.

Na escola A&B, o resultado da avaliação do 1º bimestre da 2ª série, na disciplina de Química, apresentou um índice elevado (75%) de notas abaixo de 5,0.

Levado o assunto ao CGQ pelo Coordenador Pedagógico para levantamento da causa-raiz, obtivemos o diagrama de causa e efeito da Figura 3.7.

Com base no diagrama, a coordenação pedagógica estabeleceu ações corretivas para as seguintes causas: 1) processos – uma integração maior entre as disciplinas, principalmente com matemática e interpretação de textos; 2) materiais – utilização do laboratório de química para fixação dos conceitos; e 3) pessoas/ambiente – um trabalho com a classe em relação à falta de disciplina e, paralelamente, com o professor no aspecto relacionamento entre professor x aluno.

Quanto aos fatores conteúdo de química não ministrado, capacitação do professor e critérios de correção, a coordenação pedagógica decidiu, em um primeiro momento, avaliar, juntamente com a orientação pedagógica e com a educacional, a consistência desses itens.

Ações preventivas

No Sistema de Gestão da Qualidade, o fator principal para a sua garantia são as ações preventivas. Elas devem ser tomadas antes da ocorrência do problema. Para tanto, o profissional da educação deve estar sempre atento ao cotidiano escolar, procurando identificar situações potenciais que mereçam uma análise mais aprofundada. Não pode deixar de contemplar, também, as tendências de mercado, as inovações tecnológicas e a própria gestão escolar.

O profissional da educação, realizando uma análise sobre a própria prática, poderá identificar futuras dificuldades e antecipar-se com uma ação preventiva para evitar suas ocorrências. Essas ações identificadas, planejadas e implementadas tenderão a eliminar as causas dos problemas potenciais ou a reduzir o impacto que estes poderiam acarretar.

Ações preventivas podem estar presentes nas reuniões pedagógicas, ao identificar os alunos com possíveis dificuldades de aprendizagem e antecipar condi-

A&B	RELATÓRIO DE NÃO CONFORMIDADES E AÇÕES R.N.C.A.	Número: Data: ___/___/___

Área:

1. Origem: ( ) Reclamação de Cliente   ( ) Auditoria   ( ) Processo   ( ) Outros

2. Descrição do Problema:

3. Disposição:

4. Causa-Raiz:

( ) Ação corretiva   ( ) Ação Preventiva

5. Proposta de Ação:

Prazo: Data: ___/___/___   Resp.:

6. Verificação de Implementação:

Data: ___/___/___   Resp.:

7. Verificação da Eficácia:

Data: ___/___/___   Resp.:

Figura 3.6   Relatório de Não-Conformidades e Ações.

ções para minimizar futuros problemas, ou perceber que o conteúdo programado para a disciplina de matemática poderá não proporcionar base suficiente para a resolução dos exercícios de química e física, e, até mesmo, na elaboração da proposta/projeto pedagógico da escola.

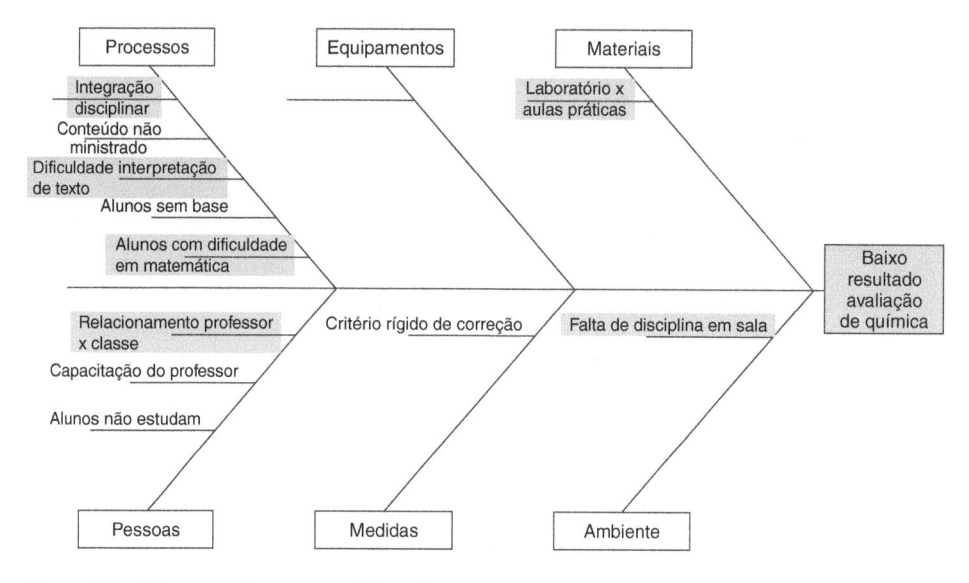

Figura 3.7 Diagrama de causa e efeito – Resultado da avaliação de química.

No aspecto administrativo, poderão ser identificadas ações como: instalação de circuito interno de TV para garantir uma melhor segurança aos alunos; instalação de um maior número de equipamentos no laboratório de informática e revisão de toda a rede elétrica.

Para assegurar que a ação preventiva seja eficaz, é fundamental que seja registrada, controlada e revisada até a garantia de que seus objetivos foram alcançados.

Melhoria contínua

Todas as ações corretivas e ações preventivas são ações de melhoria, mas melhoria contínua é muito mais.

Quadro 3.4 Conceitos

> **Ação corretiva:** ação implementada para eliminar as causas de uma não conformidade, a fim de prevenir sua *reincidência*.
>
> As **ações corretivas** podem envolver mudanças, como, por exemplo, em procedimentos e sistemas, para obter melhoria da qualidade em qualquer fase do processo.
>
> **Correção** e **ação corretiva** são diferentes: **correção** se refere a um reparo ou a um ajuste e está relacionada à *disposição* de uma não conformidade existente; **ação corretiva** está relacionada à *eliminação das causas* de uma não conformidade.
>
> **Disposição** é uma determinação imediata para corrigir um dado problema.
>
> **Ação preventiva:** ação implementada para eliminar as causas de uma possível não conformidade, a fim de prevenir sua *ocorrência*.

A melhor forma para entendermos a melhoria contínua é através do conceito de Kaizen: "hoje foi melhor do que ontem, e amanhã, com certeza, será melhor do que hoje".

Todo o Sistema de Gestão da Qualidade deve estar baseado nesse princípio, tem de ser o mandamento de toda a equipe, compreendido e praticado por todos. Só a melhoria contínua da qualidade garantirá a perpetuação da instituição de ensino.

Nada melhor do que ser reconhecido pela nossa qualidade.

RECONHECIMENTOS PELA QUALIDADE

Os maiores benefícios e principais retornos obtidos com a adoção dos princípios do Sistema de Gestão da Qualidade são a satisfação da equipe e dos clientes e os resultados organizacionais positivos.

Podemos, também, alcançar reconhecimentos oficiais, como a conquista do certificado internacional ISO 9000 e o Prêmio Nacional da Qualidade (PNQ).

Para a conquista do certificado internacional, a instituição deve atender aos requisitos estabelecidos na NBR ISO 9000. Essa norma, utilizada em mais de 120 países, desenvolvida e aprovada em nível mundial, concentra-se na garantia de um Sistema de Gestão da Qualidade em relação aos requisitos estipulados com os clientes. Inúmeras escolas brasileiras já se beneficiam com a utilização dessa norma como um instrumento eficaz de melhoria da qualidade.

A garantia do sucesso desse sistema está no elevado nível de comprometimento da alta direção e de todos os integrantes da equipe escolar, para que juntos implementem e pratiquem, de forma sistêmica, o que for estabelecido no Manual da Qualidade, na Política da Qualidade e nos Procedimentos, adotando uma relação que permita maior transparência em todas as ações.

Com o sistema organizado e formalizado, a instituição obtém meios para controlar e rastrear, de forma efetiva, as não conformidades dos processos, acompanhando as ações de melhoria e a respectiva verificação da eficácia.

Rompem-se as barreiras entre as áreas, pois surge a compreensão de que os processos são integrados e de que cada um depende do outro. A equipe, como um todo, torna-se mais crítica e exigente com relação às suas ações e ao atendimento dos requisitos estabelecidos com o cliente, e a administração fica sustentada em fatos concretos, deixando de lado o subjetivismo.

O PNQ, desenvolvido a partir do prêmio americano Malcom Baldrige, é administrado pela Fundação para o Prêmio Nacional da Qualidade (FPNQ), entidade sem fins lucrativos, instituída em 1991. Esse prêmio, oferecido em forma de troféu, objetiva promover os requisitos para atingir a excelência do desempenho e a melhoria da competitividade. São eles: liderança e constância de propósitos, visão de futuro, foco no cliente e no mercado, responsabilidade social e ética, decisões baseadas em fatos, valorização das pessoas, abordagem dos processos, foco nos resultados, inovação, agilidade, aprendizado organizacional e visão sistêmica.

Anualmente, a FPNQ coloca à disposição das organizações brasileiras interessadas os critérios de excelência – a arte da gestão para a excelência do desempenho.

REFERÊNCIAS

ADAIR, Cherlene B. MURRAY Bruce A. *Revolução total dos processos*. São Paulo: Nobel, 1996.

ALMEIDA, Léo Grieco de. *Gestão de processos e a gestão estratégica*. Rio de Janeiro: Qualitymark Editora, 2002.

ASSOCIAÇÃO BRASILEIRA DE NORMAS TÉCNICAS. *NBR ISO 9001, Sistema de Gestão da Qualidade – Requisitos*. Rio de Janeiro: ABNT Editora, dez. 2000.

COLOMBO, Sonia Simões. *Escolas de Sucesso – Gestão estratégica para instituições de ensino*. São Paulo: Editora STS, 1999.

DAVENPORT, Thomas H. *Reengenharia de processos*. Rio de Janeiro: Campus, 1994.

SPANBAUER, Stanley J. *Um sistema de qualidade para educação*. Rio de Janeiro: Qualitymark Editora, 1995.

Capítulo 4
Planejamento e Ações de *Marketing*

Ana Célia Ariza

O QUE É *MARKETING*

Marketing é uma palavra de origem inglesa, derivada de *market*, que significa mercado. É utilizada para expressar a ação voltada para o mercado.

O "guru" do *marketing* é o americano Philip Kotler, que afirma: "*marketing* é análise, planejamento, implementação e controle de planos cuidadosamente formulados para causar trocas voluntárias de valores com mercados-alvo e alavancar os objetivos institucionais, isto é, *marketing* envolve programar as ofertas da instituição para atender às necessidades e aos desejos de mercados-alvo, usando preço, comunicação e distribuição eficazes para informar, motivar e atender a esses mercados".

O conceito do *marketing* surgiu na década de 1950, no pós-guerra, quando, com o início da industrialização mundial, se acirrou a competição pelo mercado e o cliente passou a ter mais alternativas no ato da compra.

As empresas da época conscientizaram-se de que os clientes precisavam de mais atrativos para efetivar a compra, já não bastavam mais produtos de qualidade a custo competitivo, precisava-se persuadir da compra. Foi aí que essas empresas adotaram as pesquisas e a análise de mercado, bem como a comunicação e a promoção para incrementar as vendas. Assim nasceu o *marketing*.

MARKETING ESCOLAR

As instituições de ensino só vieram a adotar essas ferramentas há pouco tempo, com um crescente aumento na oferta de matrículas.

É muito comum encontrar administradores educacionais que, preocupados com a diminuição do número de matrículas, resolvem "apelar" para o *marketing*, imaginando que com apenas uma ação conseguirão aumentar o número de alunos. Sonham com soluções miraculosas, proporcionadas por uma simples peça publicitária convencional, como, por exemplo, a fixação de alguns *outdoors* com uma frase de efeito.

Administrador educacional que age dessa maneira está executando o *"marketing míope"*, iludindo-se com uma única aparição milagrosa.

Afinal, o que é fazer *marketing* escolar?

Fazer *marketing* escolar requer respeitar um calendário de ações e estar presente o ano inteiro. Não existe uma fórmula básica e fácil para conquistar e manter alunos. Contudo, o que se pode afirmar com segurança é que o aluno quer receber um serviço educacional sério e de qualidade, oferecido por um corpo docente qualificado e capacitado, assessorado por funcionários treinados e motivados, com instalações adequadas e, obviamente, ver o nome da sua escola projetado entre as melhores.

A principal tarefa do *marketing*, na instituição educacional, é determinar as necessidades, os desejos e interesses de seu público-alvo e transformar essas ansiedades em serviços oferecidos, preservando, dessa maneira, seu aluno e captando novos, começando tudo com um planejamento, que o primeiro passo do *marketing*.

PLANEJAMENTO

À medida que o tempo passa, mantenedores ficam imaginando o que os espera. O motivo da preocupação não é apenas o fato de haver mudanças, mas a velocidade acelerada com que ocorrem. As instituições de ensino nem sempre percebem que as necessidades de seu público-alvo estão mudando; quando percebem, pode ser tarde...

A estratégia vitoriosa do ano anterior pode ser hoje o caminho mais curto para o fracasso.

Para uma escola estar em equilíbrio em meio a um cenário altamente competitivo, é preciso estar em sintonia com seu público: alunos e pais desenvolvendo trocas satisfatórias nas quais ambos os lados se beneficiem.

A elaboração de um planejamento mercadológico, no qual se inicia todo o processo de administração e *marketing*, ocorre quando são definidos os objetivos de mercado e tomadas as decisões estratégicas, incluindo a análise de mercado, a análise da concorrência, a definição dos cenários, a avaliação de riscos e oportunidades, a seleção do mercado-alvo, as decisões das estratégias de *marketing*, dos investimentos e orçamentos e dos meios de avaliação dos resultados das ações planejadas.

Como o ambiente competitivo está em permanente mudança, o desafio para o profissional de *marketing* é muito grande. O comportamento e as necessidades dos alunos evoluem, daí a necessidade da aplicação de pesquisas de mercado, para avaliar e detectar ansiedades e necessidades do seu público-alvo.

Decisões amparadas em dados mercadológicos reduzem a margem de erro. Agir com base em crenças e "achômetros", em geral, não contribui para as tomadas de decisão.

O sucesso de tudo começa com um planejamento estratégico.

PLANEJAMENTO ESTRATÉGICO

O *marketing* bem-sucedido requer um planejamento sensato. As instituições educacionais utilizam planejamento estratégico para definir um curso que traga valor para os clientes e lucros à instituição. Para identificar estratégias adequadas, os gerentes precisam analisar os ambientes interno e externo. Um modo de fazer isso é pelo uso da análise SWOT, que vem a ser a avaliação sistemática das forças e deficiências internas de uma organização e de oportunidades e ameaças externas, o que muito nos ajudará em um processo de planejamento estratégico de mercado.

O termo SWOT vem do inglês:
S de *strong* – que significa forte.
W de *weak* – que significa fraco.
O de *opportunity* – que significa oportunidade.
T de *tendency* – que significa tendência.

Processo de Planejamento Estratégico de Mercado

O processo de planejamento estratégico de mercado envolve:
- Análise dos Ambientes Internos/Externos.
- Análise da SWOT – forças/fraquezas/oportunidades/tendências.
- Avaliação dos Objetivos de *Marketing*.
- Criação das Estratégias de *Marketing* para atingir o objetivo.

Ambiente de *Marketing*

Existem dois ambientes a serem estudados: o interno e o externo.

Ambiente interno é todo recurso que está disponível ao gestor, tal como o sistema de ensino, as instalações, as remunerações dos funcionários, a qualificação dos profissionais, a estratégia da mensalidade, a comunicação, etc.

Ambiente externo é toda situação mercadológica em que se encontra inserida a instituição, como região, política, concorrência, legislação, situação econômica, impostos, fornecedores, etc.

Forças	Fraquezas
Recursos financeiros	Falta de direção estratégica
Marcas bem conhecidas	Altos custos
Habilidades tecnológicas	Instalações obsoletas

Oportunidades	Ameaças
Novos mercados potenciais	Nova concorrência
Novos produtos potenciais	Crescimento lento no mercado
Queda de barreiras comerciais internacionais	Novas regulamentações

Objetivos de *Marketing*

O estrategista precisa ter bem-definidos os objetivos de *marketing* de sua escola, além de:

- escolher em que se focar;
- ser mais rápido do que seu concorrente;
- construir capacidade para o futuro.

Criando Estratégias de *Marketing*

As três maiores e valiosas armas competitivas do estrategista são:

- criatividade;
- coragem;
- liderança.

Mas o que é ser estrategista educacional?

É traçar um plano futuro para uma instituição de ensino. No contexto, o estrategista deve determinar o que clientes e mercado desejam e perseguir os produtos ou serviços para oferecer, desenvolvendo estratégias intelectuais e emocionais para que seu público-alvo sinta-se persuadido à experimentação do serviço oferecido.

Uma vez estudado o processo de planejamento, podemos agora definir nosso plano de *marketing*.

PLANO DE *MARKETING*

Especificamente, o plano de *marketing* responde a questões como:

- Qual a oportunidade de mercado?

- Qual a expectativa de empreendimento?
- O que especificamente eu vendo?
- Quem são meus consumidores?
- Quem são meus concorrentes?
- Como eu comunico o serviço oferecido ao meu público-alvo?

Sabendo que todo negócio é um risco e, como tal, existem poucas certezas e muitas incertezas, um gestor precisa antecipar-se aos acontecimentos, procurar oportunidades para oferecer algo diferente e novo, ter imaginação suficiente para criar e virar modelo, e para isso ele deverá executar uma série de tarefas. São as tarefas do gestor.

TAREFAS DO GESTOR

Uma das tarefas do gestor educacional é fazer com que sejam cumpridas as promessas da escola a seus usuários. Para tanto, se faz necessário:

- detectar e avaliar constantemente novas oportunidades;
- mapear as percepções, preferências e exigências dos alunos, bem como de seus familiares;
- manter-se constantemente em contato com seu público-alvo, para se assegurar de que ele está satisfeito.

O gestor educacional precisa criar valor para seu público. Valor é um conceito complexo que pode significar coisas diferentes para pessoas diferentes, dependendo de suas necessidades em determinado momento no tempo. Em geral, o valor é criado através da solução de problemas, da ajuda aos alunos para atingirem seus objetivos, o que ele poderá conquistar utilizando alguns dos diferentes tipos de *marketing*.

ALGUNS TIPOS DE *MARKETING*

Hoje se sabe que escola sem *marketing* não sobrevive. Existem vários tipos de *marketing* que colaboram com o desempenho e o sucesso de uma instituição de ensino. Vamos conhecer alguns deles.

Relacionamento – visa construir uma relação duradoura com o aluno e seus familiares, baseada em confiança, colaboração, compromisso, parceria, investimentos e benefícios mútuos, resultando na otimização do retorno para a escola e seus clientes. Constrói um forte laço de relacionamento escola/aluno/família.

Um a Um – é o estágio mais avançado do *marketing* de relacionamento, em que cada aluno é tratado individualmente (todos gostam de uma atenção especial).

Direto – direciona ações ao público-alvo, buscando uma resposta direta na ação de comunicação. Pode ser usado para aumentar o conhecimento da marca e dos serviços oferecidos pela escola. Busca estimular a experimentação e construir fidelidade à marca (é o produto certo na hora certa, para o consumidor certo).

Endomarketing – é o *marketing* que promove ações motivacionais e de incentivo aos profissionais de uma escola (pedagógico e administrativo). É a adoção de ações que valorizam e motivam o profissional, fazendo-o produzir e render mais em suas funções.

Dreamketing – o conceito sonhos, em que as ações de *marketing* da escola devem ser desenhadas para estimular o aluno a estudar nela, mais o conceito experiência, em que a escola deve enaltecer as experiências positivas decorrentes de ser frequentada.

Gerentes de Marketing devem praticar o "sonharketing". Sonhar, criar, estimular todos os profissionais da escola a alimentar e incentivar o sonho de construir uma escola melhor, que atenda as necessidades de seu público.

***Marketing* Digital ou *Web* Mkt** – são ações de *marketing* intermediadas por canais eletrônicos como a Internet.

Fidelização ou retenção – são ações integradas, sistemáticas e contínuas de comunicação e promoção, gerando frequência e repetição na rematrícula por parte dos alunos e recompensando-os por isso.

A fidelização de clientes é uma ação de grande importância para a sobrevivência da instituição e merece uma atenção toda especial.

FIDELIZAÇÃO DE CLIENTES

Ter alunos em uma escola deveria ser tão natural quanto respirar para os seres vivos. Afinal, ambos são fatores condicionantes à sobrevivência. Porém, há numerosas instituições educacionais muito voltadas aos esforços de atrair novos alunos e pouco focadas em um fator simplesmente essencial: manter os alunos já conquistados por intermédio de um eficaz e permanente trabalho de relacionamento. Em inúmeros casos, a preocupação com a conquista de novos alunos leva a escola a esquecer a fidelização. Vale lembrar que é muito mais barato preservar um aluno do que conquistar outro. Para tanto, se faz necessário que a instituição realize ações que levem ao "encantamento", ou seja, desenvolva atividades que surpreendam positivamente alunos e familiares.

A realidade hoje é outra. Muitas escolas diminuíram seu número de alunos basicamente por dois motivos:

- Apareceram escolas novas no mercado, o que aumenta a competividade e divide alunos.

- As mulheres adiaram a maternidade, o que consequentemente diminui o número de alunos para se matricularem.

Dados do IBGE comprovam que a taxa de natalidade no Brasil, em 1980, era de 44 por mil; em 2000, caiu para 22 por mil.

Ações de *marketing* para criarem uma organização voltada ao aluno não devem ser realizadas isoladamente. Ao contrário, a manutenção de alunos requer ações gerenciais interligadas, implementadas ao longo do tempo, para que esses esforços consigam mais do que a soma das ações realizadas individualmente, gerando, portanto, resultados mais positivos e lucros maiores.

A área educacional não fica fora dos programas de fidelização, programas em fase de grande expansão no *marketing*. Esses programas concedem descontos promocionais diferenciados aos seus membros. Buscam, por meio de campanhas de persuasão, construir e manter a fidelidade dos clientes. O programa de fidelidade tende a tornar os alunos fiéis, pois é construído, principalmente, pelo constante relacionamento, diferenciado e personalizado por meio de um conjunto de ações, pela comunicação e pela concessão de benefícios.

A fidelidade dos alunos ou a falta dela se tornou cada vez mais importante. Identificar alunos, bem como *prospects*, interagir com eles e customizar sua oferta para fornecer uma escolha ideal é o caminho para a fidelização.

Conservar a fidelidade dos alunos certos é a chave para lucros de longo prazo em quase todas as escolas. A relação entre a retenção de alunos e o lucro é curvilínea. Os lucros sobem quando a retenção de alunos melhora.

Essa fidelidade, além de manter o número de alunos, ajuda o fortalecimento da marca, fator fundamental na hora da escolha por uma escola.

FORTALECIMENTO DA MARCA

Somos lembrados por nossos alunos/pais de alunos em duas ocasiões: ou quando prestamos um excelente serviço e os encantamos, ou quando prestamos um serviço de baixa qualidade e nós os desencantamos. Isso é o que chamamos de boca a boca, quando o resultado de uma ação nossa cria um comentário que pode tanto ser positivo, enaltecendo nossa marca, como negativo, criando uma imagem desfavorável de nossa instituição. Uma característica do *marketing* boca a boca é que as pessoas tendem a fazer suas críticas negativas a um número muito maior de pessoas do que no caso das críticas positivas.

As instituições educacionais contam com a presença de seus clientes quase que diariamente. E cada vez que o cliente está em contato direto, a qualidade do serviço está sendo analisada. Lembre-se de que o nome da sua instituição é a sua marca. A marca é tudo para você. Hoje em dia, com a concorrência e com todo o processo político-econômico, faz-se necessário um trabalho muito forte de *Brand Warfare* – Campanha de Guerra pela Marca. A marca é tudo para uma empresa, para uma escola. Tudo que uma escola faz afeta a sua marca. Os construtores da marca, de dentro da instituição, devem vencer as marcas dos concorrentes e fazer a sua prevalecer inteiramente.

Quem são os construtores de marca da sua escola? Todos aqueles que têm, em algum grau, a responsabilidade de cuidar e alimentar a instituição, do mantenedor à faxineira, pois a escola não se resume apenas a um departamento, mas à interação de várias áreas, as quais são analisadas diariamente por alunos e pais de alunos. Todos os profissionais devem conscientizar-se do valor do trabalho em equipe, pois, mesmo a instituição sendo dividida em departamentos, é analisada como um todo.

Marca é uma letra, uma palavra, um símbolo ou qualquer combinação desses elementos, adotada para identificar produtos e serviços de um fornecedor específico. O desafio do profissional de *marketing* é desenvolver um conjunto de significados para que a marca se torne o principal ativo permanente da instituição educacional.

A marca pode englobar até quatro níveis de significados: benefício, atributo, valor associado e personalidade.

- Benefício – é o resultado esperado com o uso do produto. Por exemplo, um carro não oferece apenas o benefício básico de transporte, mas também o benefício de *status*, aceitação pelo grupo, conforto e segurança.

- Atributo – é a característica estética e funcional do produto. No exemplo do carro, os atributos são a cor, o tamanho, a potência do motor, o consumo do combustível, a mecânica, o custo de manutenção, a resistência, a durabilidade. No exemplo da escola, os atributos são corpo docente, porcentagem de aprovação nos vestibulares, instalações, relacionamento, etc.

- Valor associado à marca – é reconhecido, identificado e valorizado pelo público-alvo. Por exemplo, a marca pode transmitir valores associados à família, igualdade social, ajuda ao próximo, preservação do meio ambiente, etc.

- Personalidade – são os traços da personalidade associados à marca por meio da propaganda, como modernidade, autonomia, independência, ética, maturidade, experiência, etc. A marca atrai o público cuja autoimagem, real ou projetada, se encaixa na imagem percebida da marca. Portanto, as marcas são instrumentos de projeção da autoimagem ou do autoconceito de cada indivíduo.

O valor de uma marca, ou *brand equit*, é o resultado do seu grau de lembrança ou de conscientização pelo público (*brand awareess*), mais o grau de fidelidade dos seus clientes (*brand loyalty*) e a força da imagem associada à marca (*brand association*). O valor da marca é expresso pelo seu valor de venda.

Podemos resumir que marca é um identificador associado a um nome, um produto, um logotipo e um *slogan* (marca = identidade), mas é preciso ter cuidado, pois, além de um identificador, a marca também fornece experiências. A instituição educacional deve lembrar-se de que os alunos são estimulados a estudar em determinada instituição que forneça experiências bem-sucedidas.

A marca é capaz de diferenciar um produto dos concorrentes, criar uma imagem e uma identificação da escola, promover inovações, induzir à experiência, à efetivação da matrícula, e o que é mais importante, à fidelização, ou seja, à rematrícula.

As escolas devem se preocupar também com o *Trade Dress* que se refere a características como: logotipo, cores, uniforme dos alunos, uniforme dos profissionais, material apostilado, entre outros que dão à marca seu aspecto e visual.

Estamos condicionados a reagir a marcas de todos os tipos. Elas nos ajudam a organizar nossa experiência e a nos dizer o que adquirir e o que rejeitar. E nós utilizamos essas marcas não só para tomar decisões de compra, como também para tomar decisões de vida.

A marca vai nos ajudar muito na captação de alunos, como veremos a seguir.

CAPTAÇÃO

O atual cenário econômico exige que as instituições de ensino desenvolvam uma cultura voltada para vendas, fazendo com que profissionais de todas as áreas contribuam para aumentar o número de alunos.

O mundo dos negócios passou por mudanças profundas nos últimos anos. O mesmo se pode dizer das escolas. Para conduzir uma escola, mantenedores têm pleno conhecimento dos terríveis desafios que enfrentaram, enfrentam e continuarão enfrentando... São mudanças velozes e, muitas vezes, traumáticas, oportunidades fugazes.

As instituições educacionais foram obrigadas a percorrerem novos caminhos para acompanharem essas mudanças. Sem dúvida, estamos vivendo em uma guerra e, para combatermos nela e sairmos vitoriosos, é necessária a adoção de estratégias. Entre elas, podemos citar:

- Trabalhar a vulnerabilidade do "inimigo" – descobrir suas fraquezas, que, se bem exploradas, afetarão significativamente sua capacidade de resistência.
- Liderança – manter um comandante que lidere a ação, uma pessoa de confiança.
- Foco – focar o "inimigo" para vencê-lo. Colocar nossas tropas (corpo docente, espaço físico, material didático, índice de aprovação, recurso tecnológico, relacionamento, etc.) em tempo e lugares específicos.
- Tomada de decisão – não esperar, agir conscientemente, embasado em informações concisas e pesquisas de mercado seguras.

- Ataque – colocar em campo ações estratégicas, ações de *marketing*, enfim, efetuar uma campanha capaz de contribuir na captação de alunos e vencer o "inimigo". Esse sucesso na captação será ampliado, conseguindo-se descobrir novas oportunidades de mercado.

DESCOBRINDO OPORTUNIDADES

A instituição educacional precisa contar com profissionais de *marketing* capazes de interpretar dados e que saibam descobrir oportunidades rentáveis no mercado. Assim, diante de cenários diferentes, é preciso saber oferecer opções apropriadas para cada necessidade.

Também é preciso saber "estudar" os cenários, pois cada um deles sugere uma ação estratégica. O gestor educacional precisa obedecer ao famoso "passo a passo" para transformar cenários em estratégias e ganhar a poderosa guerra. Para isso, pode utilizar algumas técnicas básicas:

- avaliação – contar com informações concisas as quais permitam um foco de decisão muito claro e específico, que se preste a um tipo de decisão sobre ir ou não ir em frente;
- estratégia – mais uma vez, avaliar a viabilidade de uma estratégia e já prever planos de contingências.

Os motivos da estagnação das matrículas podem se limitar à própria equipe de atendimento (vendas). A mera sobrevivência das organizações depende da existência de toda uma cultura voltada para vendas. Isso significa que também funcionários distantes da função de atendimento precisam estar sintonizados em relação às necessidades e perspectivas dos alunos. Há a necessidade de se investir muito em treinamento. Todos os profissionais da escola precisam estar atentos à prospecção de novas matrículas e, é óbvio, da manutenção das atuais. Precisam estar alerta para o fato de que a forma de realizar seu trabalho, com diligência e imaginação, pode ajudar a aumentar a receita. É importante deixar de lado a famosa expressão "isto não é minha função".

Todos os profissionais da instituição, sem exceção, precisam se capacitar, capitalizar as oportunidades de "vender matrículas", de vender as vantagens e diferenciais em estudar com ele. Assim, também os funcionários que não pertencem à estrutura de vendas poderão aumentar a satisfação do aluno, bem como do *prospect*, levando, no mínimo, a um incremento na receita.

Vale lembrar que essas mudanças não acontecem da noite para o dia. Os princípios tradicionais sobre a criação de valor e as antigas convenções sobre a forma de realizar tarefas exigem muito treinamento e investimento. Mas, com certeza, quando todos formam uma equipe e lutam pelos mesmos objetivos, o resultado final é extremamente satisfatório, pois todos saem ganhando.

Faz-se necessário que a escola mantenha um grupo de profissionais unidos, que lutem pelo mesmo objetivo, que trabalhem em equipe para que se vença a guerra da competitividade.

GUERRA DA COMPETITIVIDADE

Treinando e motivando os funcionários, é bem provável que a instituição alcance a lealdade dos atuais alunos, a conquista de novos e a satisfação do profissional pelo desempenho de seu trabalho.

Para fugir da caracterização de *commodities,* instituições de ensino, orientadas mercadologicamente, buscam diferenciar seu serviço estreitando relacionamento e construindo alianças de longo prazo com seus atuais alunos, bem como com o seu *prospect.* Estreitar relacionamentos tem sido uma ótima ferramenta para a disputa na guerra da competitividade, a qual, para a vencermos, precisamos:

- fazer uma organização ajustada e adaptada para o futuro – para competir amanhã, precisa-se desenvolver pesquisa de mercado sistematicamente;
- treinar e motivar profissionais – para um contínuo progresso, o profissional precisa estar atualizado, reciclado e motivado;
- ter clientes impressionados – para recomendar a instituição, criar o boca a boca positivo;
- investir na satisfação – para garantir o retorno do seu investimento, investir na satisfação do seu público pelo trabalho prestado;
- ter um departamento de *marketing* – para orientar nas tomadas de decisões e criar ações de manutenção e captação de alunos.

Se sua escola não usa a comunicação e o *marketing*, ela não existe na prática. Estar em um meio de comunicação é obrigatório. Não é preciso utilizar-se das grandes mídias como televisão, rádio, jornal e revista para dizer "eu existo".

Cada mídia tem suas vantagens e desvantagens em custo, alcance, frequência e impacto. O que você precisa é mirar o seu alvo, ou seja, recorrer ao *targeting,* isto é, direcionar ações específicas ao público-alvo. A eficiência da sua comunicação pode ser potencializada utilizando-se do *marketing* de banco de dados. Não apenas você enviará informações aos já alunos, a membros selecionados de seu banco de dados sobre clientes (ações de manutenção), como também poderá prospectar alunos que têm tudo para serem seus clientes, mas ainda não são, através de *marketing* direto (ações de captação de alunos).

Outro exemplo de dizer "eu existo" sem se utilizar das mídias convencionais é expor sua marca ao público. Pode-se patrocinar uma causa importante em que muitos acreditem, como: cuidados com a alimentação, necessidade de fazer exercícios físicos, programas de vacinação, campanha do agasalho, não às drogas, etc.

Assim, tende a melhorar sua reputação corporativa, aumentando o conhecimento da marca, ampliando a fidelidade do aluno e do *prospect* e até atraindo a cobertura favorável da imprensa.

Se sua escola vai patrocinar algo, certifique-se de que haja uma combinação razoável e relevante entre o que for patrocinado, seu mercado-alvo e sua matrícula.

Abuse de ações mercadológicas que estimulem a vontade de o aluno estudar na sua escola, enalteça e divulgue suas experiências positivas, use com muita criatividade as ferramentas do *marketing* e revolucione sua gestão na escola.

Lembre-se de que o *marketing* é necessário. Quem não contar com ele está em desvantagem. No entanto, não pense que o *marketing* é a palavra final, pelo contrário, é o começo de uma nova oportunidade, cujo resultado nem sempre é imediato, porém é irreversível.

REFERÊNCIAS

STONE, Merlin; WOODCOCK, Neil. *Marketing de relacionamento*. São Paulo: Littera Mundi, 1998.

EVANS, Lan. *Marketing for schools*. New York: Cassell, 1995.

KOTLER, Philip. *Marketing para o século XXI: como criar, conquistar e dominar mercados*. São Paulo: Futura, 1999.

GORDON, Ian. *Marketing de relacionamento: estratégias, técnicas e tecnologias para conquistar clientes e mantê-los para sempre*. São Paulo: Futura, 1998.

DIAS, Sérgio Roberto (coord.). *Gestão de marketing*. São Paulo: Saraiva, 2003.

BOYETT, Jimmi T.; BOYETT, Joseph H. *O guia dos gurus de marketing: as melhores idéias dos melhores marketeiros*. Rio de Janeiro: Campus, 2003.

BANACH, Willian J. *The ABC complete book of school marketing*. England: Scarecrow Education, 2001.

MANNING, Tony. *Making sense of strategy*. Nova York: Amacom, 2001.

HOLCOMB, John H. *Educational Marketing: a business approach to school – community relations*. Nova York: Lanham, 1993.

Capítulo 5

Implementando Portais Corporativos nas Instituições de Ensino

Maria de Lourdes Oliveira Martins

POR QUE USAR AMBIENTES INTERATIVOS QUE A INTERNET OFERECE?

Uma das principais características do mercado dos negócios, neste novo século, é estar baseado na tecnologia, sendo a inovação o segredo para a sobrevivência das organizações. Concorrer apenas em função de qualidade e preço não garante uma vantagem significativa. É certo que boa vontade e uma base suficiente de tecnologia significam muito, mas não garantem o aumento da competitividade.

A função primordial dos recursos tecnológicos é ajudar na administração da empresa (gestão). Deve-se procurar a eficácia (realização de objetivos) e a eficiência (utilização racional de recursos), antes de qualquer investimento em tecnologia da informação (*hardware, software*, redes, etc.). As organizações da era "pós-informação" precisam que o uso das tecnologias seja eficiente, que o ambiente seja flexível e favorável à inovação e o acesso ao melhor talento seja amplamente facilitado, onde quer que ele esteja. Se a condição cultural da empresa for hostil, nada feito.

O uso de sistemas e tecnologia da informação (TI), foco de atuais pesquisas acadêmicas e de interesse na área corporativa, tem uma importância vital para empresas, já que facilita o gerenciamento, o atendimento a clientes e fornecedores – pessoalmente ou por meio de disponibilização de ambientes *on-line* –, proporcionando ótimos resultados. Portanto, dificilmente se pode competir sem que a tecnologia da informação exerça um papel preponderante e fundamental.

Devido à necessidade de ampliar a eficiência operacional, as empresas estão motivadas a buscar estratégias que melhorem a eficácia de seus processos internos, que possibilitem fácil integração com processos que ultrapassam suas fronteiras e que projetem os investimentos já realizados, sem novos gastos expressivos. Por outro lado, há a necessidade de reforçar o conhecimento existente em seu ambiente de negócio, ampliando a colaboração e fazendo com que o usuário passe a ter um único ponto de acesso para as todas as informações, de maneira fácil, em curto espaço de tempo e com o menor número de erros possível.

As intranets facilitam a digitalização dos processos, eliminam o acúmulo de impressos na rotina da empresa, facilitam o fluxo de informação por serem acessadas e tratadas mais rapidamente e possibilitam a gestão do conhecimento.

Portais na internet tornaram-se bastante populares por disponibilizarem uma série de serviços utilizando uma única interface com o usuário. A partir daí, foram criados os portais corporativos, uma evolução natural das intranets.

Diante das exigências do cenário dos negócios, o conceito de intranet também se modernizou, resultando nos EIPs. Afinal, o que significa EIP? É um tipo de Portal de Informações Empresariais (Enterprise Information Portal – EIP) que permite a funcionários, clientes e parceiros interagirem diretamente utilizando um único sistema, sem intermediários.

A corretora americana Merry Lynch & Co., em um relatório de 1998, utilizou, pela primeira vez, o termo EIP referindo-se a portais corporativos. Os EIPs, terceira geração das intranets, são aplicações que permitem às empresas disponibilizarem informações de diferentes fontes utilizando uma interface segura e consistente organizada por funções e tarefas. O EIP surge como uma ferramenta focada em: colaboração, busca de informações, integrações de sistemas via *Web* e descentralização da atualização do conteúdo.

EIPs são interligados através de bancos de dados (estruturados ou não) que podem estar dentro das empresas ou em *data-centers*, acessados remotamente. Normalmente, integram sistema de gerenciamento de conteúdo, ferramentas de classificação de taxonomia, ferramentas de busca e aplicações de colaboração *on-line*, facilitam o gerenciamento de processos e oferecem aos usuários uma porta única para acessar informações personalizadas, que também podem ser acessadas fora da empresa, garantindo todo suporte necessário ao seu trabalho, a qualquer hora e em qualquer lugar, desde que conectado à internet.

Os EIPs oferecem ao mundo corporativo e à área educacional novos benefícios, como a possibilidade de incrementar os negócios, fomentar a tomada de decisões, facilitar a comunicação, aumentar o retorno nos investimentos e incentivar o *endomarketing* através do melhor relacionamento entre usuários.

A partir da implantação do EIP, as empresas têm um grande desafio: fazer com que seus funcionários, clientes, fornecedores e parceiros tornem-se usuários dele, utilizem-no no dia a dia e sejam capazes de inovar constantemente, mas com responsabilidade – exigência do mundo dos negócios.

O grande objetivo de estabelecer o uso do EIP é expandir a capacidade humana de comunicação e colaboração. Para isso, é necessário que pessoas detentoras de conhecimentos importantes para a empresa sejam incentivadas a compartilhar informações, tornando mais simples o processo de troca e colaboração. A recompensa não necessariamente precisa ser em valores, pois instituições que utilizaram essa única abordagem perceberam que ela não foi suficiente para sustentar e motivar seus usuários. O importante é que as informações sejam disponibilizadas a todos e que, em cada documento publicado no EIP, sempre conste o nome do autor e outros dados, tais como data e local em que foram criados, quando foram aplicados e se sua utilidade foi devidamente comprovada.

A empresa, para conseguir aderência ao projeto do EIP, precisa que um líder da alta administração esteja envolvido e comprometido em divulgar largamente todo o processo de mudança e os benefícios aos envolvidos, garantindo que os principais elementos de negócios organizacionais e humanos sejam levados em consideração. É importante, também, desenvolver estratégias de comunicação para convencer os usuários de que eles poderão ganhar algo intangível: tempo e conhecimento.

De acordo com a pesquisa feita pela Forrester Research, em 2001, com 3.500 companhias em 49 países, os benefícios que as empresas buscam ao implementar o EIP são: acesso mais rápido à informação (53%), redução de custos (24%), compartilhamento do conhecimento (20%), redução do uso do papel (14%), melhoria de processos (14%), outros benefícios (6%) e não sabe (10%). Múltiplas respostas foram aceitas.

POR QUE IMPLEMENTAR UM EIP EM UMA INSTITUIÇÃO DE ENSINO?

Ao implementar o EIP na área educacional, pretende-se que a organização obtenha um aumento da sua competitividade no mercado, buscando oferecer produtos e serviços que a diferenciem de seus concorrentes.

O EIP, no segmento educacional, deverá adotar soluções apresentadas em vários portais corporativos. Precisará ter elementos de um portal de informações para ser capaz de organizar grandes acervos de documentos a partir dos temas ou assuntos abordados, conectando as pessoas às informações.

Funções do portal de negócios também deverão estar disponíveis aos usuários corporativos, fornecendo informações necessárias à tomada de decisões na instituição, tais como relatórios, pesquisas, documentos textuais, planilhas, mensagens de correio eletrônico, páginas *web*, arquivos multimídia, etc.

Ferramentas inteligentes e aplicativos analíticos para capturar informações armazenadas em bases de dados operacionais, no banco de dados corporativo ou ainda em sistemas externos à organização são dispositivos encontrados no portal de suporte que deverão estar presentes no EIP. A partir do uso desses sistemas, poderão ser gerados relatórios e análises de negócio para serem distribuídos, eletronicamente, aos diversos níveis de tomada de decisão na empresa. As informações podem ser apresentadas sob a forma de relatórios, gráficos, indicadores de desempenho, etc., podendo ser resumidas ou detalhadas, de acordo com o nível estratégico, tático ou operacional de quem toma a decisão.

No EIP educacional, deverão constar as ferramentas utilizadas nos portais cooperativos, o que traz maiores benefícios à comunidade acadêmica. A utilização de sistemas *groupware*[1], suportando comunidades de melhores práticas, poderá modificar a práxis educacional. Portais focados em processo cooperativo e/ou colaborativo na área educacional viabilizam, portanto, a interação entre múltiplos departamentos acadêmicos e corporativos, facilitando que professores/professores, alunos/professores e alunos/alunos interajam livremente e encontrem informações que darão suporte ao processo de ensino e de aprendizagem. A interação entre membros acadêmicos propiciará uma nova relação, facilitando, por exemplo, o desenvolvimento de projetos interdisciplinares e a consequente propagação do conhecimento.

Espera-se que no EIP estejam digitalizados e disponibilizados documentos de todas as atividades acadêmicas educacionais[2] que poderão ser utilizadas de acordo com a permissão do *login* de cada usuário. Professores poderão disponibilizar suas aulas no formato que desejarem, em arquivos multimídia ou textos. O princípio básico das ferramentas do EIP é tornar o conhecimento atraente e acessível aos participantes da comunidade virtual, bem como estimular todos a interagirem em um ambiente que favoreça a criação, a agregação, a utilização e a reutilização de informações, de modo que possam ser desenvolvidas as competências básicas e necessárias aos mais diversos perfis profissionais.

Trata-se, portanto, de um esforço interdisciplinar que causa impacto, tanto no campo da tecnologia de informação e conhecimento quanto em tecnologias educacionais. O uso desses recursos tecnológicos só terá validade se a interação realmente acontecer de uma forma significativa, proporcionando o nascimento real da educação continuada.

Entendemos que a construção de um EIP deve-se pautar na facilidade de acesso, de envio e de recuperação da informação desejada pelos diversos usuários, com o menor número de cliques. Torna-se, portanto, fundamental que a instituição conheça seus usuários, suas ações e o conteúdo que irá interessá-los, para que eles possam pesquisar, localizar e utilizar facilmente as informações disponibilizadas.

---

[1] *Groupware* é a palavra que designa uma série de ferramentas que permitem às pessoas trabalharem melhor juntas, o que facilita a integração, possibilita mais criatividade e inovação dentro da empresa, além de também permitir que respostas sejam encontradas mais rapidamente.

[2] Por atividades educacionais acadêmicas entendem-se aulas em *slides*, listas de exercícios, provas e gabaritos, textos pedagógicos, textos usados em aulas, catálogos de *sites* e todos os demais recursos que possam trazer maior conhecimento e informação aos participantes da comunidade.

Considerando que cada aluno, professor, funcionário, fornecedor ou parceiro da instituição de ensino utilize o EIP em sua estação de trabalho, teremos um número considerável de usuários.

A Porta de Acesso

A *homepage*, esse pequeno espaço com menos de um metro quadrado, é um grande patrimônio da empresa. É a página mais importante em qualquer conjunto de páginas que compõe o *website*. A *home* – como é também chamada – é a página mais vista por trazer informações e direções de navegabilidade para todo o *website*. A *homepage* é a face da empresa para o mundo.

A *homepage* será a porta de acesso para qualquer usuário, e seu conteúdo estará disponível a quem desejar. Será também a entrada do portal da organização – o EIP –, acessível apenas a usuários cadastrados que tenham *login* e senha. Logo, o projeto deve ser orientado para que a *home*, entrada do *website*, seja a mais informativa e clara possível. Pretende-se, ao adotar uma única *homepage* para acesso ao *website* e ao EIP da instituição, ter um único endereço na *Web*.

Desenvolver a *homepage* de uma instituição requer o envolvimento de pessoas em um trabalho grande e normalmente dispendioso. Ao unificar o projeto para desenvolvimento e construção da *homepage* e entrada ao EIP, teremos uma economia substancial.

A Usabilidade como Fator Decisivo

Na *web*, com as tecnologias à disposição, é ainda mais fácil colocar em prática tudo que sonhamos. Quase tudo é possível, mas é preciso verificar que nem tudo é viável.

O termo "usabilidade" foi incorporado recentemente ao vocabulário do mundo dos sistemas de informação e ainda não foi adicionado aos dicionários da língua portuguesa; é um neologismo cujo sentido subtende qualidade do que é usável, do que se pode usar. A área da usabilidade *web* corresponde, portanto, ao estudo da facilidade que o usuário tem ao acesso e ao uso de documentos, informações e navegabilidade na *World Wide Web*.

O conceito de usabilidade surgiu da pesquisa em interação ser humano-computador para descrever mais precisamente o que o senso comum tende a chamar de "interface amigável". Um sistema com boa usabilidade, rápido e fácil de aprender possibilita alta eficiência no seu uso, baixa taxa de erros e é bem-aceito por seus usuários.

Os usuários devem ser considerados ao longo do processo de projeto do *website*. A adequação para o uso não deve ser uma reflexão tardia, pois consertar um *website* depois que foi concluído poderá ser ineficiente e comprometer os resultados. De acordo com Nielsen (2000, p. 5):"(...) aprecie a simplicidade e concentre-se nos objetivos do usuário em vez de em um *design* ostensivo".

Quando um sistema interativo é bem projetado, a interface geralmente desaparece, habilitando os usuários a concentrarem-se em seu trabalho sem notar a base que suporta o uso da tecnologia. Criar um ambiente em que as tarefas caminhem juntamente com os usuários, dentro de um fluxo contínuo, requer uma grande dedicação e um trabalho árduo por parte de quem o desenvolve.

O planejamento e o teste da usabilidade no projeto do EIP garantirão o aumento da satisfação acrescentado à produtividade, sucesso para a conclusão de tarefas, reduzindo o número de enganos do usuário final.

Em geral, as idéias para um grande e impactante projeto de *design* vêm acompanhadas de uma euforia e uma ansiedade por colocar os vários recursos tecnológicos disponíveis em um único projeto. Pode ser uma armadilha.

Projetos de *web designer* orientado por modismos promovidos por agências de publicidade que desconhecem o comportamento do usuário são muito comuns. O *design* deve ser um ambiente verdadeiramente útil, respaldado nos objetivos dos usuários.

Para que o *website* da instituição tenha a função esperada, deve-se concentrar nos objetivos do usuário (usabilidade), baseando-se na simplicidade, e não em um *design* arrojado, com excesso de adereços e "enfeites" que não trazem melhoria ao acesso à informação. É no ambiente *web* que o poder do usuário se manifesta no mais alto grau. Quem clica decide TUDO. Qualquer instituição que torne seu *website* fácil de usar terá uma grande vantagem sobre seus concorrentes.

MÚLTIPLAS TECNOLOGIAS

A arquitetura de um portal pode ser composta por camadas de múltiplas tecnologias que dificultam a sua criação. Analisemos algumas tecnologias.

Apresentação da *Homepage*

Informando o objetivo da homepage

Você já teve a sensação de se sentir incompetente por não conseguir encontrar uma informação em um *website*? Ou se sentiu perdido como se estivesse no meio de uma cidade grande desconhecida? Não se preocupe, o problema provavelmente não está em você; pode ser uma questão de deficiência de usabilidade no *design* do *site*.

Imagine como seria confuso se um motorista estivesse em um local com várias direções a seguir, sem nenhuma placa indicativa, e que não houvesse ninguém para lhe dizer o caminho a ser tomado. O mesmo acontece em uma *homepage*. Se um usuário entra no *site* e não enxerga informações que procura, fica completamente perdido. Para que isso não aconteça, as informações devem ter clareza e precisão.

A *homepage* também deve ter um visual diferente, fácil de lembrar, para que os usuários a reconheçam como ponto de partida ao voltarem de qualquer outra parte do *site*.

O que o público-alvo deseja e precisa encontrar no *site*? É preciso lembrar que temos dois públicos diferenciados: o que já é cliente, e o que poderá ser. Os futuros clientes que querem conhecer a instituição precisam acessar informações que visem esclarecer e aprofundar questões relacionadas aos diferenciais dessa instituição. O *site* deverá oferecer informações que transmitam os valores institucionais, tais como base intelectual, consistência, credibilidade, qualidade, atualidade e inovação.

É, portanto, essencial que as *homes* de instituições de ensino disponibilizem, de maneira clara e precisa, informações sobre a proposta pedagógica, a metodologia, sua missão, os cursos oferecidos, o processo seletivo e o modelo de avaliação, buscando ser uma referência para futuros alunos, familiares e educadores.

As pessoas gostam de saber detalhes: quem administra, quem são os professores, qual projeto pedagógico a orienta, etc. Essas informações dão credibilidade ao *website*. Para isso, é fundamental adotar as melhores soluções de conteúdo, serviços, *design* e tecnologia, possibilitando que o internauta interaja com o *site*, de forma simples e efetiva.

Já o público-cliente – aluno e seus familiares, acadêmico e corporativo –, quando visitar a *homepage*, terá claros seus objetivos e, portanto, buscará acessar o EIP, que é a extensão da instituição de ensino.

Para que as informações da *homepage* não deixem dúvidas aos usuários, o ideal é que a logomarca da empresa seja exibida em local visível e em destaque. Recomendamos incluir o *slogan* explicitando, resumidamente, o que a empresa faz e deixar claro ao usuário que a *homepage* é a página mais importante e, por isso, é estruturada de modo a ser o referencial para todo o *website*.

Além do *slogan* da instituição, a *homepage* deve apresentar, objetivamente, a empresa em questão, independentemente do porte da mesma ou da complexidade e variedade de produtos ou serviços.

Criando o conteúdo da homepage

Uma decisão importante para o *web* designer é a criação do conteúdo. O usuário não está disposto a ler textos longos; ele apenas "bate os olhos" e decide se o assunto interessa ou não. É importante que o texto do *website* seja pequeno, que o leitor, em um rápido olhar, consiga ler as informações mais importantes.

Estudos apontam que ler na tela do computador é 25% mais lento do que ler um texto impresso em um jornal ou livro. É preciso otimizar a apresentação desse conteúdo, de modo que o visitante faça essa espécie de varredura e encontre a informação de que precisa com o mínimo de esforço. O projeto do *website* e da *homepage* deve ter foco, portanto, no atendimento do usuário.

É preciso lembrar que os usuários da internet querem encontrar rapidamente o que procuram e, mesmo que não saibam o que desejam, querem dar uma varredura com os olhos rapidamente e acessar informações de forma lógica.

Acessando a homepage

O tempo para que a *homepage* ou qualquer outra página do *website* carregue deverá atender à velocidade recomendada por Nielsen (2002, p. 39) que são 10 segundos. As páginas *web* devem ser criadas tendo em mente a *velocidade do download*[3]. Na verdade, a rapidez para carregar a página deve ser o principal critério para orientar o *designer*. Para manter o *tamanho das páginas*[4] dentro de um padrão aceitável, o número de elementos gráficos deve ser reduzido, e os efeitos de multimídia devem ser usados com parcimônia, apenas quando realmente forem necessários à compreensão da informação. A supressão de imagens e de outros recursos multimídia não pode deixar a *homepage* desinteressante, e o *web designer* deverá usar a criatividade para o *site* atrair visitantes. As pessoas gostam de acessos rápidos, o que infelizmente é raro na internet, a ponto de ser um diferencial que pode ser perseguido.

Antes de iniciar qualquer projeto de *design*, é importante ter as informações essenciais. Este *briefing* deve dar as direções ao *web designer*, respondendo no mínimo às questões básicas que são: O que é? Para que é? Por que é? Para quem é? É impossível iniciar um planejamento sem foco e, para isso, essas respostas são necessárias.

Há vários métodos de usabilidade que podem identificar e atribuir prioridades às necessidades dos usuários, com base nos dados e na observação real. Inclua um teste de usabilidade no projeto para a construção da *homepage*, pois trará economias consideráveis no futuro.

Os próximos itens referem-se à parte interna – o EIP –, acessível aos usuários previamente cadastrados, que têm *login* e senha.

Gerenciando Conhecimento

Na ótica da gestão do conhecimento (*knowledge management*, KM, ou simplesmente GC), a perda do saber nas organizações é um grave problema. A fim de buscar soluções para essa questão, não se pode simplesmente utilizar as diversas iniciativas, tais como gestão eletrônica de documentos, intranets, documentação de processos, educação a distância e comunidades virtuais de práticas, entre outras.

O conhecimento está na cabeça dos que sabem. Capturar esse saber é mais do que desenvolver bases de dados e indexar documentos. É, sobretudo, construir li-

---

[3] Velocidade de *download* é o tempo gasto para que o usuário veja a tela da página que acessou

[4] O conceito de tamanho de página é definido como a soma dos tamanhos dos elementos que compõem a página, tais como arquivos de imagem e códigos de programação do *website*.

gações, conexões entre indivíduos. Sem esse contexto comum, uma efetiva partilha do conhecimento nunca ocorrerá dentro da instituição. Na prática, as organizações tentam redesenhar-se para criar ambientes e projetos capazes de fomentar a produção e o compartilhamento de conhecimento.

Cada vez mais, o conhecimento, a marca, os relacionamentos e a cultura (valores) são os ativos de uma empresa nesse universo competitivo dos negócios.

A gestão do conhecimento é um processo sistemático articulado e intencional que busca favorecer a capacidade de uma empresa de captar, gerar, criar, codificar, armazenar, preservar, disseminar, compartilhar, reutilizar, analisar, traduzir, transformar, modelar, implementar e gerenciar a informação. Dessa forma, a informação é transformada, efetivamente, em conhecimento, proporcionando à instituição vantagens competitivas por meio da apropriação do conhecimento organizacional.

Para que todo conhecimento existente na empresa, sua base intelectual, a organização dos processos e a memória organizacional possam ser preservados e gerenciados, é preciso que tenham portabilidade, ou seja, para preservar, a empresa deve transformar essas informações em um formato que possa ser lido, utilizado e reutilizado pelas pessoas. A informação aplicada – o conhecimento – passa a ser um ativo da empresa, e não apenas um suporte à tomada de decisão.

O grande desafio das instituições que irão implementar seu EIP é identificar e/ou desenvolver e disponibilizar tecnologias e sistemas de informação que apóiem a comunicação empresarial e a troca de idéias e experiências. Uma organização aprende à medida que seus funcionários, clientes, fornecedores e parceiros aprendem, disponibilizam e compartilham seus conhecimentos. Portanto o conhecimento tornou-se a mais nova moeda; e deve estar acessível a toda a empresa sempre que necessário.

Sabemos que a criação e a utilização de um portal não requerem apenas o uso de tecnologias; requerem, também, um grau elevado de compreensão, estímulo e mesmo empatia por parte dos usuários. Não se pode, porém, relegar essa tarefa a uma "equipe de implementação"; esse é um processo permanente no qual cada usuário é responsável por externar seus conhecimentos, publicando no EIP.

Personalização

Os EIPs devem prover serviços que identifiquem o usuário e personalizem sua visão do portal, de acordo com a área de atuação deste dentro da corporação, facilitando o acesso às informações relevantes para seu trabalho. Dependendo do nível de personalização, os portais podem criar visões mutantes que "aprendem" com o próprio usuário, customizando seu portal pessoal, de acordo com a utilização do mesmo; podem, ainda, notificar certos eventos (como a criação de documentos) que sejam pertinentes à sua utilização.

O portal pode suportar a utilização de *softwares* especialistas, pequenos *robots* que permitem filtrar informações para usuários individuais, podendo sugerir focos de interesse e conteúdo e notificar os usuários sobre novos materiais disponíveis. Essas funções fazem com que o usuário se aproprie da ferramenta na qual suas prioridades e necessidades são maximizadas.

O EIP permite que funcionários passem a ter, na sua tela inicial de trabalho, uma única interface que reúne todas as informações necessárias à execução do serviço diário. Ao abrir o navegador, o usuário tem à disposição a lista de suas tarefas diárias, seus *e-mails*, sua agenda *on-line*; pode enviar informações a serem disponibilizadas no EIP na área em que tem permissão, pode adquirir material dos diversos fornecedores e comunicar-se com todos na empresa. Além disso, o EIP oferece a possibilidade de acessar, por meio da internet, o portal e sua riqueza de informação, onde quer que seja, facilitando o trabalho do usuário.

Busca e Recuperação de Informação

O EIP deve possuir poderosas ferramentas de busca e recuperação de informação que funcionem de maneira categorizada, buscando as informações nos mais diversos meios de armazenamento, como fazem as ferramentas de gerenciamento de conteúdo e as *full-text*, que pesquisam descrições de documentos para o ambiente *web*.

Esse tipo de serviço é altamente dependente de uma gerência de meta, de dados bem-estruturados e de informações definidas dentro de categorias, de forma que os agentes de pesquisa possam identificar as informações nos mais diversos tipos de formato.

As ferramentas de busca facilitam a interação dos usuários, propiciando a entrega de conteúdo e serviços com base em filtros e categorização dos documentos.

Colaboração e Comunidades de Melhores Práticas

Comunidades virtuais são grupos de pessoas que se unem espontaneamente em torno de assuntos, interesses, vontades, comportamento e atitudes comuns em relação a algum tema, em uma organização ou em várias. Formam-se paulatinamente e comunicam-se estruturadamente através de *e-mail*, *chats* e *websites*. A segmentação de objetivos passa a ter um caráter diferenciado, uma vez que premissas socioeconômicas e geográficas não são mais suficientes; atitudes e crenças/valores têm relevância preponderante.

A popularização da internet, que tornou a comunicação ágil, flexível e de baixo custo, e sua adoção em larga escala pelas organizações, propiciou a formação de comunidades virtuais. Essas comunidades vêm ao encontro da abordagem da gestão do conhecimento, contribuindo para o estabelecimento de uma cultura favorável ao compartilhamento de experiências, conhecimentos e melhores práticas nas organizações. Comunidades virtuais possibilitam parcerias para otimização e potencialização da base intelectual e explicitação de conhecimento; representam ainda agilidade na tomada de decisões, o que exige um planejamento cuidadoso, excelente infraestrutura e apoio contínuo.

Participar de uma comunidade desse tipo ajuda a pessoa a entender melhor, na prática, o espaço das comunidades virtuais, na empresa ou na sociedade. A utilização de comunidades virtuais nas instituições pode apoiar as áreas de negócio na obtenção de novos conhecimentos (tanto de fontes internas quanto de externas), na distribuição da informação e nas políticas de comunicação.

As comunidades virtuais não se baseiam exclusivamente na reunião de informações e outros tipos de recursos. Essas comunidades baseiam-se na união de indivíduos que são atraídos porque, tendo interesse e sentindo-se pré-qualificados para participar de uma determinada comunidade, enxergam nesta um ambiente de interação e conexão de pessoas, criando proximidade, confiança e estabelecendo um clima de amizade e companheirismo.

As comunidades autoconstroem-se e podem ser potencializadas, incentivadas. É comum a existência do moderador, que é o administrador do ambiente *online*. Sua missão é criar condições para o desenvolvimento da comunidade virtual, motivando as pessoas, dando *feedback*, alimento e disponibilizando conteúdo para seu progresso. A interferência exagerada do moderador pode inibir a participação de membros do grupo e também gerar problemas de relacionamento pela não-aceitação dessa interferência.

As comunidades de práticas trazem benefícios ao aprendizado, podendo ser utilizadas tanto no ambiente corporativo quanto no acadêmico, pois estimulam adoção de novas metodologias de aprendizado, disseminam novos modelos mentais para reflexão e funcionam como interconexão entre os núcleos de conhecimento, ajudando a identificar quem sabe o quê.

Enfim, o cenário da nova economia é este: volta de aldeias e grupos sociais concentrados, reunidos, não mais por fatores como parentesco ou proximidade geográfica, mas sim por escolhas, desejos, vontades e aceitação, fatores muito mais intangíveis e difíceis de gerenciar.

Gerenciando Conteúdo

A administração do conteúdo é um componente do gerenciamento de conhecimento que tem por objetivo obter, gerenciar e compartilhar a experiência de cada pessoa. O controle de documentos e de conteúdo é baseado em informações explícitas, que podem ser registradas fisicamente. A administração do conhecimento inclui também o que está na mente das pessoas (conhecimento tácito).

Os sistemas de gerenciamento de conteúdo automatizam os processos que ocorrem entre a criação de um documento, seu uso e reuso, organizando dados não estruturados em uma coleção significativa de informações na qual a corporação possa procurar, manipular, analisar e compartilhar dados.

Esses sistemas capturam, arquivam, indexam, gerenciam, combinam e distribuem informações internas e externas para criar um grande repositório de conhecimento que deverá estar disponível para todos os usuários. Tem como principal papel promover a entrega seletiva e personalizada de informações agregadas ao conhecimento diretamente para o usuário, para o qual esse conjunto de informações fará diferença. O conteúdo pode ser atualizado por qualquer membro da equipe, desde que tenha permissão.

Integração de Sistemas à *Web*

Em geral, integração é a capacidade de fazer com que os diversos componentes de um sistema computacional funcionem em conjunto (programas) e compartilhem recursos (rede). O grau de integração alcançado por uma empresa, sem nenhuma dúvida, influenciará decisivamente em seus negócios e em sua lucratividade.

As aplicações integradas devem estar apoiadas em bancos de dados que correspondam às reais necessidades da empresa. Nesse contexto, os dados deixam de ser "propriedade" de um aplicativo ou departamento (contabilidade, recursos humanos, financeiro e fiscal, etc.), para serem recursos disponíveis ao uso compartilhado em toda a organização, permitindo o acesso e a difusão de informações consistentes, adequadas e estratégicas aos setores interessados no uso dos chamados sistemas avançados, como ERP, CRM, entre outros.

Portanto, a informação de que a empresa necessita é resultante do conjunto de dados agregados e/ou refinados do banco de dados; é um elemento básico do processo decisório. Este recurso (informação) e sua origem (dados) precisam ser bem definidos e administrados.

Para que uma empresa possa usufruir os benefícios deste novo enfoque (integração) do desenvolvimento e da utilização de sistemas, os responsáveis pela informatização (sejam terceirizados ou do quadro interno) devem estar capacitados e estruturados para gerar e administrar os dados da organização.

Uma das características do EIP é que as diversas aplicações, como gerência de conteúdo e bancos de dados, acessam fontes internas e externas de informações e as utilizam em processamentos e análises, objetivando melhoria nos processos de negócio. Ou seja, essas aplicações devem estar integradas entre si e com os sistemas externos. Não é uma tarefa simples, principalmente porque cada produto implementado provavelmente é desenvolvido por diferentes fornecedores, para diferentes mercados, utilizando diferentes arquiteturas.

Publicação e Distribuição

A tecnologia de publicação e distribuição suporta a criação, a autorização e a inclusão de informações no EIP, propiciando a coleção de documentos do portal. Suporta também a distribuição de informação estruturada e não estruturada em meio eletrônico. Gerencia os depósitos de documentos em formatos portáveis: PDF, HTML e dispositivos de publicação/assinatura, ou outras maneiras de publicar informações.

Categorização

São ferramentas para criar e manter categorias que estruturam o armazenamento da informação, por meio de técnicas de indexação e categorização as quais devem refletir as práticas e o fluxo de trabalhos das pessoas. As categorias têm de ser variadas para audiências diferentes, que examinam os mesmos documentos e dados de maneiras distintas.

CONCLUSÃO

O grande desafio é projetar e, de fato, implementar o EIP baseado na usabilidade para ambientes empresariais e educacionais. Sabemos que, no mundo dos negócios, o conhecimento e a colaboração detêm um papel fundamental no desenvolvimento econômico e social.

A utilização do EIP e seu gerenciamento procuram uma grande combinação de conhecimento, métodos de trabalho, informações, aprendizado, tecnologia adequada e principalmente fatores que irão motivar e modificar a cultura organizacional. Empresas líderes estão em ambiente de mudanças rápidas, que valorizam a base intelectual e têm gestão pró-ativa dos recursos do conhecimento, transformando-os em inovação. Os negócios exigem rapidez na tomada de decisão e uso do conhecimento corporativo. Ferramentas avançadas de colaboração disponíveis em um portal estão sendo cada vez mais usadas para proporcionar um melhor aproveitamento do conhecimento organizacional.

A adoção do EIP nas instituições educacionais não muda apenas as tarefas, o papel e o volume do trabalho; ele afeta departamentos inteiros e a organização como um todo. A competitividade é fortalecida, possibilitando que o projeto se transforme em um processo vivo, alimentado diariamente por todo usuário. Para que isso ocorra, o projeto deve estar engrenado e suportado por uma boa infraestrutura tecnológica e organizacional, além de contar com uma excelente equipe de colaboração.

O uso dos EIPs vem se expandindo de forma mais lenta do que foi preconizado, mas implementar e utilizar todos esses recursos requer tempo e deverá ser feito de forma gradual e progressiva. Implementar um EIP exige mudanças importantes de comportamento na organização, sendo mais uma gestão de mudanças do que uma abordagem tecnológica.

REFERÊNCIAS

BUKOWITZ, W.R.; WILLIAMS, R.L. *Manual de gestão do conhecimento*. Porto Alegre: Bookman, 2002.

CHIAVENATO,I. *Introdução à teoria geral da administração*. 5 ed. São Paulo. Markron,1999.

DIAS, M.M.K.; BELLUZZO, R.C.B. *Gestão da informação em ciência e tecnologia sob a ótica do Cliente*. Bauru: Edusc, 2003.

FILHO, J.T. *Comunidades virtuais: como as comunidades de práticas na internet estão mudando os negócios*. Rio de Janeiro: Senac Rio, 2002.

NIELSEN, J. *Projetando websites*. São Paulo: Campus, 2000.

NIELSEN, J.; TAHIR M. *Homepage usabilidade – 50 websites descontruídos*. São Paulo: Campus, 2002.

O'BRIEN, J.A. *Sistemas de informação e as decisões gerenciais na era da internet*. São Paulo: Saraiva, 2001.

TERRA, J.C.C., GORDON, C. *Portais corporativos: a revolução na gestão do conhecimento*. São Paulo: Negócio, 2002.

Capítulo 6

Contrato de Prestação de Serviços Educacionais

Celso Carlos Fernandes

INTRODUÇÃO

Foi-se o tempo de *glamour* das relações dos mantenedores, pais, professores e alunos, em que a base do relacionamento era a confiança, o respeito e a plena consciência de que o aluno estava sob o manto de educadores que tudo fariam para educá-lo da melhor forma possível.

Os tempos mudaram e toda a base do relacionamento tem de estar fundamentada no papel escrito denominado contrato: vontade entre as partes, produzindo direitos e obrigações e, no caso específico das escolas, sob a égide de lei específica e do código do consumidor.

É como se houvesse a transição abrupta do casamento religioso, em que a fonte da relação é simplesmente o amor, para o casamento civil, em que as partes se unem através do contrato por escrito.

Fizemos essa singela comparação com o fito único e exclusivo de dizer com toda a certeza: felizmente ou infelizmente, o contrato de prestação de serviços, na atualidade, constitui-se em um dos mais importantes documentos de uma instituição de ensino, devendo ser elaborado com todo cuidado, dentro da realidade dos serviços prestados e observando-se atentamente a legislação, senão...

O CONTRATO

Há vários tipos e formas de contrato, mas o de prestação de serviços educacionais é considerado um *contrato de adesão* em que o estabelecimento (fornecedor dos serviços) define unilateralmente as cláusulas sem que o aluno (consumidor) possa discutir ou modificar substancialmente seu conteúdo – essa definição é do código do consumidor.

FUNDAMENTOS LEGAIS DO CONTRATO

A elaboração de um bom contrato inicia-se pela pesquisa das leis que norteiam e envolvem as partes e o Estado. No caso do contrato de prestação de serviços educacionais, os fundamentos legais estão contidos:

- na Constituição Federal;
- no Código Civil – Lei 10.406 de 10/01/2002;
- no Código de Defesa do Consumidor – Lei 8.078/90;
- na Lei Específica – 9.870/99;
- no Decreto 3.274/99;
- no Decreto 3.860/2001 – ensino superior.

PROVIDÊNCIAS PRELIMINARES PARA A ELABORAÇÃO DO CONTRATO

Planejamento Econômico-Financeiro

Uma das providências essenciais para as instituições de ensino é a elaboração de um bom planejamento econômico-financeiro visando definir o valor da mensalidade a ser praticada. Esse planejamento deve ser feito levando-se em consideração a necessidade real do estabelecimento de ensino, sem considerar as imposições constantes do governo em determinar percentuais de reajustes por meio de medidas provisórias ou decretos.

Nesse momento, muitas vezes, os mantenedores deparam-se com o fato de o valor da mensalidade a ser praticado estar muito acima do esperado pelos pais, gerando dúvida sobre se pratica o aumento necessário de uma vez, ou, com receio da perda de aluno, deixa para conceder o reajuste de forma escalonada nos anos seguintes.

Se o conceder de uma única vez, com certeza, enfrentará conflito, mas terá uma oportunidade de definir se o seu público está dentro da realidade da escola, ou seja, se ele suporta o valor, havendo apenas um momento de desgaste. Caso o mantenedor opte por escalonar o aumento, terá pela frente várias batalhas, causadoras de sucessivos esgotamentos, e só depois de vários anos é que se definirá se os pais/alunos podem ou não suportar o valor necessário.

A experiência adquirida no transcorrer dos anos nos permite orientar os mantenedores a adotarem a opção de conceder o reajuste necessário de uma única vez, pois os desgastes sucessivos trazem duas conseqüências: o prejuízo financeiro e o institucional (imagem da escola).

Nesse caso, sempre mencionamos o velho dito popular: "é melhor ficar vermelho hoje do que amarelo para sempre".

É lógico que essa opção será sempre do mantenedor, mas quem a seguiu obteve bons resultados.

Planilha

O planejamento econômico-financeiro deve ser de conhecimento estratégico e exclusivo do mantenedor. No entanto, com o resultado desse trabalho, o próximo passo será migrar os dados adaptando-os à planilha exigida pelo governo, conforme Decreto 3.274, de 6 de dezembro de 1999, que regulamentou o § 4º do art. 1º da Lei 9.870, de 23 de novembro, também publicada no mesmo ano.

Essa planilha, junto com outras provas documentais, poderá ser objeto de análise pela Secretaria de Direito Econômico, com base no código do consumidor, em casos de denúncias por parte de alunos – art. 4º da Lei 8.970, de 23 de novembro de 1999.

Formulários e Documentos Diversos

Uma outra ação importante que pode ser adotada pelo mantenedor é definir os formulários de reserva de vaga, matrícula, manual e edital do processo seletivo (ensino superior).

Com relação ao manual e ao edital do processo seletivo, o Decreto 3.860/2001 e o Parecer 98/99 do Conselho Nacional da Educação orientam acerca de sua elaboração.

É de suma importância que esses formulários, manuais e editais estejam em perfeita harmonia com os termos do contrato. Caso ocorra alguma contradição, prevalecerá a interpretação mais favorável ao consumidor.

Edital de Fixação de Anuidade Escolar

Definido o valor da anuidade e o valor da mensalidade, mais os formulários acima, o próximo ato será elaborar o Edital de Fixação de Anuidade Escolar, conforme determina o art. 2º da Lei 9.870/99.

O estabelecimento de ensino deverá divulgar o referido edital em local de fácil acesso ao público, contendo o texto da proposta do contrato, o valor definido da mensalidade, o número de vagas por sala-classe, no período mínimo de 45 dias antes da data final para matrícula, de acordo com o calendário e o cronograma da instituição de ensino.

ELABORAÇÃO DO CONTRATO

Após o mantenedor analisar a forma de contrato – no presente caso de adesão –, os fundamentos legais e as providências preliminares já mencionadas, perceberá que as principais informações para elaboração do contrato estão quase definidas.

No entanto, é necessário detalhar-se melhor cada item, no sentido de se evitar polêmica entre as partes, devendo as cláusulas ser as mais cristalinas possíveis e com letras legíveis, conforme o código do consumidor.

Há, ainda, a necessidade de se preverem situações do dia a dia, ou direitos assegurados aos alunos por outras fontes do direito, abordando-as também de forma clara em favor do estabelecimento de ensino dentro dos limites e normas jurídicas vigentes, ou seja, o contrato não pode conter cláusula abusiva, conforme art. 51 do Código do Consumidor.

Entretanto, para melhor entendimento de cada uma delas, elaboramos os seguintes comentários, iniciando pela obrigatoriedade do contrato e depois seguindo a forma técnica de redação de qualquer tipo de contrato: partes, objeto, valor, forma de pagamento, rescisão, condições gerais, foro de eleição, etc.

Fundamento Legal da Obrigatoriedade do Contrato

A obrigatoriedade do contrato de prestação de serviços educacionais decorre de exigência contida no art. 39, VI e IX do Código de Defesa do Consumidor e no art. 1º da Lei 9.870/99.

Das Partes

Para efeito de realização formal do instrumento contratual, o primeiro passo é definir as partes envolvidas:

- Contratada: o estabelecimento de ensino – pessoa jurídica devidamente qualificada (CNPJ, endereço, representante legal também qualificado);

- Contratante: pai, aluno, responsável judicial. É indispensável constar o nome e o endereço correto do contratante: nome, endereço residencial e comercial, RG, CPF, estado civil, profissão e data de nascimento, colhendo-se sempre a assinatura de ambos os cônjuges.

É muito importante a correta qualificação do contratante no ato da matrícula, pois a informação errada ou incompleta pode atrasar a execução do devedor.

Por esse motivo, recomendamos que se confira se os dados contidos na matrícula estão em consonância com as cópias dos documentos (Identidade, CPF e comprovante de residência) do contratante.

A capacidade do aluno para assinar contrato estabelece-se aos dezoito anos, independentemente do sexo, conforme art. 5º do Código Civil em vigor.

Objeto

Para efeitos legais, e no caso específico da instituição de ensino, o objeto do contrato é o curso a ser ministrado, devendo ser mencionada a série e o local da prestação de serviços, nos termos do regimento escolar.

Vigência

A vigência corresponde ao período previsto para o curso (semestral, anual, etc).

Do Valor

Em consonância com o edital, é importante mencionar o valor da anuidade e em quantas parcelas será cobrado.

Número de parcelas

O valor a ser previsto em contrato é o da anuidade ou semestralidade, sendo facultado ao estabelecimento de ensino fixar planos alternativos de pagamento, por exemplo: planos de 12 meses, 6 meses, parcela única, 13 meses, tudo conforme § 3 do art. 1º da Lei 9.870/99.
    Note-se que a lei permite a fixação do valor em semestre, mas proíbe o reajuste do valor fixado nesse período.

Aumento inferior a um ano

Não obstante a lei não permitir o reajuste inferior a um ano, temos orientado os mantenedores a adotarem cláusula contratual prevendo o reajuste da diferença relativa ao percentual concedido na data-base dos professores e funcionários, a decisões judiciais ou à alteração na política econômica do governo.
    O modelo de contrato prevendo essa cláusula tem sido sistematicamente submetido à apreciação dos órgãos fiscalizadores do consumidor e nenhum deles tem questionado essa possibilidade de aumento.
    Essa tese ganha força com o novo Código Civil, que prevê, no art. 316, ser lícito convencionar o aumento progressivo de prestações sucessivas.

Matrícula

O valor referente à matrícula deve estar embutido no valor da anuidade.

Desconto

Recomenda-se que apenas seja concedido desconto mediante aditamento contratual, constando, de forma bem clara, tratar-se de mera liberalidade do estabelecimento e vinculada a uma obrigação por parte do aluno: pontualidade no pagamento das parcelas, boas notas, bom comportamento, etc., sob pena de perda do benefício conquistado.

Multa

Este assunto continua polêmico em função da contradição estabelecida entre o que preceitua o Código de Defesa do Consumidor e a Portaria n° 3, de 19 de março de 1999, da Secretaria de Direito Econômico.

O Código permite entender que o estabelecimento pode fixar a multa em 10%, considerando que o valor da mensalidade/anualidade não é uma outorga de crédito e muito menos um financiamento, mas sim um valor definido e único, que, embora dividido em parcelas, não sofreu nenhuma correção.

A Portaria mencionada, equivocadamente, entende o contrário, ou seja, que, pelo fato de as mensalidades serem divididas, houve financiamento, aplicando-se então o preconizado no art. 52 do Código do Consumidor, através da nova redação dada pela Lei 9.298/96.

Essa polêmica está sendo dirimida pelo Judiciário, onde há várias decisões entendendo que a multa de 10% é legal.

Sendo assim, entendemos que a decisão sobre a adoção do percentual de multa (10% ou 2%) consiste em uma decisão estratégica e deverá considerar sempre o percentual de inadimplência de cada instituição.

Juros

Os juros devem ser de 1% ao mês, no total de12% ao ano, por força do § 3º do art. 192 da Constituição Federal. O art. 406 do Código Civil também permite a cobrança de juros no mesmo percentual que a Fazenda Nacional cobra de seus contribuintes, que, muitas vezes, supera 1% ao mês.

Correção Monetária

Consiste em mera atualização do valor da dívida em face da inflação. O art. 395 do Novo Código Civil determina que a mora deva ser corrigida pelos índices oficiais. Nesse caso, recomendamos a tabela do judiciário.

É vedado utilizar taxa referencial ou qualquer critério utilizado pelo mercado financeiro para corrigir o débito.

Rescisão do Contrato

Em que pese o art. 6º da Lei 9.870/99, que não permite nenhuma sanção pedagógica ao aluno, a mesma norma possibilita a rescisão do contrato nos termos do art. 1.092 do antigo Código e mantido pelos arts. 475 e 476 do Novo Código.

É sabido que até se conseguir rescindir o contrato na esfera judicial o aluno já terminou o ano.

Entretanto, esta cláusula e uma carta administrativa de rescisão, se bem fundamentada, podem funcionar como instrumento de pressão no momento da cobrança.

Renovação da Matrícula

O estabelecimento de ensino não está obrigado a renovar matrícula do inadimplente. As normas legais da rescisão acima podem ser balizadoras dessa tese. Os alunos inadimplentes não estão conseguindo sucesso no Judiciário, mesmo defendendo teses antigas de que, no segundo ano ou semestre, não é matrícula e sim rematrícula.

Imagem do Aluno

Recomenda-se que se coloque cláusula prevendo o direito da escola de utilizar a imagem do aluno para fins publicitários e de propaganda da instituição, a fim de evitarem-se ações de indenização.

Entretanto, por ser o contrato de prestação de serviços por adesão, recomendamos, ainda, que o estabelecimento de ensino elabore um termo específico com o aluno para pôr fim de vez a qualquer possibilidade de indenização.

Devolução da Matrícula

Não existe nenhuma norma determinando a devolução do valor ou de percentual a ser reembolsado. Existiu, no passado, um parecer do antigo Conselho Federal de Educação que determinava a devolução de 80% do valor cobrado a título de matrícula, com a retenção de 20% como forma de ressarcimento pelas despesas efetuadas.

Caso a instituição pretenda devolver ou reembolsar a matrícula ao aluno que ingressou em outra instituição, deverá estabelecer o percentual, os critérios e o prazo para essa devolução.

Nossa sugestão sempre foi no sentido de se devolver os 80% do valor da matrícula.

A forma de devolução ou a não devolução deverá também constar no edital e no manual de processo seletivo.

Inclusão do Nome do Aluno no SPC

É permitida a cláusula de inclusão do nome do aluno nos serviços de proteção ao crédito, após 30 (trinta) dias de atraso. Entretanto, para evitar dúvidas futuras e a alegação do aluno de que não tinha opção de matrícula caso não assinasse o contrato de adesão, recomendamos que seja enviado comunicado por escrito com 30 dias de antecedência da decisão tomada, em atendimento ao disposto no art. 43 do Código do Consumidor.

Substituição do Mantenedor

Aconselhamos que o contrato contenha cláusula prevendo a hipótese de a contratada ser substituída por outra, permitindo que os boletos sejam emitidos e cobrados em favor da nova entidade mantenedora, acompanhada de carta de comunicação, ficando ratificadas as demais cláusulas do Contrato.

Fiadores

Não existe previsão legal proibindo a possibilidade de exigência de fiadores. Essa garantia não é recomendável nos dias atuais dada a grande dificuldade enfrentada pelas instituições em conquistar novos alunos.

Foro de Eleição

Consiste em se eleger uma cidade para discutir a controvérsia, por exemplo: foro de São Paulo, Osasco, Santo André, etc. Preferencialmente, deve ser o do Contratante.

Testemunhas

É indispensável a assinatura das testemunhas.

Essas são as sugestões básicas para elaboração do contrato de prestação de serviços educacionais, que pode e deve ser ampliado visando a atender as necessidades e interesses de cada instituição.

REFLEXOS DO CONTRATO

Como não poderia deixar de ser, derivam do contrato outros fatores, gerando também direitos e obrigações, como a fiscalização dos órgãos públicos, por exemplo, Ministério Público, Associações, Procon, Secretaria de Direito Econômico; confissão de dívida, cheques, nota promissória, juizados especiais, etc.

Órgãos Fiscalizadores

O que não faltam são entidades e pessoas querendo fiscalizar o valor e a forma de reajuste das mensalidades, tanto que é a única atividade com lei específica determinando a forma de fixação e reajuste.

Ministério Público

No Estado de São Paulo, o Ministério Público criou a promotoria de justiça do consumidor, que, com fundamento no art. 129, inciso VI da Constituição Federal, e no art. 104, inciso I, alínea "a", da Lei Complementar 734, de 26 de novembro de 1993 (Lei Orgânica do Ministério Público do Estado de São Paulo) obteve poderes de notificar o prestador de serviço a prestar esclarecimentos, sob pena de abertura de inquérito civil.

A legitimidade do Ministério Público para tratar de um tema tão específico é questionável, considerando que cabe ao órgão atuar em casos que envolvam direitos difusos e coletivos, e não interesses individuais.

Associação de Pais ou Alunos

A associação com apoio de pelo menos 20% dos pais ou alunos é legitimada para propositura de ações previstas na Lei 8.078/1990, conforme art. 7º da Lei 9.870/99.

Secretaria do Direito Econômico

É o órgão do Ministério da Justiça citado na Lei 9.870/99 com poderes de fiscalizar e regular o cumprimento de qualquer cláusula do contrato de prestação de serviços educacionais, sob pena de sanções administrativas previstas na lei do consumidor.

O edital e a planilha serão os primeiros documentos a serem solicitados em caso de denúncia.

Nos casos em que os estabelecimentos de ensino firmarem acordo com os pais/alunos, associações devidamente legalizadas, ou o fixarem através de decisão de mediador, tem-se a ilegitimidade da Secretaria do Direito Econômico em requerer qualquer documento do contratado, conforme art. 4º da Lei 9.870/99.

Procon

O Procon é um Órgão da Secretaria da Justiça e da Defesa da Cidadania que tem por objetivo a defesa e a proteção do consumidor.

Sua competência foi ampliada em decorrência do convênio assinado com a Secretaria de Direito Econômico, com o objetivo de poder fiscalizar serviços e preços e aplicar sanções administrativas (Decreto 861 de 09 de julho de 1993).

A recusa à prestação das informações ou o desrespeito às determinações e convocações dos órgãos do Sistema Nacional de Defesa do Consumidor (SNDC) caracterizarão crime de desobediência na forma do art. 330 do Código Penal.

Integram o Sistema Nacional de Defesa do Consumidor, além do Procon, a Secretaria do Direito Econômico do Ministério da Justiça, os órgãos federais do Distrito Federal e os municipais, todos em suas respectivas áreas de atuação e competência.

Multa

É graduada de acordo com a gravidade da infração, a vantagem auferida e a condição econômica do fornecedor; será aplicada mediante procedimento administrativo, revertendo para o fundo pertinente à pessoa jurídica de direito público que impuser a sanção e gerida pelo respectivo Conselho Gestor.

A multa, quando aplicável, será em montante não inferior a 200 e não superior a 3 milhões de vezes o valor da UFIR (extinta pela MP 1973-67 de 26/10/2000) atualizada pela taxa SELIC a partir de sua extinção (art. 57 da Lei 9.870).

Juizado Especial Cível

Este órgão foi criado pela Lei 9.099, de 26/09/95, e tem competência para conciliação, processo e julgamento das causas cíveis de menor complexidade, principalmente naquelas cujo valor não exceda a 40 vezes o salário mínimo.

As instituições de ensino (pessoas jurídicas) não podem valer-se do juizado especial para tentar receber suas mensalidades em atraso, até o limite estabelecido, pois a referida lei apenas beneficia as pessoas físicas.

Nas causas de valor até 20 salários mínimos, as partes comparecerão pessoalmente, podendo ser assistidas por advogado; nas de valor superior, a assistência é obrigatória.

Sendo facultativa a assistência, se uma das partes comparecer assistida por advogado, ou se o réu for pessoa jurídica ou firma individual, terá a outra parte, se quiser, assistência jurídica prestada por órgão instituído junto ao juizado especial, na forma da lei.

Confissão de Dívida

É o instrumento hábil a ser celebrado quando há acordo entre as partes, envolvendo o recebimento de mensalidades em atraso.

Recomendamos que todo e qualquer acordo celebrado com os pais ou alunos o seja por meio de instrumento de confissão de dívida.

Isso ocorre porque um acordo celebrado verbalmente dificilmente será cumprido.

O instrumento de confissão de dívida é o reconhecimento do débito por parte do devedor e, sendo subscrito por duas testemunhas, possibilita a futura ação de execução da dívida.

O ideal é que a confissão de dívida seja lastreada em notas promissórias.

Nota Promissória

O crédito é criado com sua emissão. Tem natureza de promessa de pagamento. Recomenda-se sua utilização para os casos de acordos firmados (confissão de dívida), a fim de ser proposta futura ação de execução.

A prescrição da nota promissória é de três anos (Lei Uniforme – Decreto 57.663/66, art. 70).

Letra de Câmbio

Há alguns modelos de contrato de prestação de serviços educacionais sugerindo a possibilidade de o estabelecimento de ensino emitir letra de câmbio da mensalidade em aberto e executar a dívida.

Esclarecemos que, no direito brasileiro, é vedada a emissão de letra de câmbio para representar crédito decorrente de compra e venda mercantil ou de prestação de serviços (Lei 5.474/68, arts. 2º e 20, § 3º).

O tempo de prescrição da dívida é de 3 (três) anos, com fundamento na mesma lei de prescrição da nota promissória.

Duplicata

É um título extrajudicial que representa o crédito pelo fornecimento de mercadorias ou pela prestação de serviços.
A sua emissão só pode ser realizada após a efetiva prestação de serviços.
A prescrição também é de três anos.

Cheque

O cheque contém uma ordem de pagamento à vista.
Por ser uma ordem de pagamento à vista, o controle deve ser o mais rígido possível, pois a possibilidade de fraude ou de responsabilização é muito grande, principalmente quando a instituição recebe mensalidades de alunos através de cheques emitidos por terceiros; nesses casos, recomenda-se observar que os cheques sejam nominais ao aluno, ou endossados pelo mesmo, a fim de facilitar futura ação de execução.
Outro assunto a ser bem orientado na tesouraria é a questão do prazo do cheque: para ser depositado – 30 dias, se for da mesma praça e 60 dias em praça diferente.
Importante ressaltar que o cheque apresentado fora desses prazos, enquanto não estiver prescrito (seis meses), deve ser compensado pelo banco, se o emitente ainda tiver fundos.
Para promover ação de execução: 6 meses.
Para promover ação de enriquecimento ilícito: 2 anos
Para promover ação de cobrança: 20 anos. Neste caso, estrategicamente, o credor deve utilizar o cheque como prova da dívida, e não como título de crédito.

Cheque Pré-Datado

O cheque pré-datado, ainda que apresentado na forma pós-datada, emitido em garantia de dívida, não se desnatura como título executivo extrajudicial, podendo embasar futura execução.
Essa espécie de cheque não configura infração penal.
Recomendamos muito cuidado no controle de datas para depósitos desse tipo de cheque, pois, caso o mesmo seja apresentado antes da data combinada, o consumidor (emitente) poderá ingressar em juízo contra o credor (estabelecimento de ensino) pleiteando indenização por dano moral.
Nesse caso, tem o judiciário fixado em aproximadamente dez vezes o valor do cheque emitido a título de indenização ao devedor.

Protesto

O protesto do cheque ou da nota promissória tem por escopo unicamente provar que o devedor deixou de quitar no vencimento a obrigação contraída, não sendo, contudo, imprescindível para a propositura de ação executiva ou de cobrança.

O protesto acarreta automaticamente a negativação do devedor (aluno, pai ou representante legal) nos órgãos de proteção ao crédito (SPC e SERASA).

No Estado de São Paulo, com a vigência da Lei Estadual 10.710/00, as despesas pelo protesto não são mais cobradas do credor, sendo de total responsabilidade do devedor.

Recomendamos uma certa cautela no momento de enviar qualquer título a protesto, uma vez que os dados do cadastro do responsável pelo aluno não podem conter nenhum equívoco. Não é raro encontrarmos situação em que o estabelecimento de ensino enviou para protesto o aluno, e não o devedor (pessoa responsável pelo aluno). Outra situação é enviar para protesto o devedor que já quitou o título.

Nesses casos, com certeza, o estabelecimento sofrerá ação judicial.

Cobrança dos Inadimplentes

A inadimplência é o inimigo número um dos estabelecimentos de ensino nos dias atuais, somada à evasão de alunos, perturbando o sono dos mantenedores.

Para suavizar o assunto, lembramos que a indústria e o comércio têm enfrentado essa situação há muito tempo. A diferença é que, se o devedor atrasar dois dias no pagamento do título, com certeza, será levado a protesto.

No caso dos estabelecimentos de ensino, isso seria uma atitude muito radical, mas o que existe de flexibilidade e complacência com o aluno é um exagero.

Há muito tempo temos sugerido aos mantenedores alterar o procedimento de cobrança. Ela tem que ser sistematizada: enviar cartas padronizadas no máximo até cinco dias depois do vencimento; enviar nova comunicação depois de curto prazo e, caso não se obtenha sucesso, enviar para cartório e depois executar judicialmente.

O devedor tem de se sentir pressionado em curto espaço de tempo, senão acaba dando prioridade a outras dívidas; ou, devido ao acúmulo de mensalidades, acaba não mais conseguindo quitar a dívida em atraso e a mensalidade normal juntas.

Outra saída seria estabelecer parcerias com instituições financeiras, em que os direitos aos créditos são repassados, tornando-se o aluno devedor junto ao agente financeiro, e não mais ao estabelecimento de ensino.

Nesse caso, o aluno, parcelando seu débito, com certeza terá que oferecer garantias, ou, no mínimo, será cobrado de forma mais rápida e contundente.

Alternativas existem, o que não pode acontecer é ficar inerte esperando a "banda passar".

Os estabelecimentos de ensino que estão adotando uma forma mais enérgica e sistematizada de cobrança estão obtendo sucesso.

Procedimento Judicial de Cobrança

Após vencidos todos os meios na tentativa de receber o débito, não resta outra alternativa senão a busca do judiciário, podendo ser propostas as ações que seguem:

Ação de execução

A ação de execução é o meio pelo qual o credor, munido de título executivo (confissão de dívida, cheque, nota promissória, etc.) pleiteia o cumprimento do contrato de prestação de serviços, citando o contratante para que, no prazo de 24 horas, pague o valor do débito ou nomeie bens para penhora.

Ação de cobrança

É o meio hábil para que o estabelecimento de ensino obtenha o reconhecimento/declaração judicial de seu crédito, a fim de promover depois a execução do devedor.

Ação monitória

Trata-se de um misto de ação de execução e ação de cobrança. Difere da primeira em razão de que pode ser proposta com base em prova escrita sem eficácia de título executivo. E, ainda, de que, em vez de mandado de citação para pagamento em 24 horas, sob pena de penhora, determina a citação com ordem de pagamento.

Prazo para Cobrança das Mensalidades

O prazo para ação de cobrança atualmente é de cinco anos, conforme art. 206, IX, § 5º do Novo Código Civil.

Esse prazo já foi motivo de muita polêmica no passado em função do confronto do art. 177 do antigo Código mencionado na Lei 9.870/99, art. 6º, possibilitando o entendimento de que o prazo de prescrição seria de 20 anos. No mesmo Código, art. 178, § 6º, VII, o prazo de prescrição é de um ano.

Considerando que o Novo Código revogou os dispositivos anteriores, não resta mais nenhuma dúvida de que o prazo de prescrição, repita-se, é de cinco anos.

CADASTRO

A elaboração de um cadastro completo do representante legal do aluno e do cônjuge desse representante é tão importante quanto um bom contrato de prestação de serviços, pois é fonte de informação de dados necessários para futuras medidas judiciais visando à penhora de bens para garantir o débito. No cadastro, além dos dados pessoais corretos do representante do aluno, deve haver as seguintes informações: imóveis, veículos, referências bancárias, enfim, bens que possam ser objetos de penhora.

Em resumo, esperamos ter ressaltado a importância do Contrato de Prestação de Serviços Educacionais, oferecendo aos estabelecimentos de ensino as orientações necessárias no sentido de se reduzir o percentual de inadimplência que aflige a categoria.

REFERÊNCIAS

Constituição Federal.

Código Civil – Lei 10.406 de 10/01/2002.

Código de Defesa do Consumidor – Lei 8.078/90.

Lei 9.870/99.

Decreto 3.274/99.

Decreto 3.860/2001.

Portaria nº 3 de 19 de março de 1999 da Secretaria de Direito Econômico.

Lei Complementar nº de 734 de 26/11/93.

Lei 9099 de 26/09/95.

Decreto 57663/66.

Lei 5.474/68.

Lei Estadual 10.710/00.

Capítulo 7

Direitos dos Professores: Visão Histórica e Ótica Gerencial

Fernando Barão

VISÃO GERAL DA QUESTÃO

A Convenção Coletiva dos professores no Estado de São Paulo garante aos profissionais uma série de direitos adicionais à legislação trabalhista. Se comparada com a realidade de outros estados, o texto de São Paulo é, de longe, o mais concessivo de todos.

Essa situação é o resultado de muitos anos de negociações entre os sindicatos, permeadas por momentos históricos bem variados e marcadas pela combatividade do Sindicato dos Professores.

Tendo em vista que o momento vivido pelo mercado do ensino privado é de crise, e que o principal custo está na mão de obra, multiplicam-se as consultas acerca da aplicação e do impacto desses direitos adicionais.

O presente estudo tem a intenção de analisar as seguintes questões:

- Quais são os direitos dos professores que transcendem a legislação trabalhista?
- Quais as realidades históricas que conduziram à conquista desses direitos?
- Qual é o custo efetivo de cada um desses direitos para uma escola privada?
- Quais direitos efetivamente representam incômodo para os mantenedores, independentemente da questão do custo?
- De que forma as escolas podem buscar a minimização do custo proveniente desses direitos, sem suprimi-los dos professores?

- O que de positivo os sindicatos e as escolas de outros Estados podem exprimir sobre a experiência paulista?
- Qual é a tendência de médio prazo para a evolução desses direitos?

ENTENDENDO OS BENEFÍCIOS

No exato momento em que este texto estava sendo redigido, não havia, propriamente, uma Convenção Coletiva dos Professores a ser analisada. Até julho de 2003 não houve acordo referente à data-base que passou, ocorrida no mês de março do mesmo ano. Todos os indícios apontam para a possibilidade de, pela primeira vez desde 1992, a questão ser resolvida pela Justiça do Trabalho através de julgamento de dissídio coletivo.

Não se sabe, portanto, que rumos tomarão as cláusulas existentes nos acordos anteriores. É difícil prever o que será resolvido pelos juízes responsáveis pelo dissídio – como, aliás, acontece em qualquer questão de ordem trabalhista que vai para a Justiça. Acredita-se que algumas cláusulas possam ser suprimidas, outras modificadas e outras, ainda, adicionadas. Mas a hipótese mais forte é de que a maioria dos direitos conquistados nos acordos anteriores seja preservada.

Nesse sentido, entendemos ser producente analisar as cláusulas em vigor no último acordo coletivo que têm impacto para as escolas e que excedem o que é garantido pela legislação trabalhista.

A Convenção Coletiva dos Professores constituída pelo Sinpro-São Paulo, Sinpro-Campinas e Federação dos Professores do Estado de São Paulo, que respondem pelas áreas mais representativas do Estado, era composta, em 2002, de nada menos do que 61 cláusulas. É um número significativamente superior ao da Convenção de outros estados.

Mais importante do que o tamanho da Convenção, porém, é o teor das cláusulas. Muitos dos direitos ali expressos são exclusivos do Estado de São Paulo. Em nossos contatos com mantenedores de outros Estados, muitas vezes nos deparamos com expressões de espanto quando citamos alguns dos referidos direitos a que os professores de São Paulo fazem jus.

Os acordos coletivos dos demais Estados se atêm, em geral, à determinação do índice de reajuste e à regulamentação de pequenos detalhes da relação entre professores e escolas. A Convenção de São Paulo vai muito além disso, o que justifica essa surpresa com que é recebida pelas escolas de outros Estados.

Podemos destacar 15 cláusulas que concedem aos professores de São Paulo direitos importantes e que vão além da legislação trabalhista.

- **Adicional de aviso prévio**
  No momento da demissão sem justa causa, o professor tem direito a receber um adicional correspondente a dois dias de salário para cada ano de traba-

lho na escola. A demissão de um funcionário com 15 anos de casa, por exemplo, produz um custo dobrado de aviso prévio (30 dias regulamentares mais 30 dias adicionais).

- **Aviso prévio por idade**
 Professores com mais de 50 anos de idade, ao serem demitidos, têm direito a receber um adicional correspondente a 15 dias de salário.

- **Bolsas para filhos**
 As escolas estão obrigadas a conceder duas bolsas de estudo integrais para filhos de professores que estejam em cursos oferecidos pela instituição.

- **Cesta básica**
 As escolas que não sejam exclusivamente de educação infantil estão obrigadas a fornecer aos seus professores, mensalmente, uma cesta básica de 24 quilos composta por uma série de produtos alimentícios discriminados na Convenção. Este benefício não pode ser pago em dinheiro nem em *ticket*, tem de ser em cesta ou vale-cesta.

- **Duração da hora-aula**
 O salário dos professores aulistas será pago com base em sua jornada semanal de trabalho; para o cálculo do número de horas a ser pago semanalmente, considera-se que cada hora-aula tem 50 minutos, para cursos diurnos de 5ª série até o ensino médio.

- **Garantia semestral de salários**
 Professores que, na época da data-base, tenham pelo menos um ano completo de trabalho na escola, não poderão ser demitidos em meio de semestre letivo, sob pena de ser a escola obrigada a pagar todos os salários até o fim do semestre.

- **Hora-atividade**
 Todos os professores têm direito a receber um adicional, que deve ser discriminado em *hollerit*, de 5% a título de atividades extras que exercem em casa – como preparação e correção de provas –, adicional este conhecido por hora-atividade.

- **Jornada-base do mensalista**
 O professor mensalista de educação infantil até 4ª série deverá ter uma carga semanal de no mínimo 22 horas de trabalho. Se o professor trabalhar menos do que isso, ainda assim sua remuneração será calculada com base nas 22 horas semanais.

- **Multa adicional por atraso na homologação**
 Se, quando da demissão, a escola atrasar o pagamento das verbas rescisórias, incorrerá em multa de um salário a mais, mais 0,3% do salário mensal por dia a partir do 20º dia de atraso.

- **Pagamento de janelas**
  Salvo acordo expresso assinado pela escola e pelo professor antes do início do ano letivo, as escolas estão obrigadas a remunerar as janelas como se fossem aulas normais. [1]

- **Participação nos lucros ou resultados**
  As escolas são obrigadas a pagar aos professores, uma vez por ano, quantia equivalente a 18% de um salário, a título de participação nos lucros ou resultados, independentemente de seu desempenho econômico-financeiro.

- **Pagamento de reuniões como horas extras**
  Salvo quando semanais ou quinzenais e previstas em calendário escolar, as reuniões pedagógicas serão pagas com adicional de 50% a título de hora extra.

- **Piso salarial**
  O menor salário permitido para remuneração da categoria dos professores era, em fevereiro de 2003, de R$ 470,48 para mensalistas,[2] R$ 5,56 por hora-aula para aulistas de 5ª a 8ª séries e R$ 6,19 para aulistas de ensino médio.[3]

- **Recesso escolar**
  Além dos 30 dias anuais de férias, os professores têm direito a mais 30 dias de recesso por ano.

- **Seguro de vida**
  A família do professor terá garantida indenização de 12 salários do professor que vier a falecer, a ser paga pela própria escola ou por companhia de seguro que esta vier a contratar.

Quando são unidos todos esses direitos em um só texto exclusivo sobre benefícios adicionais à lei, é que fica nítido o quanto os professores de São Paulo, através de sua eficaz atuação sindical, conquistaram nos últimos anos.

Antes da análise gerencial sobre o impacto desses benefícios sobre as escolas, cabe a pergunta que, para os mantenedores de São Paulo, nunca quer calar: como se chegou a esse patamar de benefícios adicionais? Quais foram os acontecimentos históricos que levaram à conquista, pela categoria dos professores, de todas essas vitórias?

---

[1] Entende-se por janela o período de uma aula em que, por força da composição do horário, o professor fica sem classe para assumir.

[2] Para jornadas de meio período, ou seja, entre 22 e 25 horas semanais de trabalho.

[3] Para efeito histórico de comparação, esses valores, no momento em que este capítulo foi escrito, equivaliam respectivamente a US$ 166,25, US$ 1,96 e US$ 2,19.

VISÃO HISTÓRICA DA QUESTÃO

Quando se discute com os mantenedores a respeito das razões que levaram a Convenção dos professores a ser tão recheada de benefícios adicionais para os profissionais, as versões que mais são ouvidas são duas: a) a culpa é do Sindicato das escolas, o SIEEESP, que é extremamente condescendente com os professores; b) a culpa é do Sindicato dos Professores, que sempre pleiteia muito mais do que as escolas suportam pagar.

As duas versões, se descontextualizadas, podem parecer verossímeis. Mais a primeira do que a segunda, é verdade. É importante destacar que o papel do Sindicato dos Professores, como o de qualquer sindicato, é procurar conquistar o máximo possível de benefícios junto aos representantes empresariais. Isto eles têm feito com bastante qualidade e, portanto, são merecedores de congratulações, não de reprimendas. O papel de definir o que é suportável ou não para a categoria cabe mais ao sindicato patronal do que ao dos profissionais. Cabe ao Sindicato dos Professores, por sua vez, mensurar o quanto o acréscimo de benefícios na Convenção pode colaborar para o aumento no desemprego da categoria. A possibilidade de existência de relação de causa e efeito entre os dois fatores é muito grande, o que tem se apresentado como realidade, a cada ano, de maneira mais forte.

Culpar o SIEEESP, porém, é uma forma bastante parcial de ver o problema. Cada um dos benefícios mencionados, e em especial os que mais incomodam, foi introduzido dentro de um contexto histórico específico que o justificou na ocasião.

A história dos acordos coletivos em São Paulo tem um divisor de águas bem claro no tempo. Trata-se do ano de 1989, quando, pela primeira vez, as negociações não resultaram em um acordo e a Justiça do Trabalho foi chamada a resolver a questão.

Antes de entrar especificamente no que ocorreu a partir de 1989, é importante frisar que até então a relação entre os sindicatos era bastante tranquila, e as negociações sobre o acordo coletivo tinham poucos desdobramentos. As discussões envolviam, basicamente, o índice de reajuste a ser concedido. Vivíamos uma época de inflação incandescente e de indexação salarial. Normalmente, o acordo saía com base em recomposição da inflação passada mais um aumento real da ordem de 4% no ano.

Salvo o ocorrido em 1986, ano em que o Plano Cruzado quase azedou as relações sindicais – o que foi devidamente consertado no acordo de 1987 –, as negociações coletivas eram relativamente amenas e causavam poucas emoções.

Em 1989, porém, o cenário macroeconômico acabou por empurrar as partes, pela primeira vez, para a Justiça do Trabalho. Em 15 de janeiro de 1989, o então Presidente José Sarney, em conjunto com a equipe econômica liderada pelo Ministro da Fazenda, Maílson da Nóbrega, decretaram o terceiro congelamento de preços da gestão Sarney. Esse Decreto ficou conhecido por Plano Verão.

As formas como o Governo tentava segurar a inflação eram, no mínimo, curiosas. Na prática, o congelamento, como forma de tentar deter a indexação generalizada dos preços, era a única medida relevante. Por outro lado, a economia, escaldada com os fracassos dos Planos Cruzado e Bresser, já havia encontrado meios de sair rapidamente do congelamento.

O Governo quis deter uma das maneiras mais eficazes de fuga do congelamento, que seria a conquista, pelos trabalhadores, de recomposições salariais anteriores ao Plano. Procurou proibir, assim, os juízes do trabalho de conceder reajustes relativos à inflação ocorrida antes de janeiro de 1989. Da mesma forma, procurou inibir a realização de acordos coletivos entre empresários e trabalhadores que concedessem essa inflação passada. Tencionou proibir, assim, repasses de preços oriundos de acordos coletivos.

Essa segunda medida atingia em cheio o setor do ensino privado. As escolas estariam proibidas de repassar aos preços o aumento da data-base, se ele fosse proveniente de acordo coletivo.

Partindo do princípio de que o Sindicato dos Professores, à época, demandava um reajuste da ordem de 100%, não havia como pensar em fazer um acordo, pois qualquer índice concedido não poderia ser repassado às mensalidades, quebrando as escolas. O SIEEESP chegou a oferecer 10% de reajuste. Os professores não aceitaram. Lembrando que a lei do Plano Verão proibia o Poder Judiciário de conceder reajustes relativos à inflação anterior ao Plano, o cenário parecia apontar para um dissídio cujo índice de reajuste seria ainda menor do que os 10% oferecidos pelo SIEEESP. Não foi, porém, o que aconteceu.

O julgamento ocorreu em junho de 1989, ocasião em que o congelamento já havia ido por água abaixo e a inflação mensal já estava na casa dos 20%. Nesse contexto, os juízes ignoraram a determinação do Plano Verão e concederam recomposição da inflação de 69,01%, mais aumento real de 5%, mais a introdução da hora-atividade de 5%. Total do reajuste: 86,33%.

As escolas, na ocasião, tiveram muitas dificuldades em cumprir esse aumento. O reajuste nas mensalidades foi alto, a briga com o Governo foi grande, a categoria saiu bastante na imprensa – e de forma não muito elogiosa –, mas todos acabaram se adaptando à realidade.

A principal novidade negativa do dissídio de 1989, porém, não estava no índice de reajuste, mas no piso salarial. Surpreendentemente – e superando até mesmo o que os professores haviam pedido –, o Tribunal optou por conceder um piso, para o valor-hora, de 12% do salário mínimo. Trazendo isso para valores de hoje, de modo que se possa entender o impacto da decisão, equivaleria a um piso de R$ 28,80 para a hora-aula.[4]

Dispensável afirmar que a quase totalidade da categoria não tinha como bancar esse piso. Ele foi, dessa forma, ignorado por quase todas as escolas. O SIEEESP entrou com contestação junto ao TST, sem conseguir efeito suspensivo. As escolas ficaram por dois anos com esse passivo potencial rondando suas cabeças, até que, em 1991, o TST derrubou o piso.

---

[4] Para efeito de comparação histórica, isso equivaleria, neste momento, a US$ 10,18.

Se, no final das contas, tudo acabou bem, tanto em relação ao reajuste quanto ao piso, por que o dissídio de 1989 foi um divisor de águas? Por que influenciou tanto os acordos da década de 1990 e os atuais?

Para entender isso, é preciso viajar um ano além, para 1990. Foram as negociações coletivas mais difíceis e desgastantes da história dos dois sindicatos. Havia um motivo para tanto desgaste: ao contrário do ano anterior, a alternativa da Justiça do Trabalho era ruim para ambos os lados.

Vivíamos, então, a iminência da troca de governo, saindo José Sarney e entrando Fernando Collor. Medidas de forte impacto eram esperadas, o que a história veio a confirmar. Para as escolas, fechar um acordo antes do novo Governo era a única forma de garantir o repasse do aumento às mensalidades. Para os professores, era a única forma de garantir a existência de algum aumento.

As negociações ocorreram em uma época em que o absurdo piso de 12% do salário mínimo ainda estava em vigor. Não havia, ainda, sido derrubado pelo TST. Para os professores, portanto, era ponto de partida nas negociações.

Já o SIEEESP precisava, de qualquer forma, convencer o Sinpro a reduzir o piso que este havia conquistado na Justiça, para que se pudesse chegar a um acordo.

O Sinpro foi convencido a reduzir o piso. O custo desse convencimento é que foi extremamente elevado para as escolas, apesar de, reconhecidamente, mais vantajoso do que a ausência de um acordo naquela ocasião.

Algumas das cláusulas que mais incomodam as escolas foram criadas ou confirmadas naquele acordo. A garantia semestral de salários foi a mais importante delas. Como veremos mais à frente, esta é a cláusula que as escolas mais gostariam de ver excluída da Convenção Coletiva. Pois bem, ela foi criada em 1990, como moeda de troca pela redução do piso. Os professores ganharam esse benefício novo, o qual nunca mais perderam nas negociações posteriores.

O pagamento das janelas é outro exemplo. É o terceiro benefício que mais incomoda as escolas. Também surgiu em 1990 e, de lá para cá, foi sempre mantido, sendo alvo apenas de pequenos ajustes. O mais importante deles é o que permite à escola não pagar as janelas, se o professor assim concordar por escrito, antes do início das aulas. Originalmente, não existia essa abertura, ela foi uma conquista posterior do SIEEESP.

A jornada-base de 22 horas para professores mensalistas foi outro benefício que surgiu em 1990, como custo para as escolas a fim de conseguir a redução do piso.

A hora-atividade, por sua vez, foi mantida em 5% no acordo de 1990, mesmo percentual que havia sido fixado pelo Tribunal em 1989. Ficou assim desde então, apesar de ser reivindicação constante dos professores um incremento desse percentual.

De 1990 até 2002, em outras duas ocasiões, não houve acordo entre os sindicatos. Isso ocorreu em 1991 e 1992, ainda sob o impacto da confusão criada por congelamentos anteriores. Nas duas ocasiões, pouco se mexeu nos benefícios conquistados pelos professores. A principal diferença para o dissídio de 1989 foi o índice de reajuste de apenas 7% em 1991 e 4% em 1992. Isso aumentou a disposição dos professores de assinar acordo em 1993 – ainda assim, vendo atendida sua exigência de aumento real de 12%. De lá para cá, em todos os anos, os sindicatos, mesmo que com atraso, chegaram a acordos coletivos.

Um momento posterior que causou modificações estruturais na composição dos benefícios ocorreu nas negociações da Convenção de 1996. Duas novidades, das mais custosas do ponto de vista financeiro, surgiram na ocasião: a cesta básica e a participação nos resultados.

O Sinpro, na ocasião, pleiteava um reajuste salarial de 40%, ao passo que o SIEEESP oferecia 25%, a inflação anual projetada na época. Muitas escolas ainda aguardavam a definição do acordo para aumentar as mensalidades em meio de período letivo.[5] A instauração de dissídio coletivo, por sua vez, desenhava-se como um processo bastante demorado. A diretoria do SIEEESP, então sob intervenção e politicamente enfraquecida, optou pela aceitação de exigências adicionais dos professores para fechar o acordo.

Considerando uma cesta básica de 24 quilos e uma participação nos resultados de 18% ao ano, o impacto médio total do acordo coletivo foi de 40% – exatamente o que o Sinpro pleiteava. Este incremento de custo superou as expectativas e trouxe fortes protestos por parte da categoria dos mantenedores – o que motivou que, nos três anos seguintes, os reajustes salariais fossem abaixo da inflação de seus respectivos períodos. Ainda assim, a cesta básica e a participação nos resultados nunca mais foram removidas dos acordos coletivos.

IMPACTO E INCÔMODO DOS BENEFÍCIOS

A grande maioria dos benefícios adicionais a que os professores fazem jus por conta do acordo coletivo pode ter seu impacto médio sobre a receita calculado. Alguns deles oscilam muito de caso para caso, sendo inapropriado o cálculo do impacto.

Estão no primeiro caso a hora-atividade, as bolsas, a participação nos resultados, o adicional de aviso prévio. No segundo caso, temos o piso salarial, o recesso escolar, o pagamento de reuniões como horas extras, a multa adicional por atraso na homologação, o pagamento de janelas e a jornada-base de 22 horas semanais para mensalistas. Na grande maioria dos casos, porém, o impacto efetivo deste segundo grupo é muito baixo.

A execução de um cálculo médio sobre o impacto de cada um dos benefícios mensuráveis sobre a receita de uma escola privada mostra que, da longa lista de benefícios extras a que os professores têm direito, poucos são os que representam um peso significativo no orçamento de uma escola. A maior parte dos benefícios tem um impacto muito mais estratégico do que financeiro. Dois exemplos ilustram o que se chama de efeito estratégico. Um é o pagamento das janelas. Sua existência obriga as escolas a serem muito mais criteriosas na confecção de seus horários, de modo a minimizar o custo das janelas. Muitas vezes, a distribuição das aulas pelos dias da semana não ocorre da forma que a escola consideraria ideal. Este é um efeito estratégico. Outro exemplo é o pagamento de reuniões como

---

[5] A legislação que impede reajuste em meio de ano letivo foi aprovada no final de 1995, momento em que boa parte das escolas já havia fixado condições contratuais para o ano seguinte. Assim, 1996 foi o último ano em que as escolas puderam reajustar mensalidades em meio de período.

hora extra. As escolas se viram obrigadas a condensar as reuniões ou a prevê-las quinzenalmente em calendário.

Dos benefícios expostos, apenas seis apresentam impacto superior a 0,15% da receita de uma escola.

BENEFÍCIO	IMPACTO MÉDIO SOBRE A RECEITA
BOLSAS DE ESTUDO	6,50%
HORA-AULA DE 50 MINUTOS	4,09%
HORA-ATIVIDADE	2,45%
CESTA BÁSICA	1,38%
PARTICIPAÇÃO NOS RESULTADOS	1,05%
ADICIONAL DE AVISO PRÉVIO	0,58%

Os custos com os demais benefícios são desprezíveis.

BENEFÍCIO	IMPACTO MÉDIO SOBRE A RECEITA
GARANTIA SEMESTRAL DE SALÁRIOS	0,13%
SEGURO DE VIDA	0,06%
AVISO PRÉVIO POR IDADE	0,04%

Os demais seis benefícios adicionais, conforme já exposto, oscilam muito de uma escola para outra, de forma que seria improdutivo calcular o impacto médio.

Em 1999, foi realizada pelo SIEEESP uma pesquisa entre os mantenedores do Estado de São Paulo, com o intuito de verificar, dentre 12 benefícios concedidos pela Convenção Coletiva, quais os que mais incomodavam, ou quais eles gostariam de ver suprimidos do acordo. Os 12 benefícios pesquisados são os 15 descritos neste capítulo, à exceção de participação nos resultados, duração da hora-aula e remuneração de reuniões como horas extras.

BENEFÍCIO	% DAS ESCOLAS QUE QUERIAM SUPRIMIR O BENEFÍCIO, SEM SEQUER NEGOCIAR
GARANTIA SEMESTRAL DE SALÁRIOS	71%
ADICIONAL DE AVISO PRÉVIO	59%
JANELAS	54%
RECESSO	53%
CESTA BÁSICA	46%
AVISO PRÉVIO POR IDADE	42%
SEGURO DE VIDA	42%
MULTA POR ATRASO NA HOMOLOGAÇÃO	33%
HORA-ATIVIDADE	29%
JORNADA DE 22 HORAS SEMANAIS	23%
BOLSAS DE ESTUDO	23%
PISO SALARIAL	17%

O cruzamento entre as duas análises – custo e incômodo gerado pelos benefícios – permite algumas análises bastante interessantes. Os quatro benefícios que mais incomodam as escolas produzem custos muito baixos. Os três primeiros, aliás, dizem respeito à liberdade de ações estratégicas por parte da escola.

A garantia semestral de salários e o adicional de aviso prévio dizem respeito diretamente ao custo de homologar um professor demitido. O primeiro encarece sobremaneira a rescisão em determinados períodos do ano. O segundo encarece a rescisão de determinados professores. As janelas, por sua vez, influenciam demais na metodologia de confecção do horário de aulas. Podemos entender que, mais do que o custo gerado por um benefício, o que preocupa as escolas é a ingerência em sua rotina administrativa, em especial quanto à possibilidade de demitir funcionários.

A análise sobre a posição dos benefícios mais custosos na tabela de preocupações dos mantenedores confirma essa visão. Os itens que representam custo direto, mas que, em algum momento, foram repassados ao preço, tais como cesta básica e hora-atividade, não preocupam tanto. Entendemos que, em boa parte dos casos, nem seriam suprimidos, mesmo que deixassem de ser obrigatórios.

Este raciocínio se aplica, em especial, às bolsas de estudo, o item que, de longe, representa o maior custo para as escolas. A forma peculiar como as escolas se relacionam com seu pessoal docente faz crer que dificilmente, na prática, as escolas deixariam de conceder bolsas aos filhos de professores. Boa parte concede bolsas para os professores que têm mais de dois filhos, mesmo não sendo obrigadas a tanto.

A conclusão da análise chega a ser surpreendente. Apesar das dificuldades financeiras por que vêm passando, as escolas ainda preferem os benefícios que custam àqueles que lhes tiram a liberdade administrativa.

ASPECTOS GERENCIAIS

A dicotomia entre o custo dos direitos extras dos professores, por um lado, e o incômodo que eles propiciam às escolas, por outro, deve levar a uma reflexão mais aprofundada sobre a questão.

A forma de administrar, internamente, as garantias aos professores cujo custo não é alto, mas que interferem na autonomia da escola em gerenciar seus recursos humanos, pode ser alvo de adequação no sentido de minimizar seus efeitos negativos.

Podemos começar a análise pelo benefício que mais incomoda os mantenedores, que é a garantia semestral de salários. Conforme já analisado anteriormente, este incômodo provém da intervenção que este direito representa na liberdade de demitir a qualquer tempo, por parte da empresa.

Um detalhe, porém, passa semidespercebido quando se analisa o efeito desse direito. Ele só é garantido aos professores que, em 28 de fevereiro do ano corrente, já tenham completado um ano de casa. Isso significa que, via de regra, as escolas têm um ano letivo inteiro para avaliar o trabalho dos professores que contratam, podendo, a qualquer tempo, efetuar demissões sem incorrer na garantia semestral, durante este primeiro ano.[6]

A indagação que as escolas precisam se fazer, antes de avaliar o real incômodo que a garantia semestral de salários provoca, é: quantos professores com mais de um ano de casa seriam demitidos em meio de semestre letivo, se não houvesse esta garantia? Certamente, muito poucos; na maior parte dos casos, nenhum.

O que compete às escolas é efetuar um aprimoramento da avaliação do trabalho dos professores ao término de seu primeiro ano letivo. Como a aquisição da garantia é irreversível, só devem fazer jus a ela aqueles que efetivamente tiverem merecimento. Garantida essa premissa, a estabilidade semestral tende a preocupar muito pouco.

O segundo direito que mais incomoda é o adicional de aviso prévio. Mais uma vez, por propiciar um obstáculo à livre demissão – neste caso, puramente financeiro. O custo financeiro médio é de 0,58% da receita. Esta média, porém, é calculada a partir de casos certamente muito díspares. Empresas que têm menor rotatividade de pessoal – o que é uma qualidade – são mais penalizadas por esta cláusula, pois, quando demitem, têm um custo mais elevado, tendo em vista que seu pessoal tem um tempo de casa maior.

A existência do adicional de aviso prévio, porém, não deve alterar em nada a política de pessoal das escolas. O custo mais elevado de rescisão para funcionários antigos é uma realidade garantida pela legislação trabalhista, da qual não se pode fugir. O impacto do direito extra dos professores é marginal. Vamos analisar um caso extremo. Imaginemos a demissão de um professor que está há 30 anos trabalhando para a mesma escola. O adicional de aviso prévio para ele será de 60 dias, ou dois meses a mais de salário. Não parece pouco, para quem dedicou a vida à instituição? Independentemente da análise sobre merecimento, a multa de 50% sobre o saldo do FGTS custará à escola aproximadamente mais 15 salários deste mesmo professor. Eis como fica claro que o acréscimo garantido pela Convenção é marginal, e não deveria, portanto, incomodar tanto as escolas.

As janelas são o terceiro item que mais incomoda. Da forma como estão garantidas pela Convenção, não deveriam incomodar em nada. Cabe à escola uma, dentre duas iniciativas: a) confeccionar um horário sem janelas, ou com um número reduzido delas. Esta é uma questão até de respeito pelo professor; b) na existência de janelas, negociar junto aos professores atingidos, antes do início das aulas, seu não pagamento. Se o número de janelas for pequeno (e normalmente não passa de uma por semana para cada professor atingido), certamente os professores não se oporão em aceitar a proposta. Importante: o prazo da aceitação tem de ser respeitado, tem de ser antes do início das aulas. Depois, tarde demais.

---

[6] À exceção de demissões realizadas após 15 de outubro, casos em que, pela legislação trabalhista, a escola deverá pagar os salários até o reinício das aulas.

O que dizer sobre os cinco benefícios que são mais caros, mas que incomodam pouco às escolas?

As bolsas de estudo representam um custo alto para as escolas, mas não incomodam. Essa falta de incômodo se deve a três fatores: a) as escolas não sentem, na forma de desembolso, o custo deste benefício; b) a maior parte das escolas, por questão de princípio, garantiria as bolsas mesmo que não fossem obrigadas a tanto; c) como as classes, em geral, têm capacidade ociosa, o aluno bolsista não ocupa a vaga de um aluno pagante.

O primeiro fator é meramente psicológico. Se as escolas cobrassem mensalidades dos professores, mas depois tivessem de reembolsá-la na forma de auxílio-educação, o impacto financeiro final seria exatamente o mesmo, mas certamente a óptica sobre a questão seria diferente. A segunda questão é da competência individual de cada escola. O terceiro fator é ilusório. Ter o aluno bolsista ou não, em uma classe ociosa, é realmente quase indiferente; mas se existir a hipótese de este aluno se converter em pagante, esta seria, certamente, a melhor alternativa. Caso não houvesse a obrigatoriedade das bolsas, os filhos de professores de uma determinada escola poderiam estudar em outra, por uma questão de opção financeira da família; mas a escola receberia, também, filhos de professores de outras escolas, de forma que cada escola ganharia, assim como as escolas como um conjunto.

Como as bolsas, porém, incomodam menos às escolas, é pouco provável que elas venham a cair em negociação coletiva. Dessa forma, cabe às escolas, em especial àquelas que têm pouca ociosidade em salas de aula, acrescentar em seu processo de seleção, além da experiência e da competência dos candidatos, também o número e a idade dos filhos dos candidatos.

A fixação da duração da hora-aula em 50 minutos é bastante onerosa para as escolas. Não constou da pesquisa com os mantenedores, mas pode-se subentender que não seja das que mais incomodam, por três motivos principais: a) muitas escolas entendem que aulas com mais de 50 minutos sejam pedagogicamente não recomendáveis; b) uma alteração nesta cláusula seria bastante perceptível para o cliente, do que as escolas têm bastante receio; c) seria politicamente complicado explicar aos professores porque ocorreria uma desvalorização do seu minuto de trabalho – mesmo que haja argumentos lógicos para isso.

A hora-atividade se apresenta como um paternalismo difícil de compreender. Não que não haja as tais atividades fora do horário de aula – elas existem, e não são poucas. Como, aliás, em qualquer outro trabalho. Um professor, ao aceitar um determinado salário, sabe o trabalho que lhe é exigido em contrapartida. Não é necessária uma remuneração destacada e específica para trabalhos diferentes.

Bem, mas a remuneração foi criada e é um fato. Diante disso, o melhor é que ela fique como está. Se suprimida, por qualquer motivo, deverá ser incorporada ao salário, sem causar efeitos imediatos. No longo prazo, haveria o risco de ela voltar, incrementando novamente o custo das escolas. Vale destacar, aliás, que a hora-atividade incomoda pouco às escolas justamente porque elas já a consideram parte do salário, apesar de ser destacada no *hollerit*. Para o Sindicato dos Professores, é uma bandeira importante, inclusive como moeda de troca a cada negociação, em que sempre é demandado um aumento no percentual de hora-atividade.

A cesta básica representa um custo significativo e provoca um incômodo mediano às escolas. Este incômodo, aliás, não é propriamente de ordem financeira, mas operacional. Boa parte das escolas preferiria pagar em dinheiro a cesta, mas são impedidas por força da Convenção. Os problemas operacionais são muitos, mas os mais comuns são: a) as escolas não têm espaço para estocar as cestas básicas; b) os professores acham ruim carregar a cesta para casa, ou ter de retirá-la em algum entreposto; c) os professores não concordam com a composição da cesta, seja com os produtos ou com as marcas; d) os professores também prefeririam receber em dinheiro ou em *ticket*; e) a entrega das cestas em domicílio, solução operacionalmente mais prática, tem custo adicional, que fica para as escolas, pois os professores geralmente não concordam em pagá-lo.

A solução coletiva seria a substituição da cesta pelo *ticket*, com o que o sindicato dos professores não concorda. Pagar em dinheiro seria ruim para a escola, pois consignaria salário e incorreria em encargos.

Pensar na suspensão da cesta básica, somente em caso de dissídio. Um acordo neste sentido só seria possível se houvesse a troca por um índice de reajuste salarial mais alto, o que seria prejudicial para as escolas. Já que a cesta existe e é uma obrigação, o melhor que se tem a fazer, além de torcer para que seja suprimida pelo TRT, é procurar reduzir seu custo. A busca de pelo menos cinco fornecedores, com pesquisa constante de preços entre eles, pode minimizar esse custo.[7] Pode parecer óbvio, mas boa parte das escolas não faz essa pesquisa, prendendo-se a um fornecedor só.

Por fim, a participação nos resultados. A queixa mais generalizada que se ouve é: "por que minha escola tem de pagar esta participação, se ela não dá resultado?". Apesar de ter fundamento essa crítica, ela apresenta uma visão enviesada da questão. Ela ignora dois aspectos básicos da análise: a) o advento do PLR para as escolas não veio como um incremento de custos, mas como substituição a aumento de salário, o que ocorreu por vários anos seguidos. Assim, as escolas estão pagando como PLR o que teriam de pagar como salário se o PLR não tivesse sido aprovado; b) as empresas são obrigadas por lei a pagar PLR, sob critérios ainda não definidos. Cria-se um passivo trabalhista de tamanho desconhecido, além da possível necessidade de criar a ingerência dos funcionários na contabilidade da empresa. Com o acordo coletivo, este risco foi eliminado a um custo zero (devido ao fator anterior).

Uma análise adicional sobre o primeiro fator deve ser feita. A substituição de índice por PLR é extremamente benéfica para as escolas por vários motivos: a) não há incidência de encargos; b) não eleva a base salarial; c) tem impacto psicológico muito maior para os professores; d) permite que as escolas criem mecanismos adicionais de premiação diferenciada entre os funcionários, sem comprometimento com os anos futuros.

---

[7] Em especial numa época como a atual, em que os preços dos alimentos sofreram forte elevação.

Por isso, no caso do PLR, a lógica que se deve seguir é a seguinte: quanto mais PLR em substituição ao salário, melhor.

LIÇÕES PARA OUTROS ESTADOS

Pelo menos quatro benefícios existentes em São Paulo, e que são pouco encontrados em outros Estados, poderiam ser introduzidos nas negociações coletivas, trazidos pelos próprios sindicatos das escolas, como moeda de troca por outras cláusulas que existam e representem incômodo, ou, ainda, por um índice de reajuste menor.

Garantia semestral de salários – apesar de ser a cláusula mais citada pelas escolas como geradora de incômodo, fica patente que uma boa organização administrativa anula seus efeitos negativos. Da mesma forma, o impacto financeiro é muito baixo. Para os professores, por sua vez, trata-se de benefício extremamente valioso. Certamente estariam dispostos a trocar este benefício por um índice de reajuste mais baixo.

Participação nos lucros e resultados – por todos os efeitos positivos aqui citados, representaria um ganho para a escola, em termos financeiros e jurídicos, e para os professores. Trocar índice por PLR é uma grande jogada para todos.

Seguro de vida – é uma alternativa bastante barata e com impacto positivo para os professores, pois mexe com uma preocupação que todos têm.

Adicional de aviso prévio por idade – é uma medida socialmente justa, com impacto financeiro muito baixo.

Dentre os benefícios que certamente não seria recomendável estender a outros Estados, poderíamos citar a obrigatoriedade das bolsas, a jornada de 22 horas semanais para mensalistas, a hora-atividade, a hora-aula de 50 minutos e o pagamento obrigatório de janelas.

TENDÊNCIA DE MÉDIO PRAZO

A lógica encontrada nas negociações coletivas dos últimos 10 anos mostrou que, enquanto os sindicatos continuarem chegando a acordos coletivos, as conquistas de benefícios dos professores jamais serão reduzidas. O Sindicato dos Professores não teria condições políticas perante sua categoria para, mesmo que concordasse com isso, assinar um acordo suprimindo direitos.

Essa realidade empurra as escolas para uma situação dualista. Por um lado, um dissídio coletivo poderia representar a possibilidade de remoção de uma série de benefícios que incomodam. Por outro, ele representa um risco de acréscimo insuportável de custos, seja via índice de reajuste, seja via surgimento de novos benefícios.

A alternativa do dissídio sempre é levantada nas negociações. Em todos os últimos 10 anos, porém, a opção sempre foi pela segurança. Um acordo com os benefícios que conhecemos parece ser melhor do que uma decisão externa de impacto desconhecido.

O medo do desconhecido tem levado as escolas a aceitar, ano após ano, a manutenção dos benefícios extraordinários dos professores, mesmo com a forte crise que afeta o mercado. Enquanto este medo se sobressair aos demais fatores, os benefícios dos professores, no mínimo, se manterão como estão, com tendência de lento crescimento.

Analisando por esta óptica, parece lógico que seria chegado o momento de optar por dissídio coletivo. Ocorre, porém, que o medo é fundamentado. Um julgamento de dissídio pode inviabilizar boa parte das escolas, seja por fatores conjunturais, seja por estruturais. Um fator conjuntural seria o índice de reajuste. Um estrutural seria a criação de novos benefícios. O perigo maior está nos fatores estruturais.

O grande pesadelo das escolas chama-se vale-refeição. A introdução deste benefício seria a ruína para mais da metade das escolas. Este é, na verdade, o grande risco que se corre na opção por um acordo coletivo.

Em 2003, tudo indicava que teríamos, pela primeira vez em 11 anos, a Justiça do Trabalho decidindo a questão. Era impossível prever o veredicto final. Os dois extremos eram possíveis – fosse a supressão de parte dos benefícios, fosse a criação de novos ainda mais caros. Existia o risco de 2003 se tornar um novo 1989. Os fatores conjunturais, porém, empurraram as escolas para a roleta. Só resta esperar pelo resultado. Daqui a alguns anos, contaremos isso como história.

REFERÊNCIAS

CONVENÇÃO COLETIVA DE TRABALHO 2002 – Sindicato dos Professores de São Paulo e Região, SINPRO Campinas, *Federação dos Professores do Estado de São Paulo e Sindicato dos Estabelecimentos de Ensino no Estado de São Paulo.*

Consolidação das Leis do Trabalho.

BARÃO, Fernando. *1986-1997: onze anos de mensalidades, salários e inflação*, 1997.

Parte II
Gestão Econômico-Financeira

Capítulo 8

A Educação como Negócio

Oliver Mizne

GLOBALMENTE, A EDUCAÇÃO TORNA-SE UM SETOR DA ECONOMIA

Há apenas 13 anos, em 1991, uma faculdade americana chamada DeVry tornou-se a primeira instituição de ensino no mundo a abrir seu capital em bolsa de valores. Era o primeiro passo de um processo, agora visivelmente inevitável, de atração mútua entre dois improváveis parceiros: o setor de educação e o mercado financeiro.

Em praticamente todo o mundo, o setor de serviços vem ganhando importância crescente, ao mesmo tempo em que as habilidades necessárias para o mercado de trabalho vêm tornando-se cada vez mais complexas. Em outras palavras, as vantagens competitivas de empresas estão cada vez mais ligadas à qualidade de seu quadro de funcionários-colaboradores e cada vez menos a equipamentos, ou mesmo à disponibilidade de capital.

Neste cenário, um número crescente de postos de trabalho exigem qualificação específica, o que vem aumentando a demanda por ensino superior globalmente. Além disso, pelo mesmo motivo, o ciclo tradicional de estudo, que se estendia da educação básica até a pós-graduação, normalmente dos 7 aos 25 anos de idade, vem sendo complementado por um ciclo contínuo de aprendizado, que acompanha um número crescente de jovens e adultos durante toda a sua vida profissional.

Em 30 países estudados, ricos e pobres, na Europa, nas Américas e na Ásia, o gasto governamental com educação já é bastante representativo, ficando entre 4 e 7% do PIB (5,2% no Brasil). Negociar um aumento desse percentual é tradicionalmente burocrático e difícil, especialmente num momento de retração econômica mundial, e o Brasil não é diferente.

Com isso, o capital que estará disponível para financiar o crescimento do setor de educação virá do setor privado e, cada vez mais, com a participação do mercado financeiro. Já observamos isso nos Estados Unidos, com sete grupos educacionais listados em bolsa que já atingiram valor de mercado acima de US$ 1 bilhão, e também no Brasil, com dois terços dos alunos universitários já estudando em escolas particulares.

Questões extremamente importantes permeiam esse novo setor de educação, especialmente no Brasil:

- Como a qualidade acadêmica se relaciona com a lucratividade?
- Como conscientizar o aluno de que é preciso pagar por um serviço aparentemente social?
- Quanto o setor de educação movimenta na economia brasileira?
- Como são as curvas de demanda e oferta do setor de educação no Brasil?
- Que oportunidades serão criadas pela entrada do mercado de capitais no setor de educação?
- Quais são as implicações de tudo isso para o gestor educacional?

O SETOR DE EDUCAÇÃO NO BRASIL

Mais de R$ 100 Bilhões Anuais

Somando-se os setores público e privado, em 2003 o setor de educação no Brasil já movimentou mais de **R$ 100 bilhões**.

Gastos públicos e receitas do setor de educação
(percentuais referentes ao ano 2000)

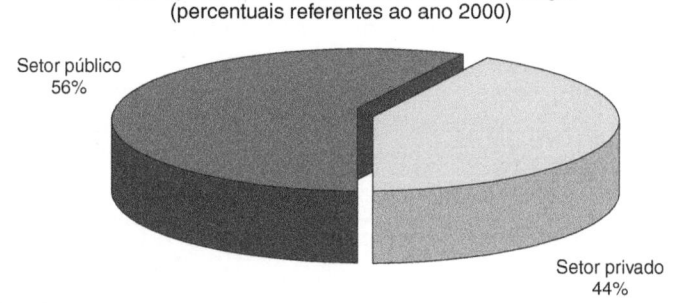

Setor público 56%
Setor privado 44%

Fonte: Ideal Invest

São mais de **9% do PIB**, afetando diretamente a vida de **mais de 60 milhões de alunos** e **50 milhões de pais**. **Três milhões de professores** atuam junto a 218 mil escolas, atendendo 5.560 municípios.

Distribuição das matrículas por modalidade de ensino

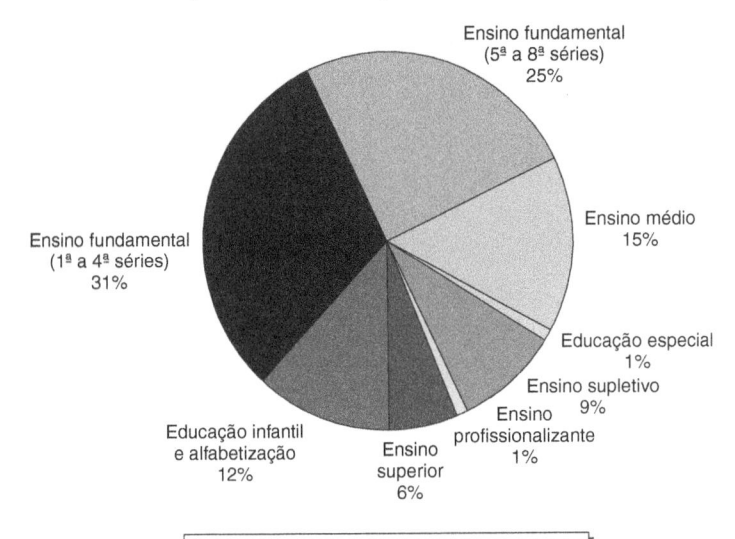

- Ensino fundamental (5ª a 8ª séries) 25%
- Ensino fundamental (1ª a 4ª séries) 31%
- Ensino médio 15%
- Educação especial 1%
- Ensino supletivo 9%
- Ensino profissionalizante 1%
- Ensino superior 6%
- Educação infantil e alfabetização 12%

Estimativa para 2003: 60,5 milhões de alunos

Fonte: INEP/MEC, Ideal Invest.

Do total de alunos matriculados em todos os níveis de ensino, 84% encontram-se em escolas públicas. No entanto, uma análise por nível e também por sua representatividade mostra que, no ensino superior, as matrículas estão concentradas nas escolas particulares.

Distribuição das matrículas por dependência
(estimativas para 2003)

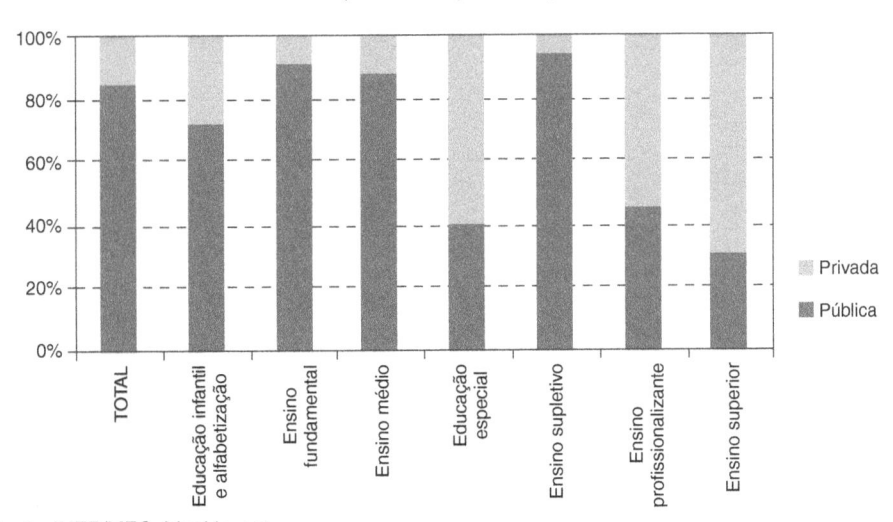

Fonte: INEP/MEC, Ideal Invest.

Assim, o governo ocupa-se principalmente da educação básica:

Distribuição dos gastos públicos em educação
(ano 2000)

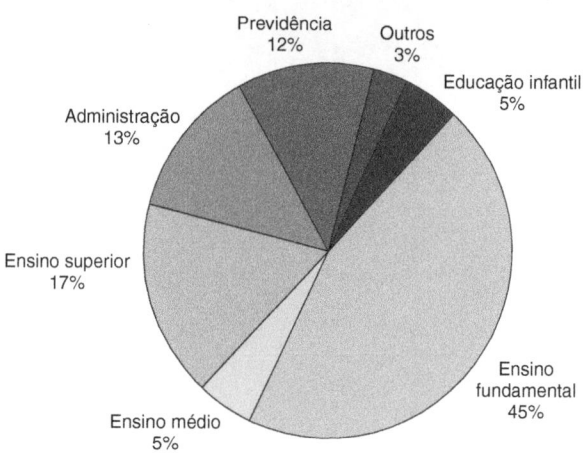

- Previdência 12%
- Outros 3%
- Educação infantil 5%
- Administração 13%
- Ensino superior 17%
- Ensino médio 5%
- Ensino fundamental 45%

Fonte: Ideal Invest.

No setor privado, 59% da receita ainda vem da educação básica, mas 22% já é proveniente do ensino superior.

Distribuição das receitas em educação do setor privado
(ano 2000)

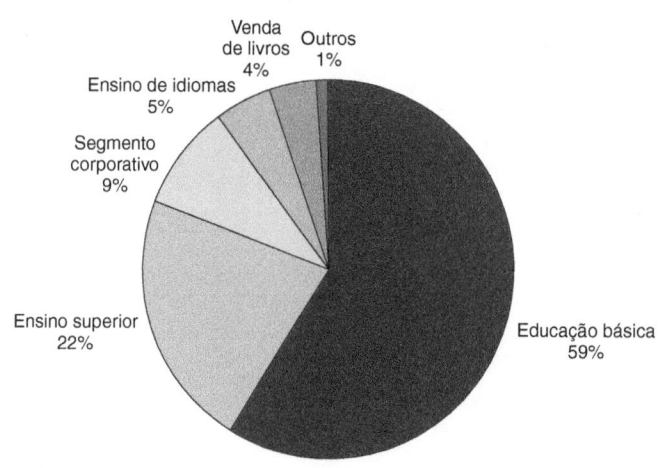

- Venda de livros 4%
- Outros 1%
- Ensino de idiomas 5%
- Segmento corporativo 9%
- Ensino superior 22%
- Educação básica 59%

Fonte: Ideal Invest.

Nas últimas décadas, o Brasil investiu sensivelmente para estender a cobertura da educação básica para a quase totalidade da população. Hoje, o país como um todo tem 97% das crianças de 7 a 14 anos na escola. No sul e sudeste, este percentual atinge 99%. Nas regiões norte e nordeste, o percentual fica em torno de 94%:

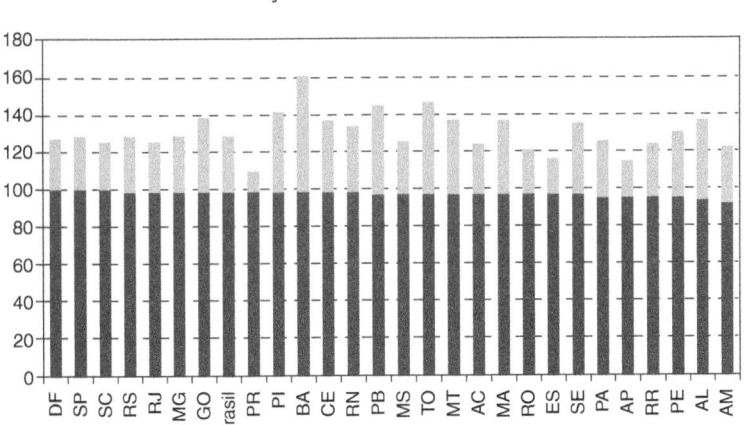

**Taxa de atendimento (7 a 14 anos) e
Taxa de escolarização bruta no ensino fundamental – 2000**

Fonte: INEP/MEC.

No ensino superior, porém, o Brasil ainda tem escolaridade menor do que o Peru, a Venezuela, a Mongólia e o Azerbaijão. A população que freqüenta o ensino superior é equivalente a apenas 15% da população que tem entre 18 e 24 anos, contra 26% no Peru e 30% na Venezuela:

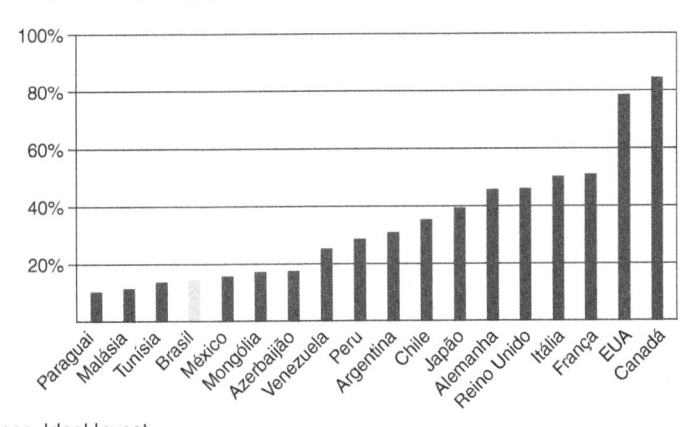

Número proporcional de estudantes
(com relação à população entre 18 e 24 anos, anos 2000 e 2001)

Fontes: Unesco, Ideal Invest.

Segundo projeções da Ideal Invest, até 2010 o número de alunos no ensino superior brasileiro deverá dobrar, dos atuais 3 milhões para cerca de 6 milhões. Com isto, o percentual da população de 18 a 24 anos atendida cresceria dos atuais 15% para 25%.

Existem duas razões principais para esse crescimento projetado. A primeira é o investimento que foi feito na educação básica brasileira nos últimos anos. Em 2002, apenas 2 milhões de jovens concluíram o ensino médio. Em 2010, serão 4 milhões. A segunda razão é a deselitização do ensino superior, e a ideia de que o processo educacional acompanhará o brasileiro durante grande parte da sua vida profissional.

Período de Transição: 1997-2007

Desde 1997 até 2007, o sistema educacional brasileiro está, e continuará, passando por mudanças mais profundas do que nos 50 anos anteriores. A quantidade de serviço ofertado é maior do que nunca, e sua qualidade começa finalmente a ser medida. O processo de aprendizado mudou – o foco passa do "ensinar" para o "aprender". Cursos modulares, com foco na prática, de curta duração começam a crescer para atender a uma demanda principalmente de mercado. A tecnologia começa a ser usada em sala de aula. E a população – além de estar envelhecendo – passa a querer educação ao longo de toda a vida profissional.

A criação de mecanismos de medição da qualidade é bastante polêmica, mas permite ao mercado de capitais trafegar com maior segurança pelo setor.

Nos últimos anos, o MEC implantou o SAEB (para avaliar a qualidade da educação na 4ª e 8ª séries do ensino fundamental e na 3ª série do ensino médio), o ENEM (para a avaliação dos alunos que concluem o ensino médio; usado como alternativa ou complemento ao vestibular) e o Provão (que avalia os alunos concluintes da graduação), além de mecanismos para avaliar a qualidade das instalações físicas e o corpo docente das instituições de ensino superior.

Com provas para 24 cursos diferentes, em 2002 o Provão já avaliou 80% dos concluintes do ensino superior no Brasil. Também em 2002, o MEC realizou avaliações das condições de ensino (organização didático-pedagógica, corpo docente e instalações) de 3.800 cursos em todo o país utilizando 1.200 avaliadores.

É claro que os processos de regulamentação e avaliação são extremamente polêmicos, já que não existe uma única maneira correta de ensinar um determinado tema. Porém a padronização das medidas e, especialmente, a proliferação de diferentes maneiras de medir a performance das instituições de ensino têm sido extremamente favoráveis à entrada de capital no setor.

Investidores preocupam-se cada vez mais com a qualidade acadêmica das instituições nas quais estão colocando seu capital. Não apenas por uma questão social, mas por uma questão de sustentabilidade do negócio. A medição da qualidade viabiliza a análise deste critério em larga escala, ainda que de maneira preliminar.

A proliferação dos cursos de curta duração também é uma característica deste período de transição.

Hoje, um aluno formado no ensino médio não está mais tão apto a entrar no mercado de trabalho como no passado. O ensino médio completo deixa de ser um diferencial para o trabalhador médio e passa a ser um requisito.

O diferencial passa a ser algum curso pós-médio ou superior, de preferência focado explicitamente na área em que o trabalhador atua ou pretende ingressar.

Em outras palavras, as empresas "empurram" esses profissionais para cursos de aprimoramento, voltados a objetivos específicos, concretos, tangíveis. Os profissionais, por sua vez, buscam esse aprimoramento para que possam concorrer no mercado de trabalho em condições mais favoráveis.

Tecnicamente falando, as opções hoje são diversas: o ensino técnico, os cursos superiores de tecnologia e os sequenciais. Mas o objetivo de todas essas categorias de cursos é o mesmo: passar para o aluno um conhecimento prático, técnico, específico, dentro de um tempo de estudo viável para a situação socioeconômica da população; como os cursos têm duração mais curta do que a graduação tradicional, acabam tendo um custo total menor.

Em 2004, a participação desses cursos de curta duração na oferta total de cursos superiores já começa a ser notada. A Ideal Invest acredita que, até 2007, esses cursos terão se afirmado como uma solução possível para um número crescente de jovens adultos que irão compor a massa qualificada de profissionais, essencial para o crescimento sustentável do país.

Cobrando por um Serviço Social

Em um livro sobre gestão educacional, e especialmente em um capítulo que trata da educação como um negócio, não podemos deixar de discorrer sobre uma questão que sempre esteve muito presente no segmento pago do setor de educação: é justo cobrar por um serviço com forte componente social?

Um grande número de alunos e pais acredita que educação deveria ser oferecida sempre pelo Estado, gratuitamente. E, no caso da educação paga, existe uma pressão social muito forte para que alunos que não tenham condições econômicas de pagar tenham o mesmo tratamento que os demais.

Na prática, esse conceito acabou estendendo-se tanto aos alunos que não podem pagar como àqueles que poderiam pagar, mas priorizam outras despesas.

Assim, a inadimplência no setor educacional acabou tornando-se três a quatro vezes maior do que a encontrada em outros segmentos do varejo brasileiro. São raras as instituições de ensino que não convivem com um grupo representativo de alunos que atrasa regularmente o pagamento das mensalidades. É claro que este fator encarece o serviço prestado e aumenta a conta dos outros alunos que fazem um esforço para pagar suas mensalidades em dia. Em outras palavras, o bom pagador paga pelo mau pagador.

Em 2003, estimamos que o prejuízo do segmento privado de ensino superior tenha atingido R$ 500 milhões anuais:

Impacto da inadimplência
(estimativas para 2003)

Data-base	Percentual	Total de alunos	Prejuízo
Vencimento	40%	750 mil	R$ 4,3 bilhões
Final do mês	25%	470 mil	R$ 2,7 bilhões
Final do semestre	15%	280 mil	R$ 1,6 bilhão
Rematrícula	5%	95 mil	R$ 500 milhões

Fonte: Ideal Invest

O crescimento dramático no número de IES operantes no setor é outro fator que contribui para a dificuldade da criação de um ambiente de pagamentos em dia. No início de 2004, com apenas 3,5 milhões de alunos no país, fala-se, no setor, em um número de IES próximo a 2000.

O número sugere que, na média, temos apenas 1.750 alunos por IES no país. A Ideal Invest estima que tenhamos quase 80% das IES do país com cerca de mil alunos ou menos.

Essas IES são normalmente instituições novas, cujos gestores ainda estão mais preocupados em estabelecer o *negócio* do que em estabelecer práticas eficientes de acompanhamento da cobrança. A maior parte do tempo desses gestores normalmente é investida na decisão de questões como atração de alunos, quadro de cursos que serão oferecidos, processos de aprovação junto ao MEC e prefeituras, contratação de pessoal qualificado, compra de laboratórios de informática e infraestrutura geral, escolha e implantação do *software* mais adequado para controle acadêmico e financeiro, ou seja, questões mais ligadas ao estabelecimento da empresa do que a melhorias de processos.

Os gestores ainda passam grande parte de seu tempo "apagando incêndios", e acabam conseguindo separar relativamente pouco tempo para planejar a cobrança. Em outras palavras, a curva de aprendizado referente a processos administrativos ainda está no seu início para a maior parte dessas IES.

Tudo isso significa que o aluno inadimplente teria grande chance de sair "impune" mesmo que a renda média fosse alta e as regras de cobrança educacional fossem as mesmas do setor financeiro.

bons pagadores → inércia da IES → inadimplentes

No estabelecimento de práticas de cobrança, é muito importante que o gestor educacional separe o estudante que não *pode* pagar – esse sim tem de ser tratado muito bem, recebendo bolsas ou um financiamento a juros baixos e com prazo longo – daqueles que não *querem* pagar.

Vários estudos já tentaram detectar o motivo pelo qual esses alunos não pagam a escola. As respostas mais comuns indicam quais foram as surpresas que reduziram a renda disponível do aluno ou de sua família naquele mês. Os exemplos citados com mais frequência são perda de emprego, um problema de saúde ou algum outro problema de família.

A pergunta que o gestor deve fazer, porém, é: Por que o aluno não *priorizou* a despesa da escola naquele mês de dificuldades?

A resposta a essa pergunta normalmente traz informações mais práticas para o gestor. O aluno pode não dar valor à educação recebida. Pode achar que, com o aumento da concorrência, existem outras opções na região, ou em uma outra região de sua preferência. Ou pode achar que a empregabilidade é baixa no final do curso. Em outras palavras, normalmente existem mudanças estruturais na instituição de ensino que merecem ser realizadas para tornar a instituição mais atrativa e, dessa forma, reduzir a inadimplência no médio prazo.

Enquanto isso, para resolver o problema no curto prazo, o setor está começando a testar o uso de empresas de cobrança. Três anos atrás, predominava a cobrança feita pela própria instituição. Desse período para cá, algumas instituições de ensino passaram a experimentar terceirizar sua cobrança. Algumas, maiores e mais agressivas, passaram a contratar três ou quatro empresas de cobrança que competem entre si, cada uma com um lote diferente de mensalidades atrasadas.

Os resultados às vezes são positivos e às vezes, não. Quando o resultado é positivo, muitas vezes é devido ao fato de a terceirização permitir um contato mais "frio" com o aluno e às vantagens de uma especialização que só vem com a escala que algumas dessas empresas estão adquirindo.

Quando existem problemas, normalmente eles são vinculados à falta de interação entre a empresa de cobrança e a escola. Sem comunicação ou regras claras, fica estabelecida uma imagem de falta de profissionalismo que dificulta a cobrança. De maneira geral, empresas de cobrança estão começando a adaptar seus sistemas para permitir uma interação com escolas, mas este ainda é um ponto que deve ser analisado com cuidado, caso a caso.

Em resumo, para de fato reduzir a inadimplência no curto prazo, o gestor precisará de sistemas de controle eficazes, de regras claras e de um agente (interno ou externo) responsável por um contato mais "frio" com os alunos. Para resolver o problema no médio prazo, o gestor precisará entender o que seus alunos pensam do serviço que estão comprando e saber fazer com que a percepção de valor agregado ao aluno seja a melhor possível.

Entrada de Capital – Inevitável – Trará Deterioração Acadêmica?

Se a entrada do mercado de capitais no setor de educação brasileiro é inevitável, virá à tona uma das discussões globais mais importantes desta década: A entrada do mercado de capitais no ensino superior trará deterioração da qualidade acadêmica?

A Ideal Invest realizou uma série de análises com dados públicos e específicos de uma série de instituições e tem procurado criar alguns indicadores que podem nortear as decisões de potenciais investidores.

Um desses índices em fase de experiência é o IQA – Índice de Qualidade Acadêmica –, que leva em conta quatro fatores-chave como parâmetros de qualidade de uma instituição de ensino, seja ela pública ou privada: (a) notas do provão, (b) empregabilidade, (c) qualidade das instalações físicas e (d) valor líquido recebido pelo corpo docente. Em um extremo do índice, com boas notas no provão, alta empregabilidade, instalações físicas modernas e completas e docentes bem-remunerados ficam os "educadores". No outro extremo, os que recebem o nome de "diplomadores".

A Ideal Invest tem percebido empiricamente que instituições e alunos de instituições com alto IQA, ou seja, o grupo dos educadores, têm índices de *atratividade econômica* significativamente superiores aos do grupo dos diplomadores. Em outras palavras, é *economicamente* melhor para um investidor comprar uma participação ou emprestar recursos para os educadores – ou seus alunos – do que para diplomadores – ou seus alunos.

A nota do provão – um dos quatro componentes do IQA – já começa a mostrar uma forte correlação com a capacidade de atração de alunos da escola e, consequentemente, com sua saúde financeira.

É claro que as notas do provão não são a única medida de qualidade de ensino de uma instituição – afinal quem recebe alunos "nota D" advindos do ensino médio tem um mérito muito maior em colocá-los no mercado de trabalho com uma nota C do que uma instituição que recebe um aluno "nota A" e o entrega "nota B". Por este motivo, entre outros, a Ideal Invest adverte que a nota do provão não pode constituir sozinha um Índice de Qualidade Acadêmica.

Uma vez trabalhada, porém, uma combinação de estatísticas acadêmicas e de empregabilidade pode, sim, ser utilizada para medir o potencial econômico de uma instituição de ensino. Os gráficos a seguir mostram algumas diferenças financeiras entre instituições com baixos e altos IQAs:

Inadimplência 30 dias após o vencimento
(estimativas para 2003)

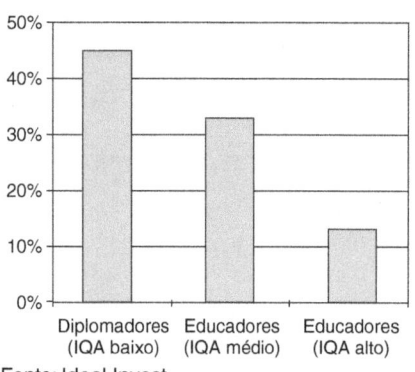

Evasão anual líquida
(estimativas para 2003)

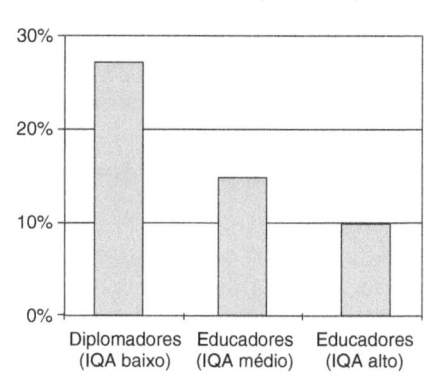

Fonte: Ideal Invest.

Essa correlação entre atratividade financeira e qualidade acadêmica sugere que a entrada do mercado de capitais no setor de educação não será necessariamente ruim. Pelo contrário, poderá garantir uma preocupação sustentada do setor privado com a qualidade do aprendizado.

SEGMENTOS

Cada segmento do setor de educação brasileiro tem crescido através de ciclos como o mostrado abaixo. Um ciclo começa com um crescimento acelerado, seguido por um período de excesso de oferta (saturação), e finalmente por um período de consolidação.

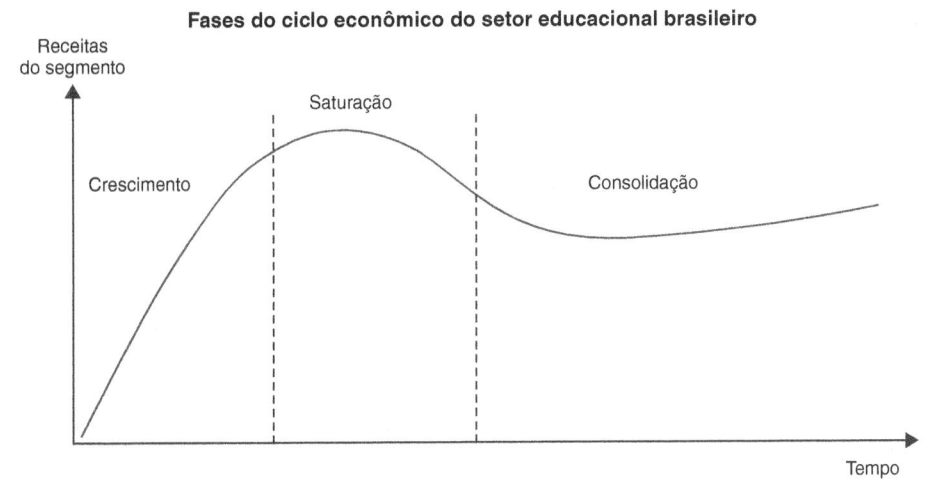

Fases do ciclo econômico do setor educacional brasileiro

Fonte: Ideal Invest

Educação Básica: O Pior Já Passou

Na década de 1990, as classes de alfabetização e o ensino fundamental sofreram uma forte expansão. Como resultado desse crescimento, o analfabetismo reduziu-se sensivelmente, e um número crescente de brasileiros estava pronto para cursar o ensino médio.

Justamente devido a esse grande investimento dos setores público e privado, o mercado para escolas particulares passou, nos últimos sete anos, por fases de saturação e consolidação, sem crescimento. Em meados da década de 1990, o número de alunos no ensino fundamental particular começava a declinar sensivelmente, e, dois anos depois, o mesmo aconteceria com o número de alunos que disputava o ensino médio privado.

Evolução dos principais níveis – escolas privadas
(em milhões de matrículas)

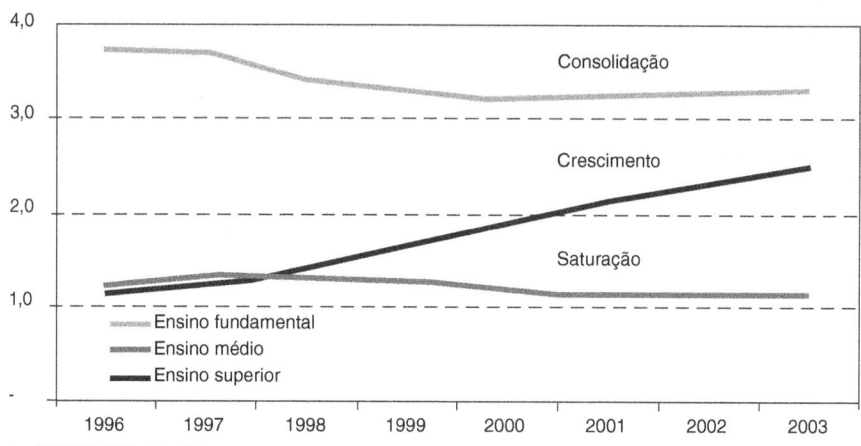

[Gráfico de linhas mostrando a evolução de 1996 a 2003 dos níveis Ensino fundamental (Consolidação), Ensino médio (Saturação) e Ensino superior (Crescimento).]

Fonte: INEP/MEC, Ideal Invest

A crise no segmento de educação básica começou a se agravar com a abertura de um número maior de séries em escolas que já tinham alguma capacidade instalada e começavam a perder alunos. A integração vertical aconteceu tanto para a frente (escolas de ensino fundamental abrindo ensino médio) como para trás (escolas abrindo educação infantil).

Hoje, do total de 57 milhões de alunos que cursam ensino básico no Brasil, 13% está nas 34 mil escolas particulares. Essas empresas acabaram agrupando-se em três grupos:

- Grandes redes.
- Grandes escolas tradicionais.
- Demais escolas.

Grandes redes são normalmente o resultado de décadas de crescimento a partir de uma marca e de um sistema educacional fortes. São empresas que usaram a crise a seu favor. É o caso, por exemplo, do Positivo, do Pitágoras, do Anglo e de muitas outras instituições educacionais que perceberam que podiam vender tecnologia educacional para escolas menores, *especialmente* em um período de concorrência acirrada.

Essas escolas, muitas vezes, tinham poucos recursos e precisavam diferenciar-se da concorrência de maneira eficiente e barata. A compra do conteúdo pedagógico de grupos de reputação estabelecida ajudou várias dessas escolas menores a sobreviverem a um período de intenso excesso de oferta que começa finalmente a chegar ao fim.

Em paralelo a esse desenvolvimento, um número grande de escolas tradicionais mantiveram-se fortes durante esse período de turbulência, apoiadas em uma sólida reputação acadêmica, sem pensar em expansão além de uma ou algumas unidades próprias. Esses grupos, muitas vezes, mantiveram-se do mesmo tamanho, ou sofreram uma pequena redução no número de alunos durante a crise dos últimos cinco a sete anos, mas atravessaram razoavelmente ilesas o período de turbulência.

Foram as escolas menores que mais sofreram durante a crise. Estimativas da Corus Consultores indicaram que cerca de 30% dessas instituições no Estado de São Paulo estavam operando com prejuízo em 2001 e 2002.

Como solução, algumas delas optaram por se fundir com outras que também tinham capacidade ociosa, muitas vezes desocupando pelo menos um imóvel e dando origem, assim, a instituições economicamente mais sólidas.

Ensino Superior: A História se Repete

Se na educação básica o setor já passou pelo pior e começa a se consolidar novamente, o ciclo no ensino superior está apenas começando.

Com o crescimento recente do ensino médio – trazendo um maior número de ingressos para o ensino superior – com um maior número de jovens adultos procurando capacitação e com opções crescentes de crédito estudantil, o ensino superior está no meio de um processo de crescimento sem igual na história do país: em 1997, apenas 1,8 milhão de brasileiros estudavam no ensino superior. Atualmente, já são 3,2 milhões de alunos, e até o final da década estimativas tanto do governo como do setor privado falam em seis a sete milhões de alunos cursando o ensino superior em todo o país.

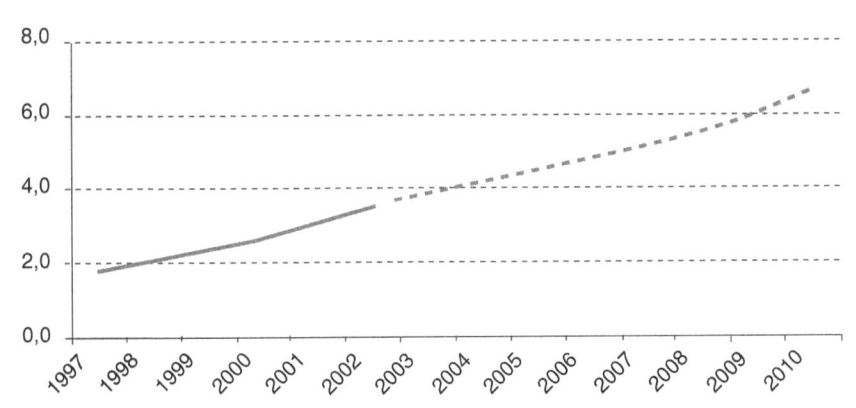

Número total de estudantes no ensino superior brasileiro
(em milhões)

Fonte: Ideal Invest.

Ainda assim, o setor aparentemente está caminhando na mesma direção que o ensino fundamental em 1995 e o ensino médio em 1997: um inevitável excesso de oferta.

O ensino superior público tem tido dificuldades em encontrar orçamento adicional para crescer. Apoiado neste fato, e aproveitando-se da demanda esperada, o número de instituições de ensino superior particulares no Brasil cresceu duas vezes e meia desde que novas autorizações foram concedidas para o setor privado, em 1997:

Evolução do número de instituições de ensino superior privadas

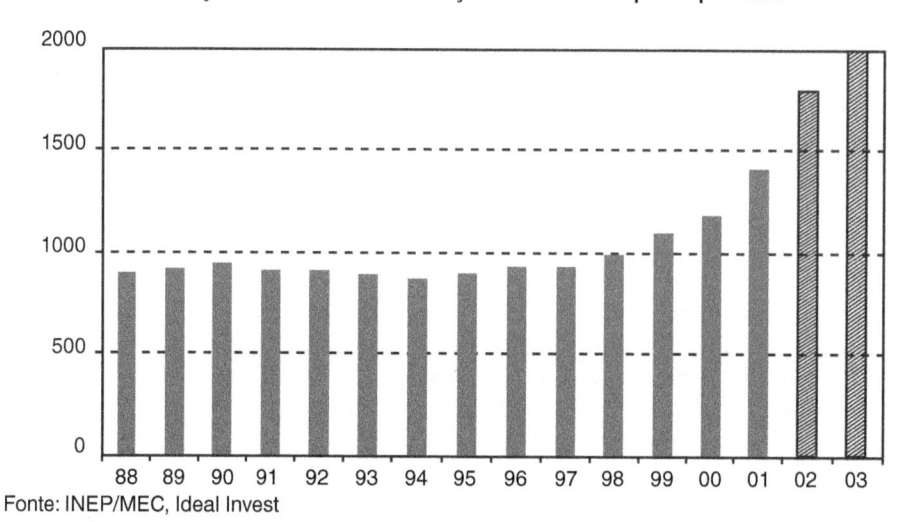

Fonte: INEP/MEC, Ideal Invest

A participação do setor privado já alcança 70% do total de alunos...

Ensino superior em 2003: estimativa de 3,5 milhões de alunos
Participação por dependência

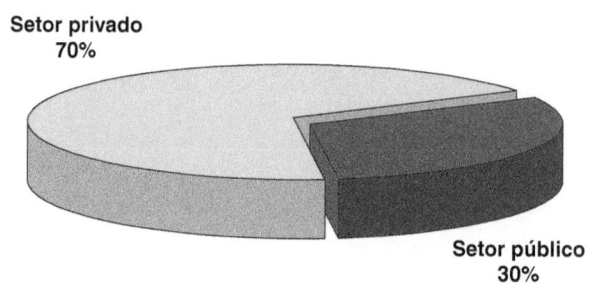

Setor privado 70%
Setor público 30%

Fonte: INEP/MEC, Ideal Invest

...e a diferença tem aumentado nos últimos anos. Em 1988, o setor privado respondia por 61% das matrículas. Estima-se que a participação tenha alcançado os 70% em 2003.

Desde 1988, o crescimento no número de alunos cursando ensino superior foi de 130%, e o setor privado foi responsável por agregar 1,5 milhão de novos alunos ao sistema:

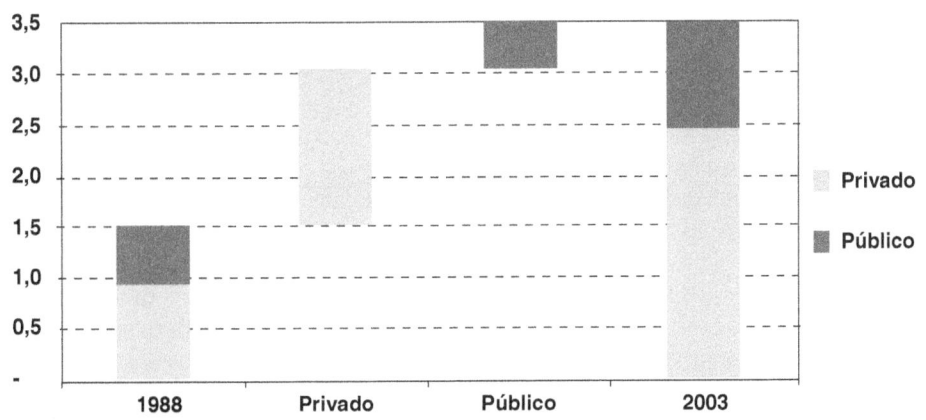

Contribuição ao crescimento das matrículas por dependência (em milhões de estudantes)

Fonte: INEP/MEC, Ideal Invest

Em 2003, a mensalidade média cobrada por uma IES era de cerca de R$ 480. Considerando-se o número de alunos matriculados em IES particulares e uma inadimplência média de 15%, chegamos a um faturamento, para o setor privado, de R$ 12 bilhões em 2003, três vezes maior do que em 1998.

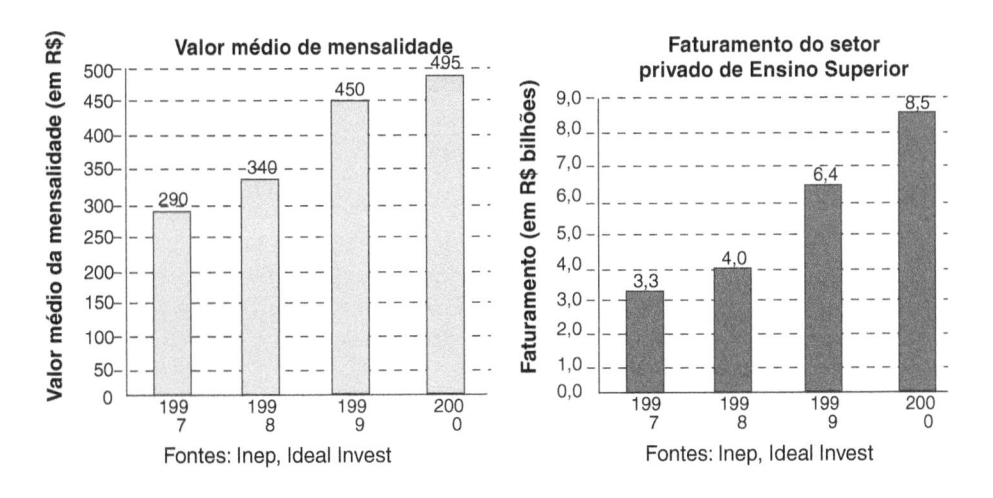

Valor médio de mensalidade
- 1997: 290
- 1998: 340
- 1999: 450
- 2000: 495

Fontes: Inep, Ideal Invest

Faturamento do setor privado de Ensino Superior
- 1997: 3,3
- 1998: 4,0
- 1999: 6,4
- 2000: 8,5

Fontes: Inep, Ideal Invest

Os investimentos continuam. E com o aumento na oferta e as novas exigências do MEC e do mercado, o setor começa a ficar cada vez mais competitivo. O número de candidatos por vaga vem caindo, e custos vêm aumentando.

Em breve, poderemos aplicar o mesmo conceito que foi aplicado na educação básica ao ensino superior. O equivalente das grandes redes serão as IES que começarem a assimilar as menores, algumas por meio de compra e outras por meio de parcerias ou licenceamento da marca. O segundo grupo seria o das IES tradicionais, independentes, que atravessarão ilesas a crise fidelizando sua base existente de alunos e preocupando-se principalmente em não deteriorar seus índices de empregabilidade ou a qualidade acadêmica percebida. E um número grande de instituições pequenas irá constituir o terceiro grupo, com sérias dificuldades para se manter lucrativa.

Desde 2003, as pressões de custos já começaram a ser sentidas com mais intensidade: clientes exigindo qualidade crescente por um preço decrescente. A preferência pelo período noturno trouxe capacidade ociosa durante o dia (que pode ser mitigada em parceria com uma instituição de educação básica, mas que continua representando custos razoavelmente altos).

Instalações físicas e corpo docente precisam passar por avaliações cada vez mais rigorosas do MEC. Os salários pagos para o corpo docente – que já consomem 55 a 60% dos recursos originados pelas mensalidades – tendem a aumentar com uma demanda maior por esses profissionais. A carga tributária também tende a crescer para o setor como um todo, com um número cada vez maior de IES com finalidade lucrativa (principalmente para permitir a venda, ou a formalização de uma transição societária familiar).

Finalmente, a regulamentação aumenta o risco operacional da empresa. O reajuste de salários, por exemplo, acontece em momento diverso daquele em que são decididas as mensalidades para o ano seguinte. Pode haver aqui um descasamento entre o reajuste previsto e aquele que de fato vier a ocorrer. Qualquer erro de previsão pode ter resultados desastrosos. Se a IES prever inflação de 10% para 2004 e esse índice atingir 20%, por exemplo, cai por terra o planejamento, comprometendo-se, em consequência, a lucratividade. No outro extremo, se a IES elevar o preço acima do que pode suportar a maioria dos alunos, haverá migração para a concorrência.

Deselitização do Ensino Superior

Em paralelo ao crescimento do setor e ao aumento da competitividade, um fato não pode ser ignorado pelo gestor educacional: o ensino superior atende a uma parcela cada vez maior da sociedade; ou seja, o ensino superior está deixando de ser exclusividade de uma elite financeira e intelectual.

Com isso, a renda familiar do estudante universitário médio vem caindo a cada ano. Atualmente, ela gira em torno de R$ 2.200. O valor médio das mensalidades no Brasil, no final de 2003, estava em torno de R$ 480. Estimamos que nos próximos seis a sete anos, mesmo com o crescimento da economia, a renda familiar média dos estudantes do ensino superior caia para R$ 1.700 em moeda de hoje.

Isso se dará devido ao crescimento de ingressantes das classes C e D no ensino superior. Hoje o ensino superior atende as classes A e B e parte da C, mas caminha para atender as classes A, B e C e parte da D. Dessa forma, do ponto de vista da renda de cada um que faz ensino superior, ela está crescendo, mas a renda média do bolo de alunos vai piorando. A renda média da *família* de um estudante universitário hoje é de R$ 2.200 por mês:

Renda de alunos no ensino superior
(3,1 milhões de alunos em 2001; renda média de R$ 2.200/mês)

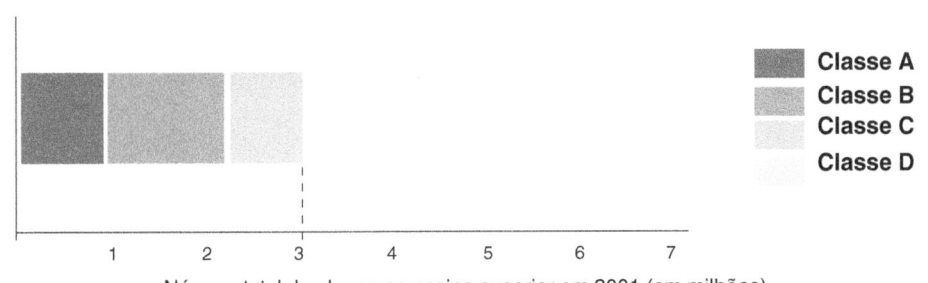

Número total de alunos no ensino superior em 2001 (em milhões)

Fonte: Ideal Invest

Com o crescimento da base de alunos, essa média cairá para R$ 1.700 até o final da década:

Renda de alunos no ensino superior
(7,1 milhões de alunos em 2010; renda média de R$ 1.700/mês)

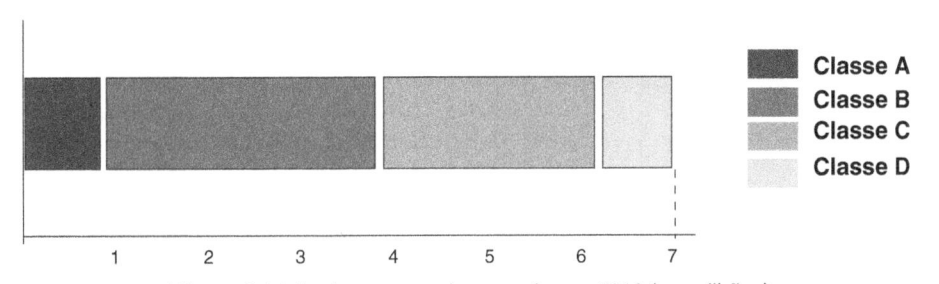

Número total de alunos no ensino superior em 2010 (em milhões)

Fontes: (a) projeção de número de alunos em 2010: Governo Federal; (b) projeção de renda (em reais constantes de 2001): Ideal Invest.

Com uma mensalidade média no país da ordem de R$ 480 – e com demandas crescentes para as Instituições privadas de investimentos em informática, conteúdo, laboratórios, salários de professores, etc. –, fica evidente que a capacidade de pagamento da família do aluno também está se esgotando.

Somos levados a concluir que nem recursos do Governo Federal nem das famílias dos alunos diretamente serão suficientes para podermos levar esse crescimento adiante.

O resultado será um número cada vez maior de programas de crédito estudantil, governamentais e privados, e também um uso cada vez maior do mercado de capitais no setor de educação. Isto é, este passa a ser um segmento em que perceberemos um volume cada vez maior de capital financeiro.

INVESTIDORES TRADICIONAIS E NOVOS

A Necessidade de Acolher Capital Privado

O maior crescimento hoje no setor de educação é observado no segmento de ensino superior. Como já observamos, a maior parte desse crescimento foi possibilitada por recursos do setor privado.

O Brasil já tem um dos maiores orçamentos públicos do mundo com relação ao PIB dedicado a universidades federais gratuitas.

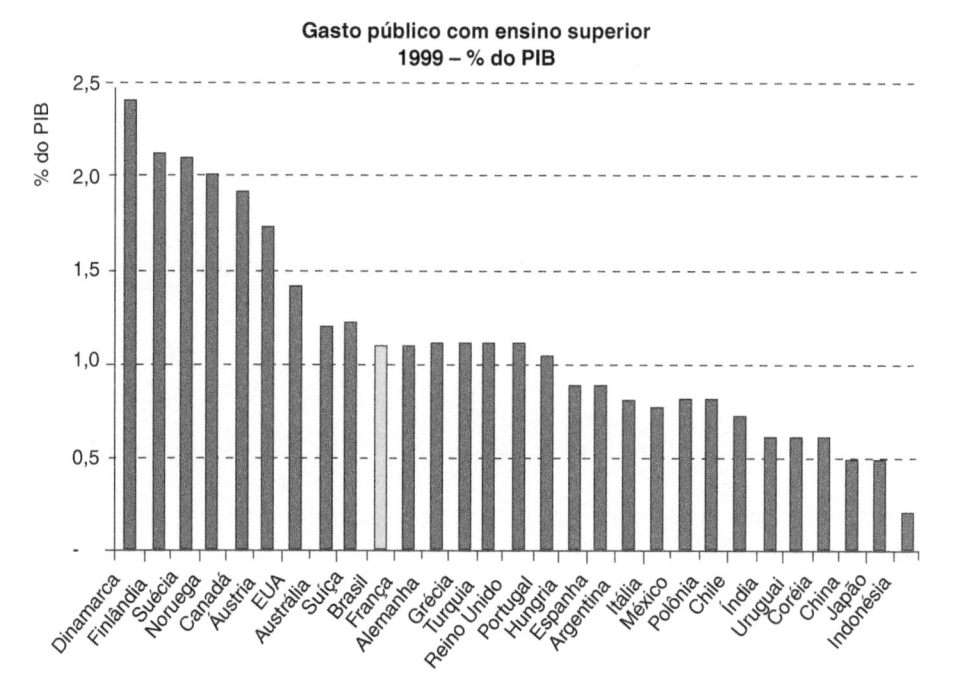

**Gasto público com ensino superior
1999 – % do PIB**

Fonte: OECD

Uma conta simples deixa claro que as 3-4 milhões de novas vagas que ainda seriam necessárias para suprir a necessidade do país não serão entregues apenas pelo setor público, por mais boa vontade que o governo possa ter com relação às universidades federais gratuitas. Mantendo-se o gasto por aluno atual, o setor público teria de gastar cerca de R$ 40 bilhões *por ano* a mais do que já é gasto hoje com educação para conseguir manter as 3,3 milhões de vagas adicionais que seriam necessárias para atingirmos o crescimento apontado anteriormente até 2010. Isso significa que o Brasil precisaria gastar cerca de 4% do PIB apenas com ensino superior, o que o colocaria na primeira posição no gráfico acima, com 2,5 vezes mais investimentos que o segundo colocado.

Também vimos que os recursos oriundos das mensalidades cobradas pelo setor privado tampouco são suficientes para financiar o crescimento esperado. O problema neste caso é que, com o aumento no número de alunos, a renda do estudante médio de ensino superior é cada vez menor. E a mensalidade não pode ser reduzida porque os custos das instituições não param de crescer: instalações físicas modernas, infra-estrutura de ponta e docentes com experiência no mercado de trabalho são apenas três dos vários componentes de custo de uma instituição de ensino superior privada que devem continuar a crescer ao longo dos próximos anos.

É exatamente nessa situação que gestores educacionais precisam fazer uso de capital externo ao setor, capital que não vem nem do governo nem das próprias instituições de ensino. Ou seja, capital de investidores.

O conceito é novo, mas cada vez mais comum, dentro e fora do Brasil. Hoje, a maior parte das escolas ainda é pouco profissionalizada e com acesso limitado ao mercado de capitais. Os gestores que conseguirem profissionalizar a gestão, automatizar controles e ganhar transparência terão melhor acesso a capital.

Crédito para Instituições de Ensino

Hoje, existem cinco maneiras principais para uma instituição de ensino obter recursos financeiros de terceiros:

- linhas de crédito;
- fusões, aquisições, novos sócios;
- operações imobiliárias;
- monetização da marca;
- abertura de capital (para instituições com R$ 10 milhões ou mais de receita mensal).

Linhas de crédito

As linhas de crédito – sejam do BNDES, de bancos privados ou de fundos de investimento – ainda são a principal maneira utilizada pelo setor de educação para captar recursos. As taxas e prazos variam substancialmente. Por isso, vale a pena para o gestor fazer um estudo de quais as taxas efetivamente pagas (incluindo todos os custos envolvidos) e de quais os prazos efetivamente conquistados (ou seja, o prazo até a próxima renovação, e não até o final do contrato).

Ainda são inúmeros os casos de escolas com mais de 30 anos de história, com excelente reputação e com um impecável trabalho pedagógico que não recebem crédito bancário pré-aprovado para além de 90 dias.

As linhas de crédito mais comuns oferecidas pelos bancos hoje ainda são dependentes de acordos mensais ou trimestrais e liberadas mediante o depósito de boletos de cobrança daquele mês. Assim, as escolas ainda têm poucas armas financeiras para lidar com eventuais desencontros de caixa, o que pode tornar-se especialmente preocupante em um momento de crescente inadimplência, ou em um momento em que o banco resolva reduzir suas linhas como um todo.

Tanto o BNDES e outros bancos de fomento como os fundos de investimento oferecem para o gestor a opção de fechar um financiamento de prazo mais longo, reduzindo o tempo gasto em negociações e possibilitando um planejamento mais previsível.

Os investidores desses fundos perceberam que, apesar da maior complexidade das operações, os recebíveis educacionais têm em geral risco substancialmente menor do que os de outros setores.

Foi neste cenário que começou a aparecer no mercado um novo tipo de produto financeiro, que não depende de bancos e que foi desenvolvido especificamente para escolas: a Gestão Terceirizada de Mensalidades.

Nesses programas, a escola transfere para a empresa parceira a responsabilidade de emitir, controlar, cobrar e organizar suas contas. A empresa parceira contrata instituição de primeira linha para fazer a custódia desses títulos. Pelo fato de a administração dos pagamentos ser feita por um terceiro e pelo fato de esse terceiro administrar os carnês de diversas escolas simultaneamente, investidores sentem-se mais seguros na concessão do crédito, e acabam por conceder capital de médio prazo (6 a 18 meses), a taxas competitivas, para as escolas participantes do programa. Os recursos são liberados de maneira simples e rápida, diretamente pela empresa parceira.

Para o gestor educacional, é importante lembrar que, em linhas garantidas por boletos – tanto de bancos como de fundos –, quanto mais previsível for o fluxo de caixa da instituição de ensino, maior será o prazo e menor a taxa. As propostas mais competitivas vão para instituições que fazem a gestão de mensalidades de maneira profissional e previsível.

O papel do gestor, neste caso, é de manter históricos, guardar o máximo possível de informações de maneira organizada e ajudar o parceiro financeiro a obter as estatísticas necessárias. Quanto maior a transparência, melhor a proposta, tanto de fundos de investimento como de bancos privados ou de fomento.

Fusões, aquisições, novos sócios

Uma segunda maneira de captar recursos envolve a troca de participação societária.

Durante o ciclo de crescimento de cada segmento, é mais barato construir uma nova unidade ou ampliar uma unidade existente do que comprar um concorrente. Isso ocorre porque, naquele momento, a demanda parece ser "infinita", o que aumenta a expectativa de valor da instituição de ensino que seria comprada, e ao mesmo tempo diminui o valor que o grupo comprador estaria disposto a pagar.

No final do ciclo de crescimento, essa situação começa a se inverter: o vendedor começa a perceber que a concorrência já aumentou, a demanda acaba sendo dividida com novos concorrentes, e algumas instituições começam a entrar em dificuldades financeiras. É nesse momento que o preço de comprar um concorrente torna-se gradualmente menor do que o de montar uma nova unidade, e fica caracterizado o início do período de maturação e consolidação do segmento.

Foi nessa situação que começaram a acontecer fusões de escolas em 2002-2003, e que começaremos, em 2004-2007, a ouvir cada vez mais sobre operações envolvendo trocas de controles societários em instituições de ensino superior.

Nesse caso, a pergunta que o gestor deve se fazer é, em primeiro lugar, se a sua instituição, com as particularidades da sua administração, da sua região e do seu segmento de atuação, poderia beneficiar-se desse processo, seja como consolidadora ou procurando um novo sócio; comprando um concorrente (no caso de uma instituição que já tem bom acesso a capital) ou encontrando um sócio para pôr capital na empresa (no caso de uma instituição que esteja buscando uma fonte alternativa de recursos).

Para o vendedor, a transação significa acesso a capital de longo prazo, com enorme carência, disposto a correr risco sem garantias. Para o comprador, significa um salto grande em número de alunos, cursos e mercados atendidos.

Porém, é importante lembrar que uma parcela grande do tempo dos principais executivos da instituição é investido, e o processo sempre tem uma chance maior do que parece de dar em nada. Por isso, essa alternativa só deve ser perseguida se a instituição, seja ela compradora ou vendedora:

- percebe de fato um grande valor agregado para todas as partes envolvidas na transação;
- entende que a transação tomará grande parte do tempo dos principais executivos da instituição, durante 6 a 18 meses e – estatisticamente – tem grande probabilidade de não se concretizar;
- está disposta a investir no novo relacionamento, mostrando números e dividindo opiniões, em um relacionamento de confiança crescente entre as partes.

Em outras palavras, um novo sócio pode trazer capital de longo prazo e ajudar a instituição a crescer, e a compra de um concorrente pode ser uma ótima fonte para um crescimento mais rápido. Porém, as transações precisam ser analisadas individualmente.

Operações imobiliárias

Um terceiro tipo de transação permite a entrada de capital no setor educacional, ainda de forma tímida. São as operações que envolvem a venda do imóvel em que a instuição está situada, sendo que o comprador passa a locar o espaço de volta para a própria instituição.

Nessas transações, cada vez mais comuns em outros setores da economia brasileira, a instituição de ensino passa a pagar um aluguel (tipicamente 8 a 12% da receita) em troca do espaço físico que ocupa, liberando, de uma só vez, grande parte do capital que havia sido colocado ao longo dos anos na construção das suas instalações físicas.

A transação ainda não é particularmente comum no setor de educação devido a um detalhe importante deste tipo de operação. Tipicamente, investidores imobiliários querem ganhar uma renda mensal (sob a forma de um aluguel), mas também querem ter a possibilidade de conquistar ganho de capital no médio prazo (por meio da valorização do imóvel).

Paradoxalmente, a longevidade de uma instituição de ensino pode ser tão grande que existe uma chance razoável de o investidor não conseguir "trocar de inquilino", ou seja, capturar ganho de capital.

Em outras palavras, o investidor precisa ser compensado com um aluguel maior do que em outros setores da economia, para contrabalançar a maior dificuldade de obter seu ganho de capital. Feito este ajuste, a operação imobiliária torna-se também uma alternativa viável de captação disponível para o gestor educacional.

Monetização da marca

Uma forma de levantar recursos ainda pouco explorada no Brasil é a "monetização da marca".

Nos Estados Unidos, apenas 41% da receita das faculdades e universidades particulares vêm da cobrança de mensalidades. O governo federal, ao invés de capturar parte dessa receita, *adiciona* mais 14% em subsídios. Mais 4% vêm dos governos estaduais e municipais. O resto – mais de 40% da receita – vem por meio de soluções criativas de monetização da marca (doações, *endowment funds* e outros negócios):

Composição da receita de uma instituição de ensino superior norte-americana

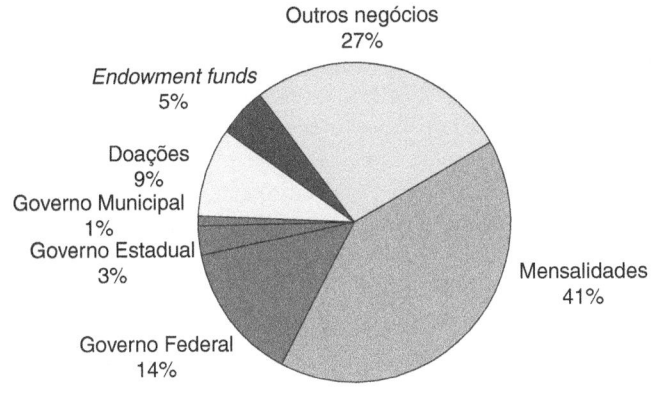

- Outros negócios 27%
- Endowment funds 5%
- Doações 9%
- Governo Municipal 1%
- Governo Estadual 3%
- Governo Federal 14%
- Mensalidades 41%

Fonte: Ideal Invest.

A monetização da marca é uma forma de transformar a "marca" da instituição de ensino em capital. Se a instituição norte-americana consegue excelente empregabilidade, então terá parte desse valor recuperado sob a forma de doações de ex-alunos, tanto na pessoa física como na pessoa jurídica. Se os formandos são disputados durante o processo de recrutamento, outras empresas também fazem doações em troca da colocação de seu nome em um lugar de destaque (em laboratórios, bibliotecas, etc.).

No Brasil, o conceito já existe, mas ainda não é aplicado de maneira consistente pelo setor como um todo.

A FGV-SP é um exemplo de instituição que já conta com patrocínios de empresas em salas e laboratórios. O grupo Positivo conseguiu vender tecnologia educacional graças ao bom nome conquistado por sua marca. O grupo Pitágoras conseguiu atrair o maior grupo educacional norte-americano para o Brasil também graças à sua reputação no país. Finalmente, o Ibmec e o IBTA começam a vender tecnologia educacional para ensino superior como mais uma forma de monetizar a marca conquistada.

Esses exemplos mostram que uma marca forte é um ativo importante da empresa educacional, e que – de maneira criativa – pode ser transformada em recursos financeiros.

Abertura de capital

A abertura de capital já é uma possibilidade, mas ainda limitada a instituições de grande porte, normalmente grandes grupos educacionais ou grandes IES.

Uma forma de obter recursos nesta modalidade é lançando instrumentos de captação mais longa (3 a 10 anos), tais como uma debênture garantida por recebíveis. Nesta modalidade, a instituição consegue acessar fundos de investimento e de pensão maiores, pulveriza os custos da intermediação financeira e pode conseguir taxas e prazos bastante competitivos se comparados às linhas de crédito tradicionais.

De acordo com a Ideal Invest, operações dessa natureza já começam a ser viáveis para captações a partir de R$ 50 milhões, possíveis para instituições com receita mensal superior a R$ 10 milhões, e podem ser montadas em cerca de 6 meses por instituições com experiência no setor.

Para instituições menores, as melhores alternativas disponíveis hoje são ligadas a linhas de crédito por meio de fundos ou bancos de fomento, conforme explicado anteriormente.

Uma outra maneira de abrir o capital da empresa – sondada constantemente por um grande número de gestores de grandes grupos – é em bolsa de valores. Até o quarto trimestre de 2003, ainda não tínhamos nenhum grupo educacional nacional com capital aberto em bolsa.

Para simplesmente abrir capital em bolsa, bastaria contratar uma empresa de assessoria especializada, investir 12 a 18 meses e arcar com os custos. Mas a questão realmente importante para o gestor é se a sua IES ou grupo educacional teria de fato algum benefício real em abrir seu capital em bolsa de valores.

Na abertura de capital em bolsa, uma instituição vende ações, ou seja, admite novos sócios mediante pagamento. E usa esse dinheiro para investir no seu crescimento. No futuro, se esses investimentos tiverem sucesso, os novos sócios recuperam seu capital com lucro.

Mas a instituição precisa estar ciente de que passará a ter dezenas de novos acionistas. Para atendê-los adequadamente são necessários controles internos sofisticados, interações constantes com investidores e algumas mudanças de prioridades.

Para as instituições que conseguirem (ou tiverem planos de) obter escala realmente grande nos próximos anos e que estiverem dispostas a se profissionalizar a esse ponto, a abertura de capital em bolsa de valores poderá ser uma alternativa inteligente e inovadora de captação no médio e no longo prazo – principalmente com a premiação gradual do novo mercado pelos investidores.

Como primeiro passo, porém, é recomendável que o gestor converse com pelo menos duas ou três empresas de assessoria financeira especializadas e que entenda bem as mudanças que a operação traria ao dia a dia da empresa.

Crédito para Alunos: Aumento da Demanda

Com o setor crescendo, a renda do aluno médio encolhendo e uma pressão constante nos custos da instituição, a única maneira de atingirmos os 6 a 7 milhões de alunos previstos pelo governo e por consultorias do setor será fazendo com que o prazo do pagamento seja maior do que o prazo efetivo do curso.

Em outras palavras, o setor de educação só conseguirá crescer no ritmo esperado se for acompanhado por programas amplamente difundidos de crédito estudantil, com uma combinação de recursos subsidiados e de mercado.

O aluno típico que cursa ensino superior no Brasil hoje é um aluno que não tem renda livre suficiente para pagar a mensalidade. É, com frequência, o primeiro integrante da família a ter acesso ao ensino superior. Em um determinado mês, a mensalidade é paga pelos pais. Em outro, pelo próprio aluno. Em outro, fica inadimplente. Na rematrícula, algum tio ou avô ajuda. E assim o aluno vai, aos trancos e barrancos, tentando chegar até a conclusão do curso.

O crédito estudantil deve ser uma forma de organizar esses pagamentos, permitindo ao aluno que quite seus débitos quando tiver uma renda maior, ou seja, que ele pague uma parte dessa mensalidade depois de formado. A Ideal Invest estima que, no caso típico descrito acima, um curso superior aumenta a renda familiar em cerca de 45%.

Na área de crédito, existem dois modelos de atuação: juros altos e inadimplência alta, e um cobre o outro, ou juros baixos e inadimplência baixa. Como os prazos necessários para o crédito estudantil são bastante longos (mesmo no Brasil, os prazos máximos já vão de 8 a 11 anos), o único caminho viável para o aluno é o segundo. Ou seja, juros baixos, inadimplência baixa.

A inadimplência baixa é necessária para fazer com que os recursos voltem para o bolo, e para que o programa seja sustentável. E como os juros cobrados precisam ser baixos, o valor gasto com a recuperação também precisa ser o menor possível.

No Brasil todo, várias instituições de ensino já montaram seus próprios programas de crédito estudantil. Mas, nestes casos, a cobrança dos créditos ainda é um processo relativamente caro. Pode até ser *eficaz*, mas normalmente não é *eficiente*.

Por isso, a maior parte dos novos programas de crédito estudantil são montados hoje por meio de parcerias entre a instituição de ensino e um gestor. O programa pode ser montado em parceria com um FIDC (fundo de recebíveis), situação em que o volume de recursos financeiros disponíveis para o aluno aumenta, complementado por recursos do fundo. Ou pode ser montado por uma empresa especializada estritamente em gestão, situação em que os recursos utilizados são da própria instituição de ensino, porém administrados em escala, provavelmente com maior eficiência.

O quadro a seguir mostra as opções disponíveis hoje no Brasil:

Tipo de recurso	Vantagem	Desvantagem
FIES	Barato para o aluno	Limitado
Fundos de recebíveis (FIDC)	Prazo e taxa	Novo
% da receita da IES	Uso é flexível	Não aumenta o bolo
Bancos	Simples	Prazo e taxa

O maior programa em vigor hoje no país é o FIES, do Governo Federal. Esse programa concedeu 280 mil bolsas desde que foi criado, em 1999, até o final de 2003. O programa é barato para o usuário e beneficia o aluno carente, mas o repasse dos recursos para as instituições de ensino é feito por meio de créditos da seguridade social, e não de caixa.

No caso de um programa da própria IES, o custo da gestão não deve ser subestimado: salários, treinamento, sistemas, telefonemas, cartas, cobrança, revisões, reuniões internas. Além disso, é importante lembrar que o tempo e a desorganização correm a favor do devedor, aumentando o custo do programa.

Por isso, um grande número de novos programas estão sendo montados com recursos da própria IES, mas com a contratação de um gestor independente para ajudar na concessão, no monitoramento e na recuperação dos créditos. Neste caso, os programas trazem a eficiência da terceirização e podem ser montados com regras bastante flexíveis, já que o capital provém da própria IES. O ponto negativo de trabalhar apenas com recursos da IES é que o sistema não aumenta o bolo de recursos disponíveis para o aluno.

Os sistemas propostos por bancos e fundos de recebíveis são menos flexíveis, porém contam com capital próprio e, assim, aumentam o total de recursos que está disponível para os alunos. No caso desses fundos, no final de 2003, a taxa média era de cerca de 1,5% a.m., e o prazo máximo de 96 meses (8 anos). No caso dos bancos, a taxa média era de 5,2% a.m., e o prazo de até 36 meses (3 anos).

No estabelecimento de um programa próprio de crédito estudantil, com a ajuda de um gestor ou não, e com capital próprio ou de terceiros, o primeiro passo para o gestor educacional deve ser a definição do objetivo do programa. O programa visa a melhorar a percepção da marca? Mudar o perfil do alunado? Reduzir a evasão? Cumprir uma meta de bolsas? Reduzir a inadimplência? A cada objetivo corresponderá um tipo de processo seletivo e um tipo de taxa e prazo.

Baseados nesse objetivo, precisamos definir quais as regras por curso e turma. Para quem o programa estará aberto? Em que datas? Em que condições? As regras precisam ser claras, objetivas, amplamente difundidas e, acima de tudo, *cumpridas*!

Atualmente, já existe um número suficientemente grande de programas de crédito estudantil no país para que o gestor considere seriamente a terceirização desse serviço. Além da gestão, é importante informar-se sobre serviços adicionais. Os gestores dos fundos de recebíveis, por exemplo, já podem oferecer hoje um seguro contra a inadimplência independentemente da causa, e também podem antecipar os recursos administrados pelo próprio fundo, pela instituição ou por terceiros.

Primeiros Exemplos: Ibmec, Pitágoras e IBTA

Já começamos a ver algumas instituições de ensino beneficiando-se da entrada do capital financeiro no setor de educação.

Em meados de 1998, ex-sócios de dois dos principais bancos de investimento do país – Garantia e Pactual – adquiriram o Instituto Educacional do Ibmec. Uma das primeiras Sociedades Anônimas do setor, o Ibmec já ultrapassa os 6 mil alunos no Rio de Janeiro, em São Paulo e em Belo Horizonte e vem rapidamente se consolidando como uma marca que faz frente à FGV, à PUC, à USP e a Universidades Federais. No primeiro provão desde a montagem da Faculdade Ibmec em São Paulo, em 2002, a classificação dos alunos já foi a quarta melhor do país, acima da tradicional FGV-SP.

Em 1999, o grupo norte-americano Apollo adquiriu uma participação no Grupo Pitágoras, de Belo Horizonte. O Grupo mineiro já contava, na época, com 140 mil alunos na educação básica e estava se preparando para investir no crescimento do segmento de ensino superior. Foi assim que o Pitágoras resolveu ir aos Estados Unidos conversar com representantes do maior grupo de educação aberto em bolsa no mundo: o Grupo Apollo. A Apollo abriu seu capital em meados da década de 1990. Em junho de 2003, contava com cerca de 187 mil alunos em 67 campi e 118 centros de estudo nos Estados Unidos e no Canadá. A receita do grupo gira em torno de R$ 2,8 bilhões anuais, e seu valor de mercado em bolsa beira os R$ 29 bilhões, valor superior ao que foi arrecadado com a venda do controle das 13 empresas do sistema Telebrás na privatização.

O Apollo International Ventures (fundo de investimentos ligado ao Apollo Group) adquiriu partipação no Grupo Pitágoras e, juntos, os dois grupos começaram um ambicioso projeto no país, onde pretendem abrir 50 campi, com 80 mil alunos, ao longo desta década. O grupo já tem unidades operando em Belo Horizonte e em Curitiba, e um total próximo de mil alunos em quatro cursos na área de administração nas duas unidades.

Em uma transação similar, em 2001, ex-sócios do Banco Garantia e outros investidores juntaram-se ao Colégio Bandeirantes de São Paulo, ao grupo de Private Equity do Credit Suisse First Boston e a outros investidores focados em educação para montar o IBTA – Instituto Brasileiro de Tecnologia Avançada S.A. – um Centro de Educação Tecnológica na área de tecnologia da informação que oferece cursos de curta duração voltados para o mercado de trabalho. No início de 2004, o IBTA contava com quatro unidades e tinha acabado de iniciar um processo de fusão como IBMEC Educacional S.A. em São Paulo, São José dos Campos e Campinas.

O que esses três investimentos têm em comum? A participação do mercado de capitais, com alguns dos mais sérios grupos de investidores atuantes no país, por um lado, e um fortíssimo comprometimento com qualidade acadêmica, empregabilidade, infraestrutura e remuneração de docentes, por outro.

CONCLUSÕES: OPORTUNIDADES E DESAFIOS PARA O GESTOR EDUCACIONAL

Nos próximos anos, transações como essas serão cada vez mais comuns. Fusões, aquisições, aberturas de capital, aportes por parte de fundos de investimentos serão cada vez mais corriqueiros no setor de educação brasileiro.

Uma boa notícia é que essa entrada sugere uma preocupação cada vez maior com a qualidade do aprendizado e com empregabilidade por parte dos novos gestores.

Outra boa notícia é que, com a crescente importância que o setor financeiro tem dado ao setor de educação, novos produtos financeiros serão cada vez mais comuns.

Mas a participação das escolas – experimentando, sugerindo e criticando essas tentativas – será essencial para que os dois setores possam trabalhar juntos para otimizar cada vez mais o uso de recursos financeiros pelo setor de educação.

Cabe ao gestor educacional manter-se sempre atualizado, conversando periodicamente com empresas especializadas, sugerindo, propondo, testando, ajudando o próprio setor financeiro a adequar seus produtos para o setor de educação.

Capítulo 9

Administração Econômico-Financeira

Donizete Fernandes

INTRODUÇÃO

Nos últimos anos, mais precisamente desde a criação do Plano Real, temos observado que, embora convivendo com uma moeda teoricamente estabilizada e com inflação controlada em níveis suportáveis, houve uma quebradeira geral de empresas, e o Brasil vem despontando como um dos primeiros nesta categoria. Neste universo, padeceram também muitas instituições particulares de ensino. De duas uma: ou elas não deram a ênfase necessária, a importância precisa às questões administrativas, econômicas, financeiras e pedagógicas em seus negócios, ou simplesmente fecharam os olhos para todas as coisas que ocorriam a sua volta.

Notadamente, ao mesmo tempo em que muitos agravantes econômicos apontavam para uma redução do poder aquisitivo de toda a sociedade, o número de instituições de ensino privado crescia no país, motivado precisamente por duas situações específicas. A primeira delas foi a demonstração da única eficiência administrativa de seus gestores – uma vez que a maioria emergiu de salas de aulas ou de sociedades empresariais familiares ao invés de proverem de outros modelos de estruturas empresariais – e que foi provocada pela valorização do atributo principal de seu produto, a educação propriamente dita. Já a segunda situação foi a tão provada deficiência do governo em não conseguir atender a demanda do setor educacional no país qualitativa e quantitativamente. Daí o crescimento do mercado educacional privado.

Mas como, infelizmente, no Brasil, o ensino ainda é visto pela população como despesa e não como investimento e estímulo para a competitividade, foram poucos os que souberam tirar proveito dessa visão oportunista. Já os demais não quiseram, não souberam ou fingem não saber que atualmente a discussão de alguns temas em sala de aula, como emoção, pensamento estratégico, motivação, comportamento e diferenças culturais, é fundamental e indispensável para o desenvolvimento dos alunos como seres competitivos e cidadãos cônscios de seus deveres e obrigações em uma sociedade, além do apontamento do ativo intangível que pode ser transformado em diferencial para aquela instituição que valorizar tais aspectos, tornando-se referência de mercado frente às demais.

Ainda que seja dado o devido tratamento de importância a tais assuntos, buscando por resultado tanto uma instituição de ensino diferenciada quanto uma coletividade mais adaptada ao contexto econômico mundial, o emprego de tal artifício vem sendo pouco utilizado, e portanto, apesar do contínuo crescimento estimulado pela atual economia global, o diferencial de sala de aula não é mais suficiente para desencorajar o aumento da concorrência.

Significa dizer que aquilo que, por um período, foi sinônimo de crescimento positivo para este mercado – mesmo porque a concorrência é um aspecto relevante de qualquer um –, hoje já não o é mais e talvez não o seja no futuro, caso os mantenedores não se apoiem em eficazes ferramentas, como o planejamento estratégico e a adequada gestão financeira e econômica da instituição de ensino, buscando, com elas, manter e prosperar os negócios, que acreditamos tenham sido iniciados com um propósito muito maior.

Somada a todas as situações anteriores, acompanhamos também o aumento dos tributos para desespero da categoria. Como, então, equilibrar suas contas, tendo que arcar com os custos de um lado e de outro? A resposta mais comum seria aumentar o valor da prestação de serviços educacionais, certo? Errado!

Hoje, os reflexos deixados pela economia fizeram com que as famílias, geralmente enquadradas nas classes sociais A, B e C, reduzissem o número de filhos e, por sua vez, a escola está ficando com salas de aula ociosas, mesmo sabendo que o seu crescimento deveu-se a uma necessidade social premente de uma época, como dissemos, em que não se confiava no serviço desempenhado pelo governo.

Contudo, o mantenedor da educação privada que ainda luta e tenta sobreviver neste cenário, deve cuidar para que, ao menos, na ausência de uma administração competente, não corra o risco de ver sua instituição de ensino ser minada e conduzida ao fracasso estratégico, ocasionado pela má gestão e pela inevitável mortalidade empresarial, dentre outros fatores que vamos abordar.

Nosso empenho, ao observar esta realidade, está em voltar nosso olhar não só para a questão da educação, que, em nossa opinião, é o primeiro e o mais importante de todos os direitos sociais e de imenso valor para a cidadania e a dignidade da pessoa humana, mas também principalmente para a defesa de sua manutenção especificamente por meio do crescimento e da continuidade da instituição de ensino particular. Em defesa disso, alertamos o mantenedor para que se preocupe mais com suas características empreendedoras, procurando dar à instituição de ensino um tratamento diferenciado quanto aos aspectos administrativos e financeiros, buscando, sempre que necessário, o apoio de parceiros especializados em terceirização de serviços específicos, bem como o conhecimento que ele próprio não possui nas questões relacionadas à gestão empresarial.

Isso se dá mesmo porque, além do lucro como objetivo das instituições é necessário também que se estabeleçam metas. Para torná-las factíveis, propomos a elaboração do planejamento financeiro, que na visão de Ross e colaboradores (1995), "estabelece as diretrizes de mudanças nos empreendimentos, devendo incluir: a identificação das metas financeiras, a análise das diferenças entre essas metas e a situação financeira corrente, além de propor um enunciado de ações necessárias para que a instituição atinja seus objetivos".

O planejamento financeiro inicia-se com a elaboração do orçamento, instrumento imprescindível a toda instituição e que serve para prever as necessidades econômicas e financeiras, visando a estabelecer, da forma mais precisa possível, como se espera que transcorram os negócios, geralmente em um prazo mínimo de um ano. Os orçamentos são uma previsão e abrangem documentos de trabalhos detalhados, essenciais para a administração da instituição de ensino.

Depois de elaborado e aprovado o planejamento financeiro de forma global, é muito importante que o mantenedor, além de planejar, acompanhe e analise as operações que demonstram os resultados, de tal sorte que todas as pessoas envolvidas na obtenção desse resultado estejam sensibilizadas para a relevância da eficácia em um processo de gestão, ainda que apoiado, como dissemos, por possíveis parceiros muitas vezes ocultos ao conhecimento específico da rotina do estabelecimento.

Por fim, nossa contribuição com esta obra é orientar o mantenedor na busca de uma administração mais inteligente da instituição de ensino privado, cujo objetivo principal é lucrar, mas também dar instrumentos praticáveis para que, acima de tudo, seja mantido o foco na base da sua atividade principal: a educação.

O FLUXO DAS PRINCIPAIS OPERAÇÕES FINANCEIRAS

Assim como em qualquer outra empresa, as principais rotinas das operações financeiras das instituições de ensino também podem gerar resultados positivos ou negativos no processo de gestão. Por essa razão, abordaremos e daremos ao mantenedor, neste tópico, uma visão ampla do processo e do fluxo das principais operações financeiras, ilustrando os procedimentos, os controles e a manutenção dos resultados planejados.

Faturamento e Recebimentos

O faturamento tem por origem (e está amparado em) um contrato entre as partes interessadas em que um vínculo comercial ocorra. Ou seja, o contrato é um compromisso que determina, entre outras coisas, quem é o contratante, quais são os valores, as formas de pagamento e a data de vencimento da contraprestação de serviços. Logo, o contrato de prestação de serviço é parâmetro geral para a emissão, o envio e a cobrança das mensalidades, devendo ser arquivado e conservado de maneira segura e com acesso restrito. Por meio do contrato de prestação de serviços, estabelece-se quem e quanto deve ser faturado. Um outro elemento fundamental de amparo ao contrato é a perfeita manutenção do cadastro do aluno, e/ou seu responsável legal, que deverá ser utilizado pela instituição de ensino numa eventual ação de cobrança.

Estabelecendo normas e procedimentos

Uma das formas para que as instituições evitem riscos, perdas ou dissabores, é estabelecer normas e procedimentos para os assuntos relacionados à entrega dos boletos e às formas de recebimentos. Para tanto, é necessário detalhar todas as operações integrantes de cada processo, questionando especialmente aquelas situações que são mais delicadas, como por exemplo:

- Como validar informações para ter a certeza de que todos os boletos de cobrança foram devidamente emitidos, enviados e entregues aos alunos?
- Qual a melhor forma de entregar ou enviar boletos: mensalmente na sala de aula, via internet ou na sala de aula de uma única vez, por meio de um carnê com todas as parcelas a serem pagas?
- Qual o custo, o risco e, por fim, o que se ganha ao receber mensalidades na tesouraria da instituição?
- A política para cobrança de multas e juros e/ou descontos está sendo devidamente aplicada de forma a possibilitar a consistência dos dados?
- Como combater a inadimplência sem perder alunos, quando muitos são os métodos ou procedimentos para efetivar a cobrança?
- Qual a melhor forma de cobrança de inadimplentes e, se for a melhor forma, como medir os resultados para o estabelecimento de ensino?
- Qual o momento adequado, indicador ou referência, para intensificar a ação de cobrança para os inadimplentes de forma a conseguir realizar o recebimento?
- Sabe-se que os custos com a cobrança são elevados e burocráticos, qual é mais eficaz e barato? É bom terceirizar os serviços de cobrança?
- Quando devemos parcelar ou receber em forma de permutas? Neste caso, quais documentos são necessários?
- Como administrar eficazmente cheques recebidos para vencimentos futuros?

Ora, é muito salutar que a instituição faça tais questionamentos, mas isso também traz a hipótese de que uma política de cobrança muito agressiva irrite aqueles clientes que pagam regularmente, embora com atraso. A instituição de ensino pode adotar vários procedimentos de cobrança para tentar receber de clientes inadimplentes. Sugerimos que as ações iniciais sejam suaves, podendo tornar-se rígidas, se o cliente insistir em não efetuar o pagamento. Os procedimentos de cobrança, por ordem de preferência, são a correspondência, o telefonema, a abordagem pessoal, a agência de cobrança e, finalmente, a ação legal.

Contas a Pagar e Pagamentos

As operações que envolvem as contas a pagar e os pagamentos não dependem simplesmente de registrar em algum lugar que a instituição tem uma obrigação a pagar, e na data do seu vencimento emitir um cheque e acabou o processo. É necessário estabelecer políticas internas de maneira que as transações sejam consistentes ou o mais próximas possível daquilo que foi planejado. Assim, dentre várias políticas a serem estabelecidas, elencamos aquelas situações importantes e que são de natureza estratégica:

- Definir as pessoas responsáveis pelo tratamento dos assuntos estratégicos da instituição de ensino.
- Antes de aprovar um gasto ou investimento, verificar se ele foi previsto no planejamento.
- Estabelecer quem aprova os pagamentos ou as alçadas por pessoas que identificam e limitam a autorização para que determinados valores sejam pagos.
- Estabelecer controles necessários para a correta atuação da área.
- Promover uma adequada tratativa para negociação de vencimentos.
- Manter uma política de reservas para pagamentos de despesas em períodos específicos, por exemplo, décimo terceiro salário, férias, materiais didáticos.
- Fazer planejamento de reservas para períodos sazonais e de maior índice de inadimplência.
- Prever acompanhamento e manutenção do fluxo de caixa previsto *versus* o realizado.
- Estabelecer procedimentos para validar os pagamentos efetuados, etc.

Citamos tudo isso para justamente concluir que a saúde financeira de uma instituição passa diretamente pelo caixa. Ou seja, para administrá-lo, é importante lembrar que o caixa tem natureza dinâmica e não estática e, por isso, a todo instante sofre alterações, o que requer instrumentos para uma perfeita gestão por parte dos mantenedores e de sua equipe de trabalho.

Bem ou mal, qualquer empresa, independente de seu ramo de negócio, tem sempre a necessidade de manter um capital de giro. Porém, também é importante lembrar que ele não deve ser um recurso de apoio. E uma das ações que podem auxiliar o mantenedor a se livrar aos poucos da necessidade de manutenção de um capital de giro é a redução do prazo médio de recebimento e de estocagem de determinados produtos. O contrário também é válido, ou seja, o aumento do prazo médio do pagamento aos fornecedores e de despesas provisionadas inibe a necessidade do capital de giro.

Os Bens Patrimoniais

Os bens patrimoniais são aqueles passíveis de substituição em razão do desgaste pelo uso ou da necessidade de modernização. Essas situações devem ser previstas no planejamento inicial ao mesmo tempo em que se trabalha com o fluxo de caixa normal da instituição. Assim, o controle dos bens patrimoniais deverá refletir diretamente na administração econômica e financeira, uma vez que uma das coisas que a maioria das empresas não controla, até por falta de conhecimento, é a ocorrência de dispêndios oriundos de quebras, perdas ou extravios. Isso é explicado porque a realidade dos fatos é que poucos mantenedores conhecem o valor real do seu patrimônio e, nesse valor, deixam de considerar os bens móveis e imóveis, tangíveis e intangíveis.

Relatórios Eficientes e Resultados Desejados

Ao considerar que tudo foi planejado e disciplinado, é importante medir os resultados obtidos para avaliar se a instituição de ensino de fato atingiu o resultado desejado. Este é um momento em que relatórios eficientes devem demonstrar e comparar os dados para permitir que o mantenedor tenha uma visão geral e clara da empresa. Porém, na hipótese de não se alcançar o resultado desejado no período específico, a administração deve analisar os fatos para adotar as ações necessárias e conciliar a situação atual àquela descrita no planejamento, ao que chamamos de medidas corretivas para um efetivo controle. Por isso, de nada adianta encher a mesa de listagens analíticas se elas não permitem uma visão global da administração econômica e financeira do estabelecimento.

A IMPORTÂNCIA DE UM PROCESSO DE GESTÃO EFICAZ

De acordo com o que mencionamos, a administração engloba as atividades de planejar, organizar, dirigir e controlar. De fato, o que se espera é que a atividade a ser desenvolvida em primeiro lugar seja o planejamento. Mas infelizmente isso não espelha a realidade da maioria das instituições de ensino particular no Brasil.

Para que se tenha uma gestão eficiente e eficaz, planejamento e controle devem estar alinhados. A instituição que utilizar o planejamento para a tomada de decisões certamente consumirá muito menos recursos para corrigir os resultados indesejados e evitar enganos que possam conduzi-la à mortalidade empresarial.

Mortalidade Empresarial

O processo de mudança que o mundo vem experimentando nos últimos anos tem provocado alterações significativas nas carreiras das pessoas em qualquer tipo de empresa. Em primeiro lugar, em função da necessidade de maior preparo profissional para acompanhamento das exigências de mercado; depois, pela abertura econômica mundial e pela concorrência dos produtos externos, além do impacto da tecnologia que exige novos conhecimentos para que seja mantida a empregabilidade. E finalmente, em último lugar, o surgimento de novos empreendedores, que em vista do desejo de liberdade e de novas perspectivas de mercado, foram também impulsionados para isso.

Possuir um negócio próprio atraiu uma parcela significativa de pessoas que buscou, nessa iniciativa, realizar um grande sonho. Mas a inabilidade ou a ausência de experiência fez com que aumentasse o risco de um fracasso, tanto pelo mau gerenciamento como pela má condução dos negócios, tratados também como se um sonho fossem. Na maioria das vezes, isso acontece pela falta de avaliação de todas as circunstâncias que a administração exige.

Para se ter uma idéia, somos líder mundial de abertura de novas empresas. Da população na faixa etária entre 18 e 64 anos que possui negócio próprio, o Brasil apresenta a maior proporção, como pode ser observado na tabela seguinte. Em compensação, também é o primeiro em número de empresas que fecham suas portas até o terceiro ano.

POPULAÇÃO COM NEGÓCIO PRÓPRIO		MORTALIDADE DE EMPRESAS ATÉ O 3º ANO	
PAÍS	%	PAÍS	%
BRASIL	12,3	BRASIL	56.0
EUA	9.8	PORTUGAL	44.0
AUSTRÁLIA	8.1	EUA	40.0
CANADÁ	6.2	REINO UNIDO E FRANÇA	38.0
ARGENTINA	6.1	FINLÂNDIA	37.0
ALEMANHA	3.8	ITÁLIA	34.0
ISRAEL	2.6	NORUEGA	32.0
SUÉCIA	1.9	DINAMARCA	31.0
JAPÃO	0.9	ALEMANHA E ESPANHA	30.0

Fonte: Sebrae

Apesar do grande interesse pela atividade empresarial própria, como constatado, as estatísticas mostram um resultado nada otimista sobre as vantagens das pequenas e médias empresas, quando comparadas às de grande porte.

Uma das vantagens que as pequenas empresas possuem, e por isso devem estar atentas, é que seu porte permite que sejam mais ágeis no processo decisório e na implementação de decisões. Isso ocorre porque a concentração de assuntos estratégicos é mais claramente identificada pela estrutura menor, que facilita a aproximação de clientes e fornecedores. Outra vantagem significativa é que elas geralmente surgem para atender a um mercado específico, ou melhor, como dizem os mercadólogos, para atender a um nicho de mercado.

Porém a pequena e média empresa apresenta uma característica marcante: o fato de poder ser criada em ramos determinados, nos quais o início da atividade pode apresentar aspectos que proporcionem as condições de um pequeno negócio. No entanto o inverso também é verdadeiro. Nestes casos, podemos verificar quantas empresas atuais de grande porte iniciaram suas atividades como pequenas empresas. Elas, por sua vez, ultrapassaram as barreiras iniciais e se ajustaram às condições externas e internas para se tornarem grandes.

Mas o que elas tiveram que vencer para ultrapassar essas barreiras quando comparadas às pequenas? A resposta pode ser encontrada no mesmo levantamento do Sebrae. Entre os anos de 1995 e 1997, em doze unidades da Federação, dentre os fatores mais relevantes para distinguir as empresas em atividade das que foram extintas, o estudo destacou os seguintes aspectos positivos para as que sobreviveram:

- porte da empresa;
- experiência anterior ou conhecimento do ramo de negócio pelo proprietário;
- identificação de uma oportunidade específica;
- empresários que se ocupavam exclusivamente dos negócios da empresa nos primeiros anos dela;
- busca de auxílio principalmente junto ao contador para conduzir ou gerenciar a empresa, vindo em segundo lugar o Sebrae e pessoas que conheciam o ramo de atividade.

No entanto, esse mesmo estudo apontou que a falta de capital de giro, a carga tributária e a recessão foram consideradas por ambos os grupos, empresas em atividade e extintas, como os fatores inibidores do sucesso do empreendimento. E mais, que a média da taxa de mortalidade das empresas até três anos de criação, foi de 50,85%.

No caso das instituições de ensino, até as atuais universidades iniciaram como empresas de pequeno porte. O fato é que tanto as pequenas como as grandes também passaram por essas situações complicadas, porém em outra época, quando o mercado era muito mais favorável a este nicho e as expectativas de crescimento eram muito mais concretas do que as vivenciadas hoje pelos estabelecimentos privados de ensino.

É fato que as barreiras a serem vencidas atualmente são muitas, mas o mais relevante é que as condições do passado voltam a ser empecilhos para o crescimento e a sobrevivência após o período de três anos, devido às circunstâncias impostas ao mercado educacional. Isso leva a crer que apesar de as instituições de ensino estarem mergulhadas nos problemas pedagógicos e acadêmicos, elas relegaram a segundo plano os aspectos estratégicos, administrativos e financeiros que, via de regra, não são de domínio da grande maioria dos mantenedores.

Temos assistido, nos últimos anos, a instituições de ensino encerrarem suas atividades, o que até então nunca havia acontecido nesse ramo de atividade empresarial. Uma revisão no plano de negócio, nas estratégias e nas condições econômico-financeiras, com antecedência, poderia ter amenizado e até solucionado o grande número de casos de fechamento de estabelecimentos de ensino particular e poderia até vir a resolver muitas situações hoje vividas por alguns deles no país.

Diagnosticando as "Doenças"

Os gestores e administradores têm a responsabilidade de diagnosticar com antecedência as possíveis "doenças" que podem levar uma instituição à decadência econômica e financeira. Nos itens tratados a seguir, abordaremos as causas mais comuns dessas ocorrências.

Preços dos cursos

Os preços dos serviços educacionais representam elemento de maior relevância nos resultados e nas projeções financeiras das instituições. Erros na definição desses preços, no passado, têm seus reflexos agora. Consideremos então a ocorrência de reajustes abaixo da evolução dos aumentos de custos no decorrer do tempo, ou mesmo nos casos em que os preços foram definidos em função da concorrência mais próxima.

Naquela ocasião, a relação preço/qualidade/benefícios era uma. Hoje essa relação pode ter sido alterada em prejuízo da escola, colocando seu preço em condições desfavoráveis. Outro erro passível de ocorrer se refere à avaliação correta dos tributos e seus reflexos na composição dos preços e à questão das alterações dos mesmos, se foram corretamente calculadas e incorporadas aos valores cobrados na prestação de serviços. Para isso, uma excelente alternativa é a instituição realizar, anualmente, por intermédio de terceiros, um estudo visando à elaboração de um planejamento tributário que busque reduzir, também, mais essa despesa.

Custos dos serviços e despesas administrativas

Nos estabelecimentos de ensino particular, diferentemente do que ocorre com os demais ramos de atividades, após a definição das salas a serem oferecidas em função dos cursos, só existem custos fixos, e isso dificulta as ações de economias baseadas na redução de custos. Na posição de empresas prestadoras de serviços, o principal custo da instituição é a mão de obra principal, ou seja, o dos professores em sala de aula, que, na sua composição, deve levar em conta ainda a relação entre o salário hora/aula e o da mensalidade. Os demais devem ser avaliados em detalhes, considerando também os valores relativos à depreciação.

Política de vencimento das mensalidades

É praxe desse mercado que os serviços educacionais sejam cobrados pelo regime de anualidades ou semestralidades, tanto em cursos superiores quanto de idiomas, desde que divididos pelo número de intervalo de meses. O mais importante é identificar se a cobrança é antecipada, isto é, se é recebida antes ou após a prestação dos serviços. A prática mais comum é que seja antecipada, pela vantagem de exigir pouco capital de giro. Porém, essa prática pode surpreender as instituições que não utilizam o planejamento orçamentário de forma usual.

Metodologia educacional adequada

A educação tem sido alvo de muitas mudanças nos últimos anos, inclusive com o uso de informática em todos os níveis educacionais, além da conscientização cada vez maior dos pais em relação aos métodos de ensino praticados pelas escolas. Assim sendo, a avaliação dos preços associada à qualidade de ensino, mais os métodos atualizados e os serviços oferecidos, tem se tornado um hábito constante na ocasião da definição das matrículas.

Localização da escola

A localização adequada da instituição também colabora para o seu sucesso, pois, se proporcionar visibilidade, será um atrativo e tanto para a comunidade mais próxima a ela. Esta comunidade deve ser grande o suficiente para lotar a instituição, facilitando e reduzindo o esforço mercadológico de captação de alunos de outras comunidades. Outro aspecto importante é a avaliação da taxa de natalidade da comunidade e as projeções futuras no que se refere ao crescimento e ao desenvolvimento do estabelecimento de ensino. Atualmente, existem empresas especializadas em assessoria dessa natureza.

Inadimplência elevada

Principalmente para o setor educacional, este tem sido um fator muito relevante nos últimos anos. Atualmente, sobram vagas em praticamente todos os níveis de ensino. Isso ocorre porque, apesar de haver demanda, o público frequentador das instituições privadas de ensino não tem apresentado condições de pagamento das mensalidades, por pressão da própria economia. Assim, uma política inadequada de gestão da inadimplência pode até inviabilizar uma instituição de ensino, requerendo, para que isso não ocorra, uma excelente previsão orçamentária que antecipe o valor máximo de inadimplência para que seja repassado aos preços.

Disfunção gerencial ou ausência de gerenciamento

Uma situação típica de disfunção gerencial ou ausência de gerenciamento normalmente ocorre quando o principal gestor da instituição adquire experiência com grande concentração em uma área específica, e não possui capacitação para arbitrar conflitos e dificuldades em outras áreas. Dessa forma, passa a orientar suas decisões em função dessa experiência adquirida, identificando incorretamente as deficiências da instituição, tomando decisões que tenderão a agravar a situação, a ponto de colocar a continuidade da atividade em questionamento.

Empresa familiar

Para o propósito deste trabalho, empresa familiar é aquela em que os sócios-fundadores ou seus sucessores são os responsáveis diretos pela gestão ou exercem influência preponderante na administração da instituição de ensino. Especialmente nestes casos, são marcantes as dificuldades ligadas à gestão, à delegação ou ao processo de descentralização nas fases de crescimento das empresas familiares.

Este aspecto deve ser levado em conta porque é um ponto para difícil evolução nos negócios da instituição, uma vez que são o fortalecimento e a modernização exigidos hoje pela economia os fatores inevitáveis para o processo de profissionalização da empresa familiar. Significa dizer que é importante para as instituições considerar não somente os aspectos organizacionais, mas sobretudo a busca pela conscientização daqueles que detêm a propriedade e o poder da empresa, para que a continuidade da atividade esteja apoiada na gradativa separação entre família, propriedade e administração.

Nesse sentido, profissionalizar requer que o mantenedor inicie uma postura empresarial e entenda os riscos decorrentes de um processo de crescimento desordenado, ainda que seja necessário levar em conta que a grande maioria das empresas, não só no Brasil, mas também em outros países, tiveram sua origem como empresas familiares. Algumas cresceram e são hoje grandes potências, outras não conseguiram tal posicionamento, e outras já deixaram de existir. No entanto trabalhar para a continuidade da empresa pressupõe, antes de tudo, conseguir estabelecer as abordagens adequadas para cada um dos componentes citados acima: família, propriedade e administração.

Processos administrativos inadequados

Na maioria dos estabelecimentos de ensino particular atuais, há atividades que são repetitivas e são justificadas por sua frequente ocorrência. Mas, mesmo que essa condição não seja predominante em algumas instituições, sabemos que a utilização de recursos informatizados proporciona o compartilhamento dessas informações de forma eficiente e confiável. Isso certamente proporciona economia de horas de trabalho e agilidade nos registros e na tomada de decisão embasada em informações consistentes para o estabelecimento de ensino, por isso deve ser levado em conta pelo mantenedor.

Fraudes

As empresas brasileiras estão perdendo cada dia mais dinheiro com fraudes cometidas por seus funcionários, segundo estudo realizado em 2002 pela GBE Peritos & Investigadores Contábeis. Conforme a análise, 26% das empresas brasileiras perdem em média 7% de seu faturamento anual devido às fraudes. Em pesquisa realizada em 1997 pela mesma empresa, esse índice era da ordem de 1,6% do faturamento.

Normalmente, a empresa que é vítima de fraudes não faz queixa oficial do fato. Segundo estudo da KPMG, empresa de auditoria, somente 9% das fraudadas tornam público o assunto. Essa atitude decorre de não quererem se expor ou de as fraudes ocorrerem no caixa 2 das empresas, o que, se divulgado, comprometeria a imagem e exporia a instituição a situações indesejáveis.

Ao serem cruzados os dados da GBE e da ACFE, descobriu-se que o crime preferido dos empregados que assaltam o caixa das empresas no Brasil é a corrupção. Neste item se enquadram os crimes em que os fraudadores usam a influência de seus cargos para conseguir algum benefício. Mais de 56% das investigações identificaram um cenário de corrupção dentro das empresas.

Não existe uma forma de se eliminar a fraude, o que existem são medidas para inibi-la, minimizá-la e controlá-la, das quais podem ser citadas, conforme pesquisa da GBE, a política de contratação, a conduta ética nos negócios, a utilização da contabilidade para controlar suas operações, o treinamento, os canais de comunicação claros, o código de ética para os funcionários, os trabalhos sociais e a punição.

Infelizmente, como as fraudes são difíceis de serem descobertas internamente, já ocorreram casos de instituições de ensino serem obrigadas a encerrar suas atividades em função de fraudes cometidas por funcionários tidos como de confiança. Sistemas integrados de gestão tendem a eliminar as possibilidades de fraudes, porque apresentam relatórios emitidos para a direção os quais confrontam dados e informações que apontam inconsistências e registram as decisões e as pessoas que as tomaram.

SISTEMAS GERENCIAIS COMO INSTRUMENTO DE GESTÃO

Em tempos de instabilidade econômica e com a latente necessidade de manter a instituição competitiva, os mantenedores devem estar sensibilizados de que a utilização de um adequado sistema é fator determinante para acompanhar e projetar resultados em tempo oportuno, de tal maneira que a empresa se mantenha competitiva utilizando-se de informações instantâneas que lhe assegurem tomadas de decisões.

Ao planejar as oportunidades de investimentos, o grau de endividamento e os recursos necessários, as instituições devem observar os dados históricos e acompanhar a realização daquilo que foi planejado. Desta forma, os sistemas contribuem para elaboração, acompanhamento e projeção de informações essenciais ao processo de administração da área econômica e financeira de uma instituição. Dentre eles, podemos citar o planejamento orçamentário, o fluxo de caixa, as contas a receber, as contas a pagar, bem como os demais assuntos tratados até aqui.

Histórico de Dados e Informações

Para a instituição de ensino, como em qualquer outro tipo de empresa, a manutenção de dados e informações históricas é fundamental para considerar as hipóteses da necessidade de rastrear, comparar ou projetar resultados sobre as informações econômicas e financeiras. O rastreamento de informações pode ter início através de dados armazenados nos sistemas de informática da instituição de ensino.

Por exemplo, os valores recebidos e pagos pelas instituições geram inúmeras informações a serem consultadas para esse fim, tais como a data e o valor dos recebimentos e pagamentos, a realização da operação em dinheiro ou em cheque, a identificação de quem efetuou o registro no sistema e assim por diante.

No processo de acompanhamento e análise dos resultados financeiros, muitas vezes há necessidade de comparar um período com outro, como o comportamento da inadimplência ou do fluxo de caixa realizado no mês de maio do ano de 2002 em relação ao mesmo período de 2003. Neste caso, todos os dados e informações armazenados servirão de referência não somente para análise, mas também para projeção de resultados futuros.

Aumentando a Competitividade e Reduzindo os Custos

Em uma administração moderna, algumas perguntas podem ser feitas para compreender as causas e os efeitos que tornam uma instituição de ensino mais competitiva que outra, ou que tenha um custo menor quando ambas forem comparadas. No entanto, cabe aos profissionais responsáveis pela área econômica e financeira priorizar o alinhamento estratégico do negócio, realizando e apresentando à administração, anualmente, um planejamento econômico e financeiro. Já a redução de custos é a segunda maior preocupação desses profissionais, mesmo sabendo que, muitas vezes, é preciso investir para economizar no futuro. Assim pensando, os mantenedores devem sempre se questionar sobre:

- Como ser competitivo se a instituição não dispõe de informações de pronto ou, para obtê-las, é necessário aguardar dias ou semanas?

- Tem-se a exata noção da quantidade de gastos com benefícios concedidos aos professores, ao pessoal administrativo, em relação às tarifas bancárias, aos tributos, à manutenção de móveis e imóveis, aos alugueres?

Embora as questões aqui sejam poucas, será possível, com esta consciência, enxergar o grau de maturidade administrativa que requer uma instituição de ensino moderna e alinhá-la em um patamar de competitividade coerente com a exigência de seu próprio mercado de atuação.

Nessa hora, os sistemas devem ser considerados parceiros, tanto para agilizar os processos que visam a tomadas de decisões como para contribuir para que a instituição se mantenha competitiva por meio da redução de custos administrativos.

Administrando Tarefas e Tomando Decisões

As atividades inerentes ao processo de administração econômica e financeira são representadas por inúmeras tarefas merecedoras de muita atenção.

Para um melhor entendimento das possibilidades de sistematizar o controle das tarefas, ou até a realização delas de forma automática, vamos visualizar as obrigações a pagar da instituição, os vencimentos diários e, na hipótese de esquecimento, a incidência possível de multas e juros acarretando ônus financeiro para o estabelecimento de ensino.

Uma aplicação prática disso pode ser a emissão do faturamento. O sistema pode identificar, por meio de parâmetros, quem deve, para quem foram, ou não, enviados os boletos de cobrança.

Na aquisição de um sistema adequado que venha realmente a contribuir para redução de altos custos administrativos é de fundamental importância diferenciar aqueles com perfis gerenciais daqueles com perfis operacionais.

O sistema operacional costuma fornecer aos empresários apenas relatórios; mas ele não faz análise entre o que deveria ser e o que está sendo apresentado, ou seja, ele não toma decisão, não faz conferência e nem analisa, ficando isso por conta do ser humano, portanto sujeito a fraudes, erros e falhas.

Já o sistema gerencial, ao contrário do anterior, trabalha no sentido de validar dados, informações e até de bloquear operações para evitar esquecimentos, falhas humanas ou divergências com as políticas estabelecidas pela administração.

Por exemplo: uma escola que tenha mil alunos e que fature cerca de R$ 500 mil por mês, ao emitir relatório de fechamento de um período de faturamento, necessita que as informações tenham validade com o que teoricamente foi faturado aos clientes; ou seja, se havia R$ 500 mil a serem faturados e o serviço foi realizado, o saldo do faturamento, para fins de controle das operações, deve ser zero, e assim por diante, pois, se temos R$ 500 mil para receber e recebemos R$ 400 mil, de quem não recebemos? O que aconteceu? Quais foram as ações tomadas em relação aos inadimplentes? Essas são perguntas que a escola deve fazer.

Esse diferencial pode ser encontrado somente nos sistemas gerenciais, pois eles já emitem cartas automáticas de cobranças, de agradecimento pelo pagamento pontual, de aviso de vencimento, e o melhor, tudo isso a custo zero para o mantenedor. Desta forma, o sistema vem colaborar enormemente para a redução de custos operacionais e gerenciais das escolas, além do fato de que, com o advento da internet, essas informações podem ser obtidas em todos os lugares a qualquer tempo, não necessariamente no estabelecimento de ensino.

Os sistemas operacionais costumam ser manuseados ou operados por determinadas pessoas dentro da entidade. Já os sistemas gerenciais são operados pela empresa e por todos os membros envolvidos com este sistema, não necessariamente só pelas áreas operacionais. Isso proporciona um grande ganho para a instituição em termos de solicitação de informações, desperdício de tempo e de movimento, integridade, qualidade e agilidade; enfim, há uma grande diferença em termos de obtenção de resultados entre aquelas instituições de ensino que usam sistemas operacionais e as outras que utilizam os sistemas gerenciais.

Por isso, as últimas analisam e decidem pelo mantenedor. Essas decisões são previamente elaboradas e pensadas por profissionais altamente capacitados em cada assunto, ajudando o mantenedor nas decisões, fazendo com que a administração financeira saia da eficiência e passe para a eficácia, dando muito mais segurança e credibilidade à direção da escola.

Não dá para falar de gestão eficaz sem sistemas gerenciais. Quando escolhido corretamente, o sistema reduz muito o custo da escola em várias frentes: mão-de-obra, consultoria, planejamento estratégico e financeiro, sem falar na agilidade em períodos de matrícula, na segurança e na confiabilidade nos números e informações, pois ele dilui o trabalho todo da secretaria, do financeiro em geral, da direção e de outros operadores, pulverizando as tarefas de tal forma que muitas pessoas podem realizar uma parte delas, completando o todo.

Pode-se dizer, então, que a revolução tecnológica sugere que os atos estratégicos de uma instituição de ensino estejam concomitantemente ligados ao processo de gestão da informação e do conhecimento, visando não só torná-la mais competitiva, mas principalmente, que seus gestores se preocupem em buscar no mercado os recursos tecnológicos que amparem tanto as funções operacionais de seus funcionários, como aquelas que requerem tomadas de decisões mais assertivas por parte do mantenedor.

Em resumo, é fundamental que o mantenedor esteja amparado por profissionais capacitados ou que, na ausência deles, busque uma abordagem mais profissional da gestão de sua instituição de ensino, visando não somente à continuidade da sua atividade principal, mas, acima de tudo, às formas menos sofríveis de administração do estabelecimento, que facilitem a condução do seu propósito inicial: a educação de cidadãos conscientes e mais bem preparados para um mundo em constante mudança.

REFERÊNCIAS

ANSOFF, Igor. *A Nova estratégia empresarial*. São Paulo: Atlas, 1990.

BARBULHO, Euclydes. *Tornando sua empresa mais competitiva*. São Paulo: Madras, 2001.

DAFT, Richard I. *Administração*. Rio de Janeiro: LTC, 1999.

MONTANA, Patrick J.; CHARNOV, Bruce H. *Administração – um modo fácil de dominar os conceitos básicos*. São Paulo: Saraiva, 1999.

OLIVEIRA, Djalma P.R. *Sistemas, organização & métodos*. São Paulo: Atlas, 20001.

PARSLOE, Eric; o WRIGHT, Raymond. *O orçamento*. São Paulo: Nobel, 2001.

ROSS, Stephen; A. WESTERFIELD, Randolph W.; JAFFE, Jeffrey F. *Administração financeira*. São Paulo: Atlas, 1995.

ROSS, Stephen A.; WESTERFIELD, Randolph W.; JORDAN, Bradford D. *Princípios de administração financeira*. São Paulo: Atlas, 2000.

Parte III
Gestão Acadêmica

Capítulo 10

A Formação Permanente do Educador e o Processo Ensino-Aprendizagem

Maria Carmem Tavares Christóvam

UMA VISÃO DA CORRELAÇÃO EXISTENTE ENTRE O PROCESSO DE REFORMULAÇÃO DA PRÁTICA PEDAGÓGICA E EMPRESARIAL E A FORMAÇÃO DE EDUCADORES

Do futurólogo ao presentólogo

Nos anos 1960 e, até certo ponto, nos anos 1970, o futuro era amanhã. Tínhamos todo o tempo do mundo para pensar, planejar, errar e consertar. Nos anos 1980, a História dava mais uma volta no torniquete cercando o espaço de manobra para todos aqueles que tinham de sair em busca do tempo perdido. Mesmo assim, com boa vontade, podia-se alegar que o desafio então era o de construir o futuro no presente. Portanto, para quem não queria, não podia ou não sabia mudar, convinha viver entre os anos 1960 e 1980. Apesar de todas as mudanças ocorridas nesse período, para aqueles que preferiam não fazer nada além das rotinas do dia a dia, sempre havia uma boa desculpa ao alcance das mãos. Só que... hoje, em 2004, o futuro foi ontem. E é justamente aqui que reside o drama dos retardatários, sejam eles países, organizações, profissões ou indivíduos:

"Ontem carentes de visão, hoje impotentes de ação".

(Eugen Emil Pfister Jr).

O atual abismo entre o discurso e a prática nas instituições de ensino e nas políticas educacionais para a área de educação no Brasil acontecem quase que totalmente por ausência de uma cultura de formação permanente do educador.

Para onde quer que se olhe, hoje em dia, um novo conceito de valores e princípios domina o ambiente. O consenso ao nosso redor é quase monolítico, quer você olhe para as artes e a literatura, para as organizações ou simplesmente leia jornais e revistas como *Time, Exame, Você S/A* e *Fortune*. Por todos os lados, você pode sentir o sussurrar de um novo paradigma no qual a qualidade de vida, o comprometimento com o autodesenvolvimento nas quatro dimensões (física, emocional, mental e espiritual) do ser humano e seu engajamento social são fatores condicionantes de sucesso em sua vida profissional e, conseqüentemente, nas empresas onde atuam. Dentro das instituições de ensino, consideradas organizações complexas, que lidam com o ser humano, tanto em seus processos quanto em seus resultados, esse fator deveria ser ainda mais observado.

O educador é formado dentro de velhas estruturas e acaba reproduzindo o mesmo modelo, seja em sala de aula, seja em funções de gestão. A tragédia dessa situação é que o mercado de trabalho e o mundo dos negócios são ambos submetidos a estruturas modernas. Os educadores não conseguem compreender a realidade e as alternativas que lhes são apresentadas. O descompasso se transforma em perplexidade, e em pouco tempo, estão completamente subjugados.

Os esforços na capacitação de educadores, na maioria das vezes, se restringem apenas ao aparato metodológico, a esclarecimentos de procedimentos da rotina, mas não chegam a trabalhar princípios e valores que causam a ruptura dos velhos paradigmas.

Pretende-se discutir, neste capítulo, a relação existente entre a formação do educador, como instrumento para ajudá-lo a compreender sua realidade e atuar como protagonista em sua prática, e as mudanças corporativas, viabilizadas como conseqüência da mudança de seus educadores e gestores.

Todo o esforço dos órgãos governamentais e das instituições para melhorar a titulação de seus profissionais, docentes e gestores, não trouxe os avanços esperados no campo das ciências cognitivas, capazes de auxiliar o professor a entender a construção do processo ensino-aprendizagem ou o gestor a entender os novos modelos de gestão e estratégias corporativas eficazes. Os programas de especialização, mestrado e doutorado, além de não os ajudarem a avançar em suas práticas, são, muitas vezes, acometidos de um grande *déficit* de pensamento crítico.

Repensar essas questões é essencial na preparação dos profissionais para a chamada "Sociedade do Conhecimento". Pensar estrategicamente a instituição escolar é se defrontar com rupturas em todos os níveis. Em que nível os gestores escolares são hoje autocríticos e "realistas" quanto ao destino da instituição, submetendo os processos e políticas internas a uma avaliação racional e criteriosa das oportunidades (= mercado a explorar/recursos a aproveitar × ameaças = que prejudicam a escola e suas oportunidades). Ou em que nível os docentes procuram adequar a sua prática a esse mesmo contexto, observando a necessidade de mudança do perfil "profissiográfico" do discente e realimentando o projeto pedagógico do curso, por meio da revisão curricular, para que não haja descompasso na formação discente.

Matriz de Relacionamento

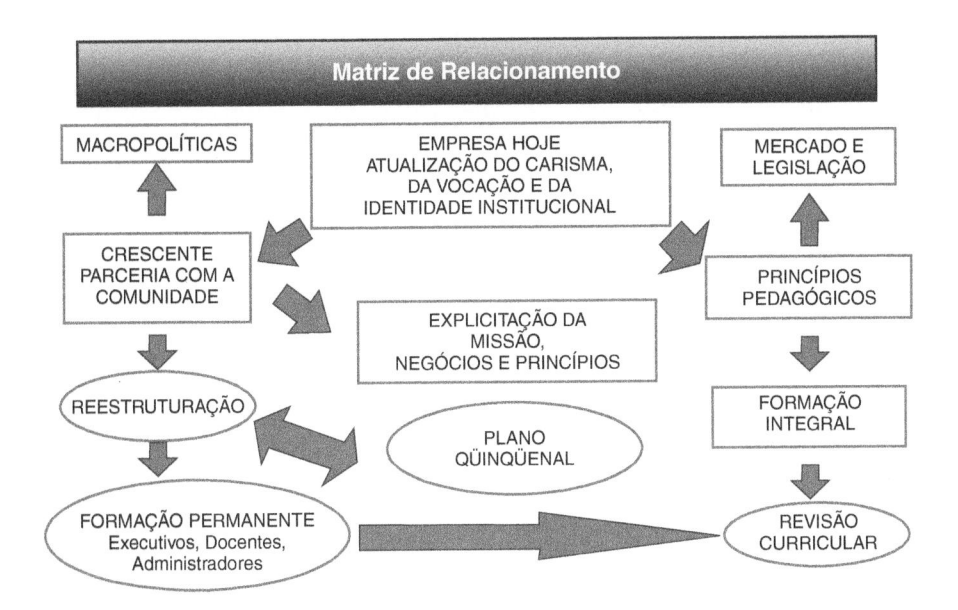

[Diagrama: MACROPOLÍTICAS; EMPRESA HOJE ATUALIZAÇÃO DO CARISMA, DA VOCAÇÃO E DA IDENTIDADE INSTITUCIONAL; MERCADO E LEGISLAÇÃO; CRESCENTE PARCERIA COM A COMUNIDADE; PRINCÍPIOS PEDAGÓGICOS; EXPLICITAÇÃO DA MISSÃO, NEGÓCIOS E PRINCÍPIOS; REESTRUTURAÇÃO; PLANO QÜINQÜENAL; FORMAÇÃO INTEGRAL; FORMAÇÃO PERMANENTE Executivos, Docentes, Administradores; REVISÃO CURRICULAR]

A matriz de relacionamento explicita com clareza os eixos norteadores de um processo de revitalização/organização, tendo como pressuposto básico a formação permanente do educador e o processo de revisão curricular.

Para se buscar, sobretudo, o desenvolvimento de competências e o fortalecimento de habilidades e a capacitação técnica, as instituições necessitam repensar a organização do trabalho, as práticas pedagógicas, seus projetos pedagógicos e elaborar um Plano de Desenvolvimento Organizacional articulado e permeado pela organicidade acadêmica e administrativa.

Promover a educação tendo presente a empregabilidade, pauta-se necessariamente em um outro aspecto, que é o desenvolvimento de um novo perfil: o estilo empreendedor que, na definição mais simples, é o profissional pró-ativo com capacidade criativa e inovadora, com habilidade para coordenar e organizar projetos, gerir equipes e processos, pensar e agir estrategicamente a sua atuação profissional, o seu negócio e a sua participação na sociedade.

Este novo perfil deve contemplar ainda a capacidade para a educação continuada, para o desenvolvimento de técnicas e aptidões e, principalmente, a capacidade para assimilar e promover a mudança, ou seja, a mais real e concreta certeza sobre um cenário em constante mutação.

O tipo de escola que temos hoje, contemplada por um sistema de gestão não profissional, definirá o perfil do trabalhador do futuro, que, por sua vez, determinará o capital intelectual que a sociedade terá. Posto dessa forma, o conhecimento não sistematizado passa a ser uma ameaça, e não uma oportunidade estratégica para alcance dos resultados da organização, pois a ausência de sistematização desse conhecimento é um recurso não aproveitado.

A ausência de memória organizacional gera a falta dos processos de qualidade no gerenciamento, a falta da cultura de atendimento a clientes e a falta, até mesmo, da autoconfiança e da esperança no futuro, que não se torna previsível. Falta, sobretudo, perspectiva de vida para nossos alunos, fator que cria a evasão escolar ou o fluxo constante dentro das instituições. Verifica-se, portanto, que somente a definição clara dos projetos institucionais e pedagógicos que contemple a formação permanente do educador, dentro do horizonte estabelecido pela missão, poderá conduzir o corpo diretivo à escolha de propósitos focados no enfrentamento da concorrência cada vez mais acirrada, visando a atingir padrões de excelência educacional.

A escola precisa rever continuamente seus processos pedagógicos e estratégias de ensino, incorporar as vantagens de modelos metodológicos da interdisciplinaridade e transversalidade, qualificar seus docentes e ter uma postura pró-ativa diante das exigências de mercado. A leitura desse cenário em que surgem novos valores formativos deve ser efetuada com agilidade.

Verdade é que o atraso tecnológico, a ausência de visão gerencial e a pouca valorização do capital humano são uma realidade na maior parte das instituições escolares brasileiras. Mexer com a cabeça dos profissionais que fazem hoje a educação é um processo lento, mas acreditem, é possível!

MUDANÇAS CORPORATIVAS COMO RESULTADO DE MUDANÇAS PESSOAIS

> São muitas as pessoas que, por alguma razão, planejam, planejam, planejam por anos e nunca partem. Com as mais curiosas explicações: ou procurando aperfeiçoar cada vez mais um plano, uma viagem, ou aguardando o momento apropriado. Certamente, as âncoras imaginárias acabam prendendo muita gente, e isso faz com que seus projetos nunca sejam realizados.
>
> (Amyr Klink)

Para pensar em um sistema educacional que promova uma prática pedagógica divergente das tendências atuais, é preciso, segundo uma visão holística, repensar a gênese do projeto pedagógico. É necessário, também, reformular sua análise sob os ângulos do desenvolvimento organizacional, que abrange, além da capacitação do educador, a missão, visão, valores, premissas da instituição e sugestões para a sua implementação. No entanto, a partir do momento em que começamos a conceber uma escola ou universidade de prática diferenciada com maior isenção e menor espírito de autodefesa, somos capazes de antever, diríamos até, com certa precisão, que o desequilíbrio existente entre a cronologia biopsicossociológica e o tempo das realizações, na esfera profissional, está com os seus dias contados.

É claro que o reconhecimento do descompasso não tem o poder de diminuir a inquietação gerada nos corpos diretivo, docente, discente e na comunidade. Porém, a esperança se infiltra quando nos damos conta de que, na nova ordem econômica e social, o futuro pertence àqueles que o estão construindo hoje. Portanto, ao iniciarmos a caminhada da escola que temos para a escola que queremos, faz-se necessário um plano de ação mais abrangente que nos norteie e oriente.

Muito se tem escrito sobre a realidade de um mundo em mudanças, sobre os avanços tecnológicos e científicos que nos remetem à idéia de uma revolução da informação e do conhecimento.

Com as megatendências mundiais, imprevisíveis e aceleradas, percebemos a introjeção de novos conceitos e valores como:

- a valorização da força humana;

- o renascimento da arte e da espiritualidade;

- a preocupação com o meio ambiente e com a qualidade de vida do homem no planeta, nos espaços sociais de convivência e em suas relações nesses ambientes, inclusive no seu trabalho.

Esses valores emergentes, considerados megatendências mundiais, deverão ser observados pelas instituições de ensino para nortear o eixo de mudanças educacionais. Assumir uma tendência pró-ativa nesse processo é a solução que traz consigo a esperança para as organizações, num momento cuja força motriz desta revolução não são apenas o conhecimento e a tecnologia, mas o próprio homem. Uma revolução fantástica e nada convencional, mas de talento, iniciativa, criatividade e massa encefálica. Trata-se da quebra de paradigmas internos, um processo de autodesenvolvimento. Aqui reside o potencial para toda e qualquer mudança dentro das organizações: **mudanças corporativas são resultados de mudanças pessoais.**

Todos os movimentos da administração contemporânea apresentam estratégias de soluções empresariais, todas necessárias, mas não se pode desconsiderar o fato de que, se os líderes que comandarão essas mudanças não refletirem credibilidade na visão, princípios de caráter, comprometimento com o autodesenvolvimento pessoal – elementos fundamentais no sucesso pessoal – e se não forem grandes influenciadores de grupos, as mudanças corporativas estarão comprometidas.

Na realidade da empresa adequada à sociedade atual, só as adaptações tecnológicas e organizacionais não conseguem mais responder aos desafios de competitividade; a vantagem competitiva, capaz de projetar no mercado a escola moderna, está na qualidade, na produtividade, na clareza de seu cotidiano no qual a prática seja reflexo da teoria imprimida em seus princípios filosóficos e na inovação, enfim... nas pessoas.

Estamos na década das "pessoas" e das grandes transformações. As escolas, assim como todas as outras entidades e organizações, estão no mundo, fazem parte deste grande contexto global de mudanças. Essa é a grande visão que desponta no cenário educacional: docentes e gestores precisam comandar as mudanças, em vez de serem levados por elas. Quem sabe aonde quer chegar pode contribuir mais com o resultado da empresa. A escola de hoje requer profissionais mais críticos, criativos, que participem, que empreenda, um profissional mais inteiro e com mais consciência pessoal e profissional. O que fazer? Como conseguir que o educador da minha escola garanta essa vantagem de valor agregado? Promovendo a conscientização de que ele não é simplesmente agente de mudanças, mas um agente nas mudanças, fazendo parte delas, não sendo apenas um catalisador do processo. Isso exige uma reformulação por parte do docente da sua prática pedagógica e da concepção do ato de educar. Exige dos gestores transparência na ação para com a comunidade educativa. Os relacionamentos não são mais geograficamente delimitados, e a forma de atuação profissional na esfera pessoal e organizacional está *on-line*, portanto é preciso resgatar a ética, baseada em princípios e valores. Cada profissional deve representar valor agregado para a empresa.

OS TRÊS PILARES NO PROCESSO DE FORMAÇÃO DE UM GRANDE EDUCADOR

> Tornei-me professor enquanto aluno. E foi gostando de ser aluno, gostando de exercer a minha curiosidade, de procurar a razão de ser dos fatos e dos objetos, é que fui gostando de aprender e, dessa forma, descobrindo também o gosto de ensinar. Então, eu não cheguei por acaso à docência.
>
> (Paulo Freire)

Deter o conhecimento é assumir um patamar mais alto, podendo vislumbrar a possibilidade de ditar tendências, sejam elas gerenciais ou pedagógicas, colocando o profissional e a instituição em projeção no cenário educacional da comunidade em que está inserida. É trabalhar com a possibilidade de formar opiniões e influenciar pessoas.

A Dimensão do Conhecimento e da Aprendizagem

A ausência de uma cultura gerencial, principalmente do "conhecimento", tem sido um dos grandes entraves nesse sentido.

A promessa de um futuro fértil no âmbito acadêmico se iniciará quando os próprios gestores escolares forem capazes de gerir os conhecimentos produzidos e as informações armazenadas de forma que a instituição seja capaz de incorporá-los e aplicá-los para o desenvolvimento em três níveis: individual, organizacional e social, partindo do pressuposto de que todo educador, docente ou gestor, precisa ser um pesquisador de sua prática pedagógica imediata e ir até as raízes do conhecimento, construindo uma fundamentação teórica de qualidade. Só assim esse profissional estará capacitado para sair do senso comum e da realidade imediata em que está para se tornar um visionário da realidade social. Até então, o docente está limitado geograficamente aos relacionamentos estabelecidos dentro de sua esfera de ação.

Se, na filosofia emergente de educação, a ação de educar pode ser concebida como meio de desenvolvimento integral do aluno, o professor deverá ser o elemento estimulador das múltiplas linguagens e inteligências, percebendo o conhecimento de forma não-linear. Se visto como agente formador da consciência crítica, terá, antes de tudo, de se dar tratamento crítico diante dos conteúdos trabalhados. Lembramos ainda que, no ambiente da escola conservadora, o compromisso maior do professor era com o trabalho em si, com sua execução, não com seu resultado. O professor tinha de estar ocupado cumprindo planos, e não pensando sobre sua prática.

A UNESCO instaurou, em 1993, a *Comissão Internacional sobre Educação para o Século XXI*, a fim de identificar as tendências da educação para as próximas décadas e, em 1996, divulgou seu relatório conclusivo – o documento conhecido como *Relatório Jacques Delors* – que indicou aprendizagens-pilares para a educação, por serem vias de acesso ao conhecimento e ao convívio social democrático: aprender a aprender, aprender a fazer, aprender a conviver e aprender a ser. Essa perspectiva, que configurou uma tendência de autonomia na comunidade educacional, trouxe uma nova concepção à educação escolar, redimensionando o papel dos docentes e exigindo uma formação profissional mais ampla em relação à formação até então oferecida.

Uma das formas pela qual a universidade contribuirá com a formação do educador poderá ter inicio na formação acadêmica, para então ter continuidade no exercício profissional.

É a partir de uma formação mais ampla que o educador se torna um visionário atuante em sua realidade social. Como formação entende-se aqui a do licenciando – educador em formação – e a do educador em exercício. Os processos de formação devem ser percebidos como processos de construção do conhecimento a partir da prática – tanto nos estágios como no exercício da profissão. A concepção de aprendizagem se reformula no âmbito da reflexão durante os processos, para então se reformular no âmbito da prática. É nesses processos que a atuação dos docentes – licenciandos ou em exercício, cada um em seu escopo de formação – deve ser orientada para a organização de objetos específicos de suas pesquisas, explicitados em projetos que possam auxiliar a investigação de questões pertinentes em seu contexto de atuação. E o contexto de atuação da educação, muitas vezes, se depara com transformações sociais em curso, apontando para uma articulação entre a natureza pedagógica e as demandas socioeconômicas, visando à qualidade em uma ação concentrada, em simetria com as diferentes variáveis a serem trabalhadas.

Como Paulo Freire apontava, muitas lideranças e formadores de opinião partem das universidades e, no caso do tratamento do problema da qualidade na educação – ou na ausência dela –, não há de ser diferente. Neste momento, as universidades se mobilizam diante de uma demanda social de movimentação conjunta para a erradicação do analfabetismo. Se questionarmos quanto a sua operacionalização, encontraremos um bom começo no potencial de projetos e pesquisas voltados para a formação de educadores nas IES ou em ambientes extra-escolares, que articulem a prática dos educadores, seja em estágio seja em exercício, por meio das parcerias previstas pela Lei entre as IES e as escolas. O Professor em formação agrega valor ao ensino básico, que, em contrapartida, recebe o valor agregado por meio de programas de alfabetização ou em outros programas que apontem para políticas de capacitação dos educadores, num processo de pesquisa e reflexão que se dará na prática destes que, por natureza, sempre estiveram inseridos em algum processo de formação.

No momento em que é preciso satisfazer as necessidades do cliente interno, sejam eles alunos, pares ou outros colaboradores, é fundamental a reflexão da ação, o aperfeiçoamento e a inovação, fatores que geram a qualidade e, conseqüentemente, a expressão da vocação institucional, principal condição para sobrevivência em um mercado em que precisamos imprimir a nossa marca, a nossa identidade. Qualquer instituição de ensino é uma instituição social, admitida ou credibilizada pela sociedade para cumprir, determinados papéis. Se não os cumprir não há razão de existir.

Nesse novo contexto, a preocupação com a formação permanente do educador deve, em sua ação mais específica, conseguir que todo o grupo se comprometa com a qualidade de seu trabalho, com os objetivos da organização e com a satisfação dos interesses da clientela.

Cabe, portanto, à organização estabelecer claramente quais os resultados esperados da função do docente e das áreas gerenciais, ressaltando a sua importância para a instituição. Além disso, terá de envolvê-lo na formulação desses objetivos e nas formas de atingi-los. Os indivíduos, dentro de suas instituições, se encontram ávidos por realizações. Se os líderes corresponderem adequadamente, esses novos atores produtivos, altamente talentosos e ambiciosos, podem representar o começo de uma era, sem paralelos, de realização. A formulação de estratégias para essa capacitação é um grande desafio. A implementação de ações coerentes com as estratégias exige muita coragem. Propor a mudança, descortinar o norte organizacional e pedagógico, gerar no grupo a visão prospectiva, o sonho, a forma de caminhar, mais que capacitar, é conscientizar que a qualidade de que tanto falamos está situada na relação entre o homem e o mundo. Ela não está centrada nem no homem nem nos objetos, mas se apresenta como mediadora, em todos os âmbitos, na vida do homem e do educador, cobrando-lhe continuamente uma atitude de coerência e respeito em todos os seus atos de inter-relação com os outros homens e com o mundo.

Enfim, só se pode esperar que o professor se disponha a projetar qualidade na sua obra, se primeiro ele for ajudado a entender as transformações que a qualidade pode proporcionar.

O processo de formação continuada de docentes e educadores gera grande expectativa, tanto no âmbito das políticas públicas quanto no ambiente interno da instituição, por parte dos gestores, talvez pelos descompassos metodológicos e pela ausência de organicidade, que não proporcionam uma articulação efetiva nos planos da teoria e da prática. Assim também o processo de implementação de meios adequados de acompanhamento e avaliação que agreguem valor e forneçam conhecimentos úteis para o aprimoramento profissional.

Na análise da primeira **dimensão, a do conhecimento,** ressalta-se, portanto, a trajetória de formação continuada do educador. A única certeza que se tem hoje, em relação à aquisição do conhecimento, é a da aprendizagem contínua. O conhecimento se multiplicará a cada dia e não se poderá deixar de aprender, se quiser estar ativo na revelação das tendências da profissão. Isso se dá de várias maneiras: conhecimentos variados, ecléticos e acumulados de diversas formas; por meio de leituras, trocas de experiências, vivências pessoais, etc.; por meio da internet, de correspondências, outros meios de comunicação, bate-papos informais. Para quem recebe a informação, o importante é saber tornar frutífero o conhecimento, discernindo entre o que agrega valor consistente e o que não o faz. Se for uma informação que fortalecerá a carreira do educador no seu processo de autodesenvolvimento, ela lhe criará um impacto positivo. O educador deverá estar atento ao processo de busca dessa informação frutífera. Em quais os locais e com quais as pessoas poderá obtê-la. Exatamente na construção desse processo de conhecimento, lida-se com um grande equívoco: o de que o conhecimento deve ser acumulado para benefício próprio, seja do exercício profissional ou do crescimento organizacional.

As instituições de ensino, os consultores, as empresas seculares e até mesmo os profissionais dentro das organizações se alimentam do conhecimento como estratégia de competitividade, e não de partilha, de colaboração. O equívoco reside na concepção mesquinha de que, se o meu concorrente tem as informações que eu possuo, então ele pode se tornar tão competente e competitivo quanto eu. Estamos lidando com uma ruptura de paradigmas, conceitos, valores e princípios em que a posição pessoal de partilhar será indispensável para o crescimento dos negócios. Ao exercitar a habilidade de cooperação e partilha, o educador será lembrado com afetuosidade, ampliando a sua rede de relacionamentos. Será mais requisitado porque seus parceiros, alunos, pares e empresa o verão como alguém que possui importantes contribuições no cenário das realizações e dos resultados mercadológicos.

Aprofundando a reflexão sobre a revolução da informação e do conhecimento deste admirável mundo novo, que se coloca a um clique de botão, passamos a refletir não apenas sobre a aquisição desse conhecimento, mas sobre a sua gestão. Como estabelecer mecanismos capazes de reter, incorporar e sistematizar o conhecimento dentro da organização, de forma que o controle das informações possa gerar uma alavancagem nos processos e resultados, agregando o valor de que a organização e o profissional necessitam?

Uma das estratégias para que a instituição aumente e consolide cada vez mais sua capacidade de ditar tendências dentro da estrutura do setor educacional é o desenvolvimento de competências essenciais, tanto organizacionais quanto humanas, para que a gestão do conhecimento, a construção e a partilha dele, possam vir a ser um fator crítico de sucesso.

Inicialmente, é necessário identificar dois aspectos quando tratamos da gestão do conhecimento em instituições educacionais:

- a produção acadêmica do conhecimento, construído mediante o processo ensino/aprendizagem;
- a gestão do conhecimento produzido por meio das informações oriundas do sistema visando alimentar o plano estratégico da empresa.

O primeiro se dará por meio do investimento em programas de formação, buscando, em todos os níveis, o desenvolvimento de competências e habilidades cognitivas, práticas e atitudinais, que deverá estar ligado às estratégias empresariais, passando a ser considerado, mais do que um conceito, um valor e uma prática empresarial. É parte do portfólio de negócios da empresa.

A idéia da instituição geradora do conhecimento discute também **o processo de aprendizagem** como um referencial mais amplo, capaz de transformar a escola em geradora de conhecimento, e não em consumidora.

Na proposta da escola progressiva de Dewey, a aprendizagem deveria ocorrer a partir de experimentos ou projetos que tivessem ressonância com a realidade e interesse dos alunos e que pudessem ser implementados por estes. Ao implantar esses experimentos, os problemas encontrados deveriam ser objeto de reflexão e gerar conhecimentos sobre os mais variados assuntos, como os disciplinares, os éticos e os estéticos.

A mudança pedagógica almejada é a passagem de uma educação totalmente baseada na transmissão da informação, na instrução, para a criação de ambientes de aprendizagem nos quais o aluno interage com o conhecimento já produzido e constrói o seu conhecimento. Essa mudança deve repercutir em alterações na escola como um todo: nas estruturas funcionais, no espaço físico, na sala de aula, no papel do professor e do aluno, na relação dos mesmos com o conhecimento (Valente, 1999b).

O segundo aspecto da gestão do conhecimento refere-se à atitude dos líderes escolares na busca constante de meios para melhorar sua performance e, conseqüentemente, a performance da empresa.

Os líderes deverão ter como base de sustentação as orientações estratégicas da organização, acompanhando as tendências, as oportunidades e as ameaças que determinam o alcance de resultados. Para isso, a obtenção de informações que, traduzidas e analisadas, venham agregar valor e estabelecer um posicionamento pró-ativo é importante para:

- evitar surpresas desagradáveis e não previstas, como por exemplo, a evasão escolar;
- obter parâmetros de avaliação e desempenho institucional;
- identificar oportunidades de negócios ou implementação de práticas que irão impulsionar o crescimento do sistema.

As operações e processos de uma instituição escolar são dinâmicos, de forma a conduzir a rotina para uma ação focada mais no nível operacional do que no nível estratégico. Assim, é preciso preparar líderes e docentes para pensarem estrategicamente. Lidar com a aprendizagem em um novo contexto escolar significa tratar um sistema considerando a aquisição do conhecimento de forma ampla e democrática, o desenvolvimento contínuo de habilidades que assegurem desenvolvimento pessoal e organizacional, as mudanças de atitudes, como suportes desta revolução emocional, que alcancem o bem comum.

A Rede de Relacionamentos

O segundo pilar refere-se à rede de relacionamentos construída no âmbito profissional, como parte importante do ato de educar, e compreendida como uma necessidade ímpar na trajetória do educador.

Na análise do ambiente interno da instituição, é necessário que se encontrem estratégias para resgatar o entusiasmo coletivo, restaurar a confiança e a relação prazerosa entre os parceiros de uma mesma missão e organização.

Muito poucos educadores possuem o tempo e o preparo necessários para interagir com sucesso com todos os membros da comunidade e, dessa forma, ampliar a sua rede. Assim, sentem-se cada vez mais apreensivos sobre a habilidade de empreender tal tarefa, considerando que a escola é uma empresa humana, tanto em seus processos, quanto em seus resultados.

Quanto mais o profissional conhecer pessoas do seu meio, influenciar alunos e pares em seu campo do conhecimento, mais sucesso profissional poderá obter.

Conta-nos Tim Sanders, que, em *O Círculo da Inovação*, Tom Peters narra a história de Allen Puckett, do Mckinsey Group, que reúne docentes para formar a sua "universidade pessoal". Eis o que ele faz: ao ler um artigo estimulante em um jornal ou revista de negócios, Puckett telefona de surpresa para o autor e o convida para jantar. Geralmente, o autor aceita. Da próxima vez que se vê diante de um problema complicado, ele telefona para um desses docentes da sua "universidade pessoal". E, na maior parte das vezes, encontra a solução de que precisava. Tim Sanders nos diz em *O Amor é a melhor estratégia*: "assim como o corpo de professores de uma faculdade real, os docentes da universidade de pessoal de Allen Puckett são os aros de uma grande roda de aprendizado comunitário".

Um dos fatores mais importantes a ser considerado hoje no ambiente acadêmico é a forma como os possíveis clientes e os que já possuímos veem (e se relacionam com) os docentes, os gestores, enfim, a instituição em relação aos seus concorrentes. Surge, portanto, o fator de comparação em que a satisfação dos nossos parceiros será fundamental nesse processo de julgamento de valores.

Com o acirramento da concorrência, mais importante do que a liderança de mercado é o processo de sedução do seu cliente. Mesmo porque hoje não existe apenas um único líder quando se pensa em mercado educacional. Por isso, não basta ser líder. O aspecto da boa convivência pode ser considerado como um dos fatores prioritários da escolha de uma instituição que melhor atenda às expectativas pessoais. Assim, um número cada vez maior de instituições educacionais pode alcançar uma posição reconhecida. Hoje, com consumidores cada dia mais críticos e exigentes e com tantas opções, não existe estabilidade na posição ocupada. Daí a importância de se construir uma relação duradoura, evolutiva e em longo prazo, com uma longa trajetória e permanência do aluno e do profissional dentro da escola.

A Dimensão Humana

O terceiro pilar de muita importância na formação de educadores refere-se à dimensão humana e permeia as duas primeiras dimensões, separada por uma linha muito tênue.

O docente ou gestor educacional deve possuir habilidade para coordenação de grupos. Onde existem pessoas e grupos em convivência, certamente existirão conflitos. Portanto, é preciso conhecer a natureza dos conflitos (interpessoais e intergrupais), para saber como intervir nos mesmos. Eles resultam de posições de desacordos e afetam a normalidade das pessoas e das organizações, sobretudo em ambientes de aprendizagem.

Os conflitos interpessoais se originam das diferenças de opiniões, das diferenças de orientação, das lutas internas pelo poder e da competitividade entre os envolvidos no ambiente.

Os conflitos podem ter causas emocionais ou reais. Como causas emocionais, podem-se citar diferenças de personalidade, diferenças de valores, interferência no "*status*", tensões de papel. Como causas de conflitos reais são lembrados aqui os objetivos diferentes, a disputa por recursos, a interdependência ou até mesmo uma percepção distorcida da realidade.

Quanto aos estilos de administração de conflitos utilizados por docentes em sala de aula ou por gestores nas instituições, destaca-se o que é denominado "auto-dominação", em que se remete sempre à relação "ganha-perde". Outro estilo seria o "trabalhando juntos", no qual o que importa é a relação "ganha-ganha", quando ambas as partes se sentem numa posição confortável. Aqui se evidencia o conceito de que negociar não é levar vantagem... negociar é fazer vantagem.

O conceito de negociação remete-se à idéia de um processo em que duas ou mais partes, todas com interesses comuns e antagônicos, juntam-se para confrontar e discutir propostas explícitas com o objetivo de alcançarem um acordo que seja satisfatório para ambas.

Nesse processo, existem as necessidades individuais das partes: são os estados físicos ou psicológicos dos indivíduos ou grupos carentes de satisfação. Os objetivos geralmente são bem tangíveis ou intangíveis e satisfazem as necessidades de cada uma das partes envolvidas em um processo de negociação. Um coordenador de grupos precisa possuir a habilidade de conduzir o grupo para negociações com base em valores; para isso é importante:

- separar as pessoas dos problemas;
- concentrar-se nos interesses, não nas posições;
- inventar opções de ganhos mútuos;
- insistir em critérios objetivos;
- buscar valores comuns.

O grande impasse nas negociações pessoais ou grupais se dá por inabilidade dos envolvidos de ouvirem a outra parte, por usarem truques em demasia, ou por possuírem baixa flexibilidade, segurança máxima nos trunfos para serem impositivos, idéia de que um bom relacionamento não é importante; também se dá por excesso de concentração nas fraquezas do outro, sequência inexistente nas negociações, estabelecimento de margem muito estreita para negociação, postura defensiva, uso de linguagem inacessível, ou falta de controle dos resultados.

HABILIDADES E COMPETÊNCIAS NECESSÁRIAS AO EDUCADOR

Vejamos aspectos que devem ser considerados no perfil de uma equipe de líderes escolares capazes de lidar com uma nova concepção do processo ensino-aprendizagem, considerando que uma relação de aprendizagem não pode ser hierárquica:

- demonstrar presença de habilidades não apenas cognitivas – criatividade, comunicação, relacionamento, postura de escuta, negociação, motivação;
- ter um aguçado componente crítico-criativo para lidar com situações de incerteza e tratar de uma diversidade de problemas;
- ser menos prescritivo, normativo, mais experimentador;
- ser menos hierárquico, autoritário, mais consultivo e participativo;
- promover, na organização, a descentralização e a flexibilidade;
- substituir autoridade por negociação, poder hierárquico por relações contratuais, poder formal pelo exercício da influência e da competência;
- ser um gerenciador de políticas, mais do que de recursos, o que implica uma visão estratégica e global, sem vícios do imediatismo, de longo prazo.

- incentivar a promoção da responsabilidade social e ética no ambiente, visando à harmonia;
- possuir uma postura antecipativa e alto poder de realização;
- ter formação polivalente, possuindo boa formação social e humanística;
- possuir aptidão para compreender a complexidade do contexto contemporâneo;
- ser um profundo pesquisador do seu campo do conhecimento, buscando novas abordagens e tendências educacionais;
- ter habilidade em liderar mudanças e não resistir às mesmas;
- ter visão orientada para resultados;
- ser um líder democrático e incessante na busca de valores genuínos permeando-os na organização;
- agir com modernidade no sentido de efetuar um esforço dinâmico para se resgatar o entusiasmo coletivo e propiciar um ambiente que reflita o sentido de "Comunidades Inspiradas".

O PROCESSO DE FORMAÇÃO E O FATOR DA INOVAÇÃO

> Idéias geniais são raríssimas. Todas as fontes de oportunidades para inovar devem ser analisadas e estudadas de modo sistemático. Não basta estar alerta para elas, a busca deve ser feita de forma regular e sistemática.
>
> (Peter Drucker)

É preciso sonhar para realizar coisas novas, para mudar a face das instituições de ensino no Brasil. As organizações só poderão desenvolver-se se seus processos forem constantemente reformulados.

Hoje, as vantagens competitivas estão na velocidade das instituições, ou seja, em quão rapidamente conseguimos implementar mudanças e incorporar com consistência novos conceitos e tecnologias. Estão na leveza das estruturas organizacionais que possibilitam mudanças e adaptações constantes e na coerência e no ajustamento das ações decorrentes das mudanças em relação aos valores institucionais básicos.

Para inovar seus processos, todo educador/gestor deve comprometer-se a olhar as instituições de ensino a partir de uma perspectiva diferente, buscando alternativas até agora não utilizadas e redefinindo assim o escopo de atuação do seu negócio.

A inspiração para um posicionamento inovador está no desenvolvimento de fórmulas novas, de relações inovadoras e mais inteligentes com clientes e parceiros.

Ao repensar a gênese de cada processo institucional, pretende-se conquistar não apenas mercados, mas mentes e corações.

REFERÊNCIAS

ROBERT, E. Quinn. *Desperte o líder em você*. Rio de Janeiro: Campus, 1998.

SANDERS, Tim. *O amor é a melhor estratégia*. Rio de Janeiro: Sextante, 2003.

STEPHEN, R. Covey. *Os 7 hábitos das pessoas altamente eficazes*. São Paulo: Best Seller, 2001.

GARY, Hamel. *Liderando a revolução*. Rio de Janeiro: Campus, 2000.

STEPHEN R., Covey. *Liderança baseada em princípios*. São Paulo: Brochura do Covey Leadership Center, 2000.

PETERS, Tom. *O círculo da inovação*. São Paulo: Harbra, 1998.

COLLINS, Jim. *Empresas feitas para vencer*. Rio de Janeiro: Campus, 2001.

GLADWEILL, Malcom. *O Ponto de Desequilíbrio*. Rio de Janeiro: Rocco, 2002.

Capítulo 11

Do Giz ao *Mouse* – A Informática no Processo Ensino-Aprendizagem

Jânia do Valle Barbosa

> Os homens criam as ferramentas e as ferramentas recriam os homens.
> (Marshall Mcluhan)

EDUCAÇÃO E TECNOLOGIA

As pipas foram trocadas pelo *Counter Strike* em que garotos de 13 anos programam jogos. A televisão, em muitos casos, foi substituída pelas *lan houses* em que adolescentes passam horas concentrados em frente a uma tela de computador. E a escola? Como pode conviver com esta nova realidade?

A encruzilhada para os educadores de hoje é como utilizar os novos meios tecnológicos de modo a atender às expectativas de mudança. A discussão entre os profissionais de ensino de que a informática irá robotizar os alunos e a máquina substituirá os professores está ultrapassada. Deve-se reconhecer que existe um descompasso entre a velocidade da evolução das diferentes tecnologias e o ritmo das mudanças na escola.

A preocupação dos educadores concentra-se agora na busca do melhor aproveitamento do computador no processo ensino-aprendizagem. Como utilizar o fácil acesso às informações, a autonomia na busca do conhecimento e a racionalização do tempo em prol da qualidade educacional?

As instituições educacionais devem rever o modelo de ensino a fim de atender às demandas dos estudantes, sem esquecer que o mercado de trabalho necessita de indivíduos informados e com facilidade em lidar com a tecnologia, o que torna imprescindível o conhecimento das facilidades na procura constante a informações de maneira flexível e dinâmica.

Alguns benefícios foram constatados com a aplicação da informática na educação (Mendes, s.d.):

- Os computadores podem auxiliar o aluno a executar e elaborar tarefas de acordo com seu nível de interesse e desenvolvimento intelectual.
- Jogos e linguagens ajudam no aprendizado de conceitos abstratos.
- Os computadores podem organizar e metodizar o trabalho, gerando uma melhor qualidade de rendimento.

Um analfabeto, ao andar de ônibus em uma grande avenida em São Paulo, sente-se um excluído ao não conseguir ler um *outdoor* sequer. O mesmo pode acontecer com um adulto que nunca mexeu em um computador e nem consegue conferir seu extrato bancário pela internet.

Hoje uma das funções da escola é assegurar a inserção de seus alunos na era digital, mesclando o saber tradicional, como a função de uma mitocôndria, com a utilização, de forma ágil, de um *site* de busca.

A TECNOLOGIA NA ESCOLA: MUDANÇA DE PARADIGMA

Há uma transformação da sociedade que nos proporciona múltiplas alternativas de aprendizagem na comunicação, no lazer, no lar, etc. E a escola ficou parada!

A instituição de ensino tem por obrigação oferecer os meios para o professor se preparar para o uso da tecnologia em seu dia a dia.

Para iniciar essa caminhada de adaptação do professor às novas tecnologias, temos que combater o preconceito de alguns professores que não veem o uso dos recursos tecnológicos como seu aliado, ou por insegurança, ou até mesmo por comodidade. Alguns preferem desprestigiar a tecnologia e continuar com os meios que já dominam para planejar suas aulas.

Por pressão dos próprios alunos, colegas ou da escola, os professores começam timidamente a visitar os ambientes informatizados, a fazer mais perguntas e se inscrevem em um curso de informática.

Quando o professor começa a se familiarizar com a tecnologia, a tendência é transformar suas aulas em livros eletrônicos, ou seja, passar o livro didático para o computador. Poupar o professor de várias tarefas repetitivas para tornar o ensino tradicional mais rápido e maximizar seu tempo para tarefas mais importantes e mais criativas não é errado. Como afirmou Simonson (1997), o professor passa a "usar a tecnologia para fazer de maneira diferente e fraca o que já tem sido feito na sala de aula". Para esse uso, o investimento por parte da instituição de ensino em tecnologia não é compensador, pois subestima as possibilidades dos recursos disponíveis.

A elaboração de aulas mais significativas, dinâmicas, contextualizadas e menos expositivas deveria ser a meta de todo professor. Os recursos tecnológicos podem acelerar a melhoria no planejamento dessas aulas.

Na busca dos benefícios esperados e funcionando como uma alavanca para um modelo educacional mais eficiente, o processo de introdução do computador

Quadro 11.1   Comparação entre os paradigmas educacionais

Modelo antigo	Modelo novo	Implicações tecnológicas
Palestras em sala de aula	exploração individual	utiliza computadores pessoais em rede com acesso a informações
Absorção passiva	atitude de aprendiz	exige desenvolvimento de habilidades e simulações
Trabalho individual	aprendizagem em equipe	beneficia-se de ferramentas colaborativas e de correio eletrônico
Professor onisciente	professor como um guia	depende do acesso a especialistas através da rede
Conteúdo estável	conteúdo em rápida mudança	requer redes e ferramentas de publicação
Homogeneidade	diversidade	requer uma variedade de ferramentas e métodos de acesso

Fonte: Reinhardt, 1995, p.40

na escola poderá trazer alterações no processo tradicional de ensino. Reinhardt (1995) sintetiza algumas dessas mudanças de modo a apresentar as modificações estruturais que deverão ser adotadas:

O Professor no Cenário Tecnológico

O professor deve reconhecer o fato de que os alunos terão mais facilidade com as novas tecnologias. A melhor maneira de ele encarar isso é perceber, logo de saída, que os alunos são de uma geração habituada a lidar com o computador.

Isso ajuda também o professor a admitir que ele não é mais o detentor de todo o conhecimento. Ele passa a fazer parte do processo como um mediador e aprende junto com os alunos.

Os alunos mais familiarizados com a tecnologia podem monitorar as aulas nos momentos de dificuldades técnicas com a permissão do professor. Quando os professores se habituarem a lidar com os recursos tecnológicos, não terão mais medo de perder o controle do processo educativo.

> Segundo o professor José Manuel Moran,[1] as tecnologias de comunicação não substituem o professor, mas modificam algumas das suas funções. A tarefa de passar informações pode ser deixada aos bancos de dados, livros, vídeos e programas em CD. O professor se transforma agora no estimulador da curiosidade do aluno por querer conhecer, pesquisar e buscar a informação mais relevante. Num segundo

---

[1] Desafios da internet para o professor. *www.eca.usp.br/prof/moran/desafio.htm*.

momento, coordena o processo de apresentação dos resultados pelos alunos. Depois, questiona alguns dos dados apresentados, contextualiza os resultados, adapta-os à realidade dos alunos e questiona os dados apresentados. Transforma informação em conhecimento e conhecimento em saber, em vida, em sabedoria – o conhecimento com ética.

Para professores inquietos, atualizados e que desejam comunicar-se mais, a internet é alvissareira. Já para os professores acomodados e que se acostumam a dar sempre a mesma aula, que falam o tempo todo na classe e impõem um único tipo de avaliação, a internet é um tormento.

A postura limitada desse professor tradicional fica mais perceptível com a presença da internet. Quanto mais recursos tecnológicos estiverem disponíveis, as dificuldades desses professores aumentarão e o processo ensino-aprendizagem será mais difícil.

Quando podíamos escolher um único livro didático e segui-lo capítulo a capítulo, estava claro o caminho do começo ao fim, tanto para o professor como para o estudante, a direção da escola e a família.

Com o aparecimento de novos meios de comunicação, podemos enriquecer extraordinariamente o processo de ensino, mas, ao mesmo tempo, podemos complicá-lo. Ensinar é orientar, estimular, relacionar, mais do que informar. Nesse novo cenário, muda o papel do professor: ele é o orientador e precisa ter uma boa base teórica, saber comunicar-se, estar sempre atualizado, refletir sobre as informações trazidas pelos alunos, aprender e interagir com o aluno.

Formação do Professor em Novas Tecnologias

O professor precisa convencer-se de que realmente a tecnologia pode ajudá-lo. Para isso, deve conscientizar-se das reais capacidades e do potencial da tecnologia para que possa selecionar qual é a melhor utilização a ser explorada com um determinado conteúdo.

Mostrar o uso da tecnologia para benefício próprio faz com que o professor acredite nas potencialidades do computador. Uma boa estratégia para a escola é a oferta de cursos de informática dentro da própria instituição de ensino, com várias opções de dias e horários. Para ministrar o curso, um professor didático é o mais indicado.

Planilha eletrônica, processador de texto, gerenciador de apresentação, navegação na internet, uso de correio eletrônico, *chat* e listas de discussão devem constar da programação do curso.

O planejamento do curso deve suprir as necessidades cotidianas do professor, como, por exemplo:

- usar planilha para o professor gerar suas médias do período e elaborar gráficos de rendimentos de sua turma;
- fazer suas provas e exercícios com o processador de texto;

- preparar uma aula mais completa com recursos multimídia com o gerenciador de apresentação;
- fornecer dicas de como pesquisar na internet para alcançar seu objetivo mais rápidamente;
- trabalhar toda a potencialidade do correio eletrônico;
- escolher *chats* e listas de discussão acadêmica que contemplem interesses profissionais do professor, como o intercâmbio de experiências entre professores de todas as partes do Brasil e do mundo.

Além de frequentar os cursos, o professor, segundo Stahl (1997, p.292), deve possuir sólida formação inicial como "percepção clara do contexto socioeconômico-cultural, preocupação com a relação entre teoria e prática, busca constante de autoaperfeiçoamento, aceitação e uso de inovações, ênfase no trabalho cooperativo e multidisciplinar e consciência de ser agente de mudança".

Quando o professor percebe o leque de recursos que a tecnologia oferece para facilitar sua vida profissional, tem sede de saber mais e mais. Porém a transferência do giz ao *mouse* é complicada para o professor. Nesse momento, a instituição de ensino deve contar com um profissional que detenha conhecimento pedagógico e tecnológico para orientar e estimular o professor.

Ao lidar com a internet de forma natural, o professor passa a utilizar a potencialidade da rede para orientar os alunos na aquisição de novos conhecimentos. Ele deve conscientizar os jovens de que não basta surfar.

Para que o computador acompanhe o professor como o livro ou o giz, a direção da escola tem que estar atenta ao planejamento de um currículo mais flexível, com a colaboração do corpo docente.

Com mais liberdade nos currículos, os professores naturalmente perceberão a necessidade de busca de mais informação e cultura. A instituição de ensino que investe na formação de seu profissional sabe que um bom professor é primordial para o desempenho da escola.

O Papel da Escola na Mudança de Paradigma

A escola é o local onde tudo acontece, e cabe somente a ela liderar essa mudança. Caso isso não aconteça, fica muito difícil qualquer avanço em busca de novos modelos.

A criança chega à escola com muita vontade de aprender; aos poucos, ela descobre que não vai aprender o que desejaria. A escola mata a vontade natural da criança de aprender.

A escola deve preocupar-se em ajudar a desenvolver no aluno suas potencialidades e competências, auxiliando na definição de seu projeto de vida.

Hoje o professor é o protagonista, e o aluno nem atua como coadjuvante. Na nova escola, o aluno terá o papel principal. Como vamos preparar os alunos para viver em uma sociedade democrática se eles nada decidem na escola?

No novo modelo de escola, o aluno opina mais sobre o conteúdo abordado em sala de aula, participando da elaboração e do acompanhamento das normas que regem disciplina e regras de convivência. A escola deve incentivar a criação de grêmios estudantis, colaborando na formação de um adulto com consciência democrática para o convívio social.

Estima-se que o desenvolvimento tecnológico do último século foi equivalente ao obtido durante toda a história da humanidade. Em conseqüência disso, houve uma grande transformação na sociedade e uma mudança no paradigma da produção e da divulgação do conhecimento. As instituições educacionais, aos poucos, deixam de ter o controle na difusão do conhecimento. Vale a pena, portanto, fazer um esforço para (re)significar o papel do professor e da escola nesse novo cenário.

Infelizmente, muitos professores são obrigados a trabalhar em dupla ou tripla jornada para manter um padrão de vida razoável, sem tempo de se atualizar e trocar idéias com pedagogos e educadores, participar de seminários, utilizar as tecnologias disponíveis e desenvolver outras atividades que contribuem para o seu enriquecimento pessoal e cultural.

Para que o professor acompanhe o desenvolvimento tecnológico, é urgente e necessária uma valorização de seu papel na sociedade para que ele tenha estímulo de encontrar na tecnologia novas formas de ensino.

Já que o avanço tecnológico não tem volta, as instituições de ensino têm a responsabilidade de passar por uma reformulação para tornarem-se mais atrativas, interessantes e democráticas.

Segundo Eduardo Chaves (2003) temos que reinventar a escola:

- Rever o conceito de educação com quem opera, para que alcance clareza sobre essas duas questões: Por que educar? Para que educar?
- Rever a missão da escola diante de outras instituições que assumem funções educacionais.
- Rever o seu currículo, isto é, sua visão do que os alunos devem aprender na escola.
- Rever o seu método, isto é, sua visão da forma como os alunos aprendem.
- Rever o papel de alunos, professores e corpo diretivo.
- Rever a forma de organizar o tempo e o espaço.
- Rever a relação com o mundo externo e com a tecnologia.
- Chaves ainda afirma que teremos a escola ideal se tivermos propósito claro (vontade), paixão pela causa (emoção), plano realista (inteligência) e persistência com paciência (postura e atitude).

A Escola e os Meios de Comunicação

A comunicação foi muito favorecida com a evolução dos atuais recursos tecnológicos. Com um canal de TV a cabo ou acessando a internet, temos conhecimento imediato, por exemplo, do início da guerra no Iraque ou do resultado das eleições na Argentina.

> Mais informações têm sido produzidas nos últimos 30 anos do que nos 5 mil anos anteriores. Uma edição de dia de semana do *New York Times* contém mais informações do que tudo aquilo que um homem médio do século XV ficou sabendo em toda sua vida.
>
> (Serva, 2001, p. 76)

> O *The New York Times* chega a ter, aos domingos, cerca 1.500 páginas, cerca de 2 milhões de linhas tipográficas, mais de 12 milhões de palavras e 5,5 quilos de papel, segundo dados apresentados por Wurman (1991, p. 36-37). Outro dado citado por ele: Em um ano, o americano médio terá lido ou preenchido 3 mil avisos e formulários, lido 100 jornais e 36 revistas, assistido a 2.463 horas de televisão, ouvido 730 horas de rádio, comprado 20 discos, falado ao telefone por quase 61 horas, lido 3 livros e gasto incontáveis horas trocando informações em conversas.
>
> (Serva, 2001, p. 76-77)

Com isso, o aluno traz para a sala de aula assuntos polêmicos e atuais, que não fazem parte do "conteúdo planejado", mas que, na maioria das vezes, seriam muito ricos e significativos. Cabe ao professor fazer a relação com a sua aula, mas a sua preocupação com o tal conteúdo muitas vezes o impossibilita de trabalhar com assuntos atuais.

Figura 11.1 Alunos do Augusto Laranja programam com a linguagem Logo para movimentar uma maquete.

TECNOLOGIA COMO INSTRUMENTO EDUCACIONAL

Eu, como a grande maioria dos professores que acreditou na aplicação da tecnologia à educação na década de 1980, iniciei com a linguagem de programação Logo. O Logo foi desenvolvido no Massachusetts Institute of Tecnology (MIT) por um grupo liderado por um dos maiores visionários sobre o uso da tecnologia na educação, o sul-africano Seymour Papert.

Ao examinar o desenvolvimento da linguagem de programação Logo, Papert (1960) mostra a diversidade no uso desta linguagem quando diz: "pensei em dar às crianças o poder de programar computadores como um pequeno passo inicial em um processo cujos detalhes não podiam ser previstos".

O Logo cria um ambiente de aprendizagem em que a criança aprende ensinando o computador e construindo seu próprio aprendizado.

Paralelamente às atividades que desenvolvia com o Logo no Colégio Augusto Laranja, trabalhei com a Rede Guri, coordenada pela Escola do Futuro (USP) da Universidade de São Paulo, um núcleo de pesquisa de novas tecnologias aplicadas à educação.

A Rede Guri foi criada em 1992 e tinha como objetivo interligar escolas por uma rede de computadores (RedeUsp) para o desenvolvimento de trabalhos interdisciplinares, dinâmicos e interativos. A atuação dessa rede foi iniciada com o projeto EcoGuri-Rio92, em que alunos de uma escola do Rio de Janeiro coletavam informações no Fórum Eco-Rio92 e enviavam para os alunos e professores das escolas participantes do mundo inteiro para a discussão de diversos assuntos e experimentos sobre temas de impacto ambiental.

Tudo era muito difícil: conexão, termos técnicos e leitura em tela não eram muito nítidos, mas o esforço compensava. Os alunos não estavam mais limitados ao aprendido em sala de aula, e a interatividade com alunos de outras escolas trouxe novos conhecimentos.

Esses trabalhos me fizeram perceber que podíamos usar o computador para grandes projetos interdisciplinares com outras escolas do Brasil e do mundo.

Desde aquele período, não param de surgir ferramentas tecnológicas para o auxílio no crescimento do aluno. Com base nas abordagens de diversos pesquisadores, a reflexão sobre a escolha do *software* ideal deve estar de acordo com a filosofia e a metodologia educacional que a instituição de ensino adota, além dos objetivos almejados na abordagem de assuntos relacionados a diferentes áreas do conhecimento.

Nesse contexto, encontram-se na literatura especializada aspectos relacionados à escolha de ambientes computacionais que podem ser utilizados no ensino. Papert (1985) afirmou que "as tendências quanto ao estilo computacional emergirão de uma complexa teia de decisões tomadas por fundações de pesquisa com recursos suficientes para apoiar um ou outro estilo, por empresas preocupadas com seu mercado, por escolas, pelos indivíduos que decidirão fazer carreira num novo campo de atividade e pelas crianças que participarão dessas decisões por meio de suas preferências e do que elas farão com isso. As pessoas frequentemente perguntam se as crianças do futuro programarão os computadores ou se estarão absorvidas em atividades pré-programadas. A resposta é que algumas farão uma coisa, algumas a outra, algumas farão ambas, e algumas não farão nenhuma delas. Mas a decisão a respeito de quais crianças e, principalmente, que classe social de crianças fará parte de qual categoria, será influenciada pelos tipos de atividades e pelos tipos de ambientes criados ao redor delas".

Classificação dos *Softwares*

Os *softwares* podem ser classificados de acordo com a forma como o aluno interage com eles:

- **Tutoriais:** é usado o mesmo padrão de ensino da sala de aula tradicional, sendo o conteúdo organizado em uma estrutura predefinida. Entre as opções existentes, o aluno seleciona o conteúdo que deseja estudar. Não existem muitas diferenças do tutorial para o ensino tradicional além das inovações tecnológicas, como hipertexto, som, imagens e animações, que invariavelmente retêm a atenção do aluno.

- **De exercício e prática:** também chamados de reforço e exercício, propõem atividades do tipo acerto/erro. São aplicações que valorizam basicamente revisão e memorização, duas das fases de aprendizagem.

- **Programação:** exige que o aluno processe a informação, transformando-a em conhecimento. O programa representa a idéia do aluno. Existe uma relação direta entre cada comando e o resultado na tela do computador. As características da programação permitem ao aluno encontrar seus próprios erros. Temos como exemplo a linguagem Logo: o aluno insere-se em um ambiente de aprendizagem no qual seu envolvimento e interação são traduzidos no processo de resolução de problemas. Nesse ambiente, o estudante reflete sobre seus objetivos e metas e ainda reformula seu problema, adequando seus conhecimentos à linguagem de programação.

- **Robótica:** leva o aluno a solucionar problemas e a entender conceitos de diversas disciplinas pela montagem de equipamentos que deverão se movimentar. Nesse ambiente de aprendizagem, são utilizados motores, sensores, sucatas, computador e *software*.

- **Multimídia:** são programas que apresentam informações a respeito de um determinado assunto, como as enciclopédias digitais. Geralmente, são apresentadas em CD ou DVD e dão ao aluno a oportunidade de selecionar algum tópico e explorá-lo, usando recursos de som, imagem, hipertexto e vídeo.

- **Sistemas de autoria:** o aluno seleciona as informações em diferentes fontes e desenvolve sua multimídia. Ele é o autor do seu produto e tem condições de refletir sobre os resultados obtidos, se estão de acordo com seus objetivos iniciais. O sistema oferece a oportunidade de avaliar a qualidade das informações apresentadas, se são significativas e coerentes.

- **Jogos educativos:** com o objetivo de motivar e desafiar o aluno, possibilitam uma competição com a máquina ou com o colega. O jogo requer conhecimentos do aluno sobre o conteúdo abordado.

- **Simulação:** vivencia situações difíceis de serem reproduzidas na escola e permite a visualização virtual de situações reais. Existem dois tipos de simulação (fechada e aberta). Na simulação fechada, o aluno não interage com a experiência, ele assiste ao experimento. Na simulação aberta, o aluno elabora suas hipóteses, faz testes, reflete sobre os resultados e chega às suas conclusões. Para que o aprendizado aconteça, é necessário que o aluno levante suas hipóteses, reflita, realize experiências com o computador para a compreensão do fenômeno.

- **Aplicativos:** programas usados para aplicações específicas, como processadores de texto, planilhas eletrônicas, gerenciadores de apresentações e de banco de dados. Não foram desenvolvidos para a área educacional, mas têm aplicações bastante interessantes em várias áreas do conhecimento. Dependendo da criatividade e do domínio do professor, pode ser considerado um programa educacional desde que esteja contextualizado no processo ensino-aprendizagem.

Internet

Considerada como um dos mais importantes e revolucionários progressos da história da humanidade, a internet é uma nova linguagem de comunicação que pressiona a instituição de ensino a rever seu papel na sociedade. Uma das suas principais e importantes características é a possibilidade de construção do conhecimento de forma não linear, o que aumenta consideravelmente o potencial dessa tecnologia para uso educacional.

A internet disponibiliza, com mais facilidade, o acesso às notícias e aos fatos culturais. Se as instituições de ensino souberem fazer bom uso dessa poderosa ferramenta, o aluno poderá incrementar o seu desenvolvimento intelectual. Os computadores e a internet são um importante instrumento. *Ferramenta não é objetivo em si mesmo, é instrumento para outra coisa.*

Há um ditado atribuído aos chineses que diz: "Quando se aponta a lua, bela e brilhante, o tolo olha atentamente a ponta do dedo". A escola é responsável por levar o aluno a olhar a lua por meio da internet em vez de pela ponta do seu dedo. O aprimoramento do senso crítico do aluno é obrigação da escola para uma melhor assimilação da enorme quantidade de informação ofertada pelos vários meios de comunicação.

Pierre Lévy[2] explica o progresso da comunicação entre os povos com a evolução da linguagem. No início da utilização da linguagem, as histórias transmitidas de forma oral eram a maneira encontrada de se passar o conhecimento. Depois, com o aparecimento da linguagem escrita, surgiu a escola. Mais tarde, com a imprensa, houve uma grande mutação em relação ao conhecimento. Atualmente, o ciberespaço gerou grandes transformações culturais.

Ainda segundo Lévy, a próxima transformação virá com a internet semântica, que está sendo desenvolvida há alguns anos e será uma linguagem comum capaz de representar os vários aspectos da vida. A proposta da internet semântica ajudará a selecionar os conteúdos procurados e melhorará a linguagem entre as pessoas que utilizam a tecnologia.

Atualmente, algumas dificuldades são apresentadas na navegação: existe muita informação inútil, nem sempre se encontra o que se quer com facilidade, exigindo disciplina para não se dispersar com tanta informação. Com a criação da internet semântica, a navegação será facilitada.

Os *softwares* listados são aqueles que dispomos no momento, mas, para que efetivamente os professores trabalhem com eles, uma observação deve ser feita: antes de a escola adquirir qualquer ferramenta tecnológica, desde um *software* educacional até uma tecnologia mais sofisticada, os professores que a utilizarão devem analisá-la de modo consciente, com o objetivo de favorecer o conhecimento no processo ensino-aprendizagem e se comprometer com sua aplicação.

Infra-estrutura de *Hardware* e Comunicação

O uso da informática nas escolas teve início com a formação dos laboratórios, que são espaços informatizados com micros ligados em rede, acesso à internet, impressora, *webcam*, *scanner*, entre outros. O professor orienta os trabalhos, e os alunos são divididos, no máximo, em dupla para cada micro.

Os laboratórios são importantes, mas a internet e todos os benefícios que o computador nos proporciona devem ser integrados de maneira natural às salas de aula. Assim, o professor terá mais condições de usar a informática como mais um instrumento no ensino de conteúdos disciplinares.

A presença do computador na biblioteca pode acrescentar informações pesquisadas na internet aos trabalhos dos alunos. Nos seus *e-mails*, muitos deles acessam tarefas elaboradas em suas casas.

Outro aspecto que deve ser valorizado dentro da escola é a montagem de uma sala com vários recursos tecnológicos e acesso à internet à disposição dos professores e dos alunos. Equipamentos integrados ao computador, como projetor multimídia, lousa interativa, vídeo cassete, DVD, vídeo Presenter, podem ser utilizados pelo professor para a preparação de material didático e exposição de sua aula.

---

[2] Congresso Instituto Ayrton Senna e Microsoft – Educação e Tecnologia para o Desenvolvimento Humano.

- Projetor multimídia: projeta a imagem da tela do micro em uma superfície plana que permite a visualização para todos os alunos.

- Lousa interativa: com o auxílio do projetor, a imagem do computador é projetada na lousa. Basta que o professor toque na superfície da lousa interativa para acessar ou controlar qualquer aplicação do computador, tomando notas e destacando informações importantes com tinta eletrônica. O professor congela uma cena de vídeo e interage com ela, grava o conteúdo de qualquer mídia da aula dada e, por exemplo, a disponibiliza no *site* da escola. O aluno não precisa preocupar-se em anotar a aula e fica livre para se concentrar no que está sendo dado.

- Vídeo Presenter: captura imagens de qualquer objeto, possibilitando a exibição em tempo real em um monitor, um projetor multimídia ou até numa televisão comum. O professor pode ampliar uma lâmina de laboratório e projetar a imagem sobre a superfície da lousa eletrônica, fazer anotações sobre ela e explicar todos os passos com mais precisão para os alunos. Uma das grandes vantagens é a possibilidade de o professor utilizar mídias analógicas, como transparências, fotos e slides, para ministrar suas aulas, transformando esses recursos instantaneamente em conteúdos digitais que podem ser manipulados e disponibilizados no servidor da escola ou na internet.

A ESCOLA E O MUNDO EM CONSTANTE TRANSFORMAÇÃO

Quando escrevia este capítulo, assisti, na televisão, a uma matéria sobre uma pesquisa da Unesco (Organização das Nações Unidas para a Educação, Ciência e Cultura) que apontava o Brasil no rodapé do *ranking* educacional. A pesquisa mostra os estudantes brasileiros na faixa etária dos 15 anos com o penúltimo desempenho em matemática e ciências e o 37º em leitura, entre 41 países. Na média das três áreas de conhecimento, o país fica em penúltimo lugar, na frente apenas do Peru.

Pensei que o leitor deste capítulo poderia questionar: o computador não seria supérfluo se nem conseguimos resolver as necessidades básicas da educação?

O computador não é uma panacéia para ser apresentada por um ministro ou um secretário de educação. Ele não veio para salvar a educação, mas para motivar uma reflexão sobre os aspectos envolvidos no processo ensino-aprendizagem. O próprio ritmo de vida que os pais levam, nas grandes cidades, está mudando a forma de comunicação entre escola e família. Muitas famílias preferem receber os comunicados escolares e boletins via *e-mail*, ou ainda acessá-los no portal da instituição de ensino.

É difícil pensar em algo mais presente do que o computador hoje em qualquer área do conhecimento no mundo, nos bancos, supermercados, hospitais, museus e até no tradicional açougue de bairro.

Contudo, não podemos ficar deslumbrados com as constantes inovações tecnológicas, o computador não vai educar ninguém sozinho. O professor Paulo Freire já afirmava: "ninguém educa ninguém, como tampouco ninguém se educa sozinho: os homens se educam em comunhão, mediatizados pelo mundo".

Hoje o mundo e a cultura de massa se confundem. A sua vizinha pode participar da próxima edição do *Big Brother Brasil*. O poder econômico e o político utilizam a força da cultura de massa para alienar e manipular enormes parcelas da população.

Com tanta informação disponível e tanto "lixo" produzido pela cultura de massa, cabe à instituição de ensino formar alunos mais cultos, críticos e reflexivos, com capacidade de opinar.

Como diz Edgar Morin (1987, p.176),

> a cultura de massa fornece ao egoísmo do pequeno-burguês os modelos do prestígio, do padrão, do autocontentamento, como fornece à mediocridade cotidiana sua compensação imaginária.

Trabalho na área da educação há mais de 30 anos e com tecnologia na educação há 17 anos. Em 1992, ao participar do projeto denominado Fast Plant com os alunos do Colégio Augusto Laranja, coordenado pelo professor Uri Marchaim, pesquisador da Escola do Futuro-USP, percebi como a tecnologia poderia revolucionar a escola. O objetivo do projeto era acompanhar o crescimento da planta *Brassica*, cultivada em diferentes condições ambientais.

Recebemos da Universidade de Wisconsin, nos Estados Unidos, um *kit* com reservatório de água, sementeiras, terra apropriada, fertilizantes e sementes especiais para uso em laboratório. Foi montado um sistema adequado de iluminação que permanecia ligado em tempo integral, de controle de temperatura (mínima e máxima) e de fornecimento de água.

Já com todo material necessário para a realização da experiência, os alunos iniciaram o plantio e o acompanhamento no processo de germinação e de desenvolvimento das plantas. Após alguns dias, apareceram as primeiras flores que foram polinizadas para fertilização e formação de sementes. Os alunos eram responsáveis pelo acompanhamento do plantio e pela coleta dos dados da sementeira que eram trocados com escolas brasileiras e, de Israel e dos Estados Unidos.

Os alunos ficaram tão motivados com o projeto que faziam revezamento no Carnaval para a coleta dos dados. Eram estudantes de 13 anos frequentando a escola em pleno Carnaval. Algo de diferente estava acontecendo!!

Estamos no meio de uma grande transformação da sociedade que está causando um profundo impacto nas instituições educacionais já que nela se encontra o maior número de jovens reunido presencialmente.

O professor é o grande agente dessa mudança na escola. Para isso, o investimento maior deve ser feito no corpo docente, com estratégias para aumentar sua autoestima.

Um professor mais motivado terá plenas condições de guiar seus alunos no caminho do processo ensino-aprendizagem, independente de modismos. Dessa forma, a escola poderá confiar ao professor a inserção consciente dos jovens no dinâmico mundo atual.

Como nos lembra o filósofo canadense Pierre Lévy (1999, p. 172): não se trata de usar as tecnologias a qualquer custo, mas sim de *acompanhar consciente e deliberadamente uma mudança de civilização* que questiona profundamente as formas institucionais, as mentalidades e a cultura dos sistemas educacionais e sobretudo os papéis de professor e de aluno.

REFERÊNCIAS

CHAMBERS, Jack A.; SPRETCHER, Jany E. *Computer assisted instruction: current trends and critical issues.* Communication of the ACM, n. 26, 1980.

CHAVES, Eduardo. *Multimídia: conceituação, aplicações e tecnologia.* São Paulo: People Computação, 1991.

_____. *Congresso Instituto Ayrton Senna e Microsoft – Educação e Tecnologia para o Desenvolvimento Humano,* 2003.

COLLINS, Betty. The internet as educational innovation: lessons from experiencewith computer. *Educational Technology Magazine,* New Jersey, USA: EduTec, v. 36, n. 6, p.21-39, Nov/Dez. 1996.

DOWBOR, Ladislau (org.). *Desafios da globalização.* Petrópolis, Rio de Janeiro: Vozes, 1997

LÉVY, Pierre. *As tecnologias da inteligência – o futuro do pensamento na era do conhecimento.* Trad. Carlos Irineu da Costa; revisão Ivana Bentes. Rio de Janeiro p.34. 1998.

_____. *Cibercultura.* Trad. Carlos Irineu da Costa. Rio de Janeiro p.34. 1999.

LEWIS, D et al. *apresentação e texto "Dying for information?", pesquisa conduzida por Benchmarck Reasearch para Reuters.* Londres: Firefly Communication, 1996.

MENDES, Mônica H. *A informática na escola.* Jornal Psicopedagogia, ano I, n. 2.

MORIN Edgar, *Cultura de massas no século XX, o espírito do tempo – 1, NEUROSE.* Rio de Janeiro: Forense Universitária, 1987.

REINHARDT, Andy. *Novas formas de aprender,* São Paulo, v.4, n.3, Byte Brasil.

SERVA, Leão. *Jornalismo e desinformação.* São Paulo: Senac, 2001.

WURMAN, R. S. *Ansiedade de informação.* São Paulo: Cultura, 1991.

STAHL, M. *Formação de professores para uso das novas tecnologias de comunicação e formação.* In: CANDAU (org.). *Magistério: construção cotidiana.* Petrópolis: Vozes, 1997.

MERCADO, Luis Paulo Leopoldo. *Formação continuada de Professores para aprendizagem em ambientes telemáticos*. (Tese mestrado Universidade Católica de S. Paulo-PUC).

MORAN, José Manuel. *Mudanças na comunicação pessoal*. São Paulo: Paulinas, 1998.

_____. Desafios da Internet para o professor. *www.eca.usp.br/prof/moran/desafio.htm*.

NEGROPONTE, Nicholas. *A vida digital*. Trad. Sérgio Tellaroli. São Paulo: Companhia das Letras, 1997.

Capítulo 12

Implantando e Gerindo uma Instituição de Ensino Superior Virtual: *Case* UVB

René Birocchi

INTRODUÇÃO

Uma instituição de ensino superior virtual ou "universidade virtual" (como muitas vezes é denominada) é responsável pela gestão de recursos de aprendizagem baseados em tecnologia *web*. Isso significa dizer que a instituição virtual deve dominar o ciclo completo da relação de ensino e aprendizagem que se estrutura nas novas tecnologias da informação e da comunicação: os processos de produção de conteúdos, a aplicação de cursos, o relacionamento com comunidades virtuais, etc.

Existem diversas formas de uma instituição de ensino regular dar início a essa área nova, que, sem dúvida, poderá impactar positivamente no seu posicionamento estratégico, em pelo menos dois aspectos: *redução de custos* em relação ao ensino presencial e *diferenciação* da instituição, que poderá ver sua imagem associada à inovação tecnológica propiciada por esse novo meio.

A Portaria 2.253, publicada em 18 de outubro de 2001, que permite às instituições de ensino superior transformarem 20% dos seus programas no modelo de educação a distância, é um exemplo típico da possibilidade de ingresso de uma instituição no mundo da educação virtual.

São diversos os caminhos pelos quais uma instituição poderá dar início à oferta de cursos virtuais para os seus alunos: apoio ao ensino presencial; DPs *on-line*; Portaria 2253; cursos de extensão ou pós; e, mais recentemente, cursos regulares de graduação.

O UVB, Instituto Universidade Virtual Brasileira, que é a primeira e mais importante iniciativa privada neste segmento, é formado por um grupo de 10 importantes instituições particulares do país, tendo recebido, em 8 de maio de 2003, o credenciamento e a autorização do MEC para lançar quatro bacharelados por meio da *web*.

Essa autorização representa um importante fato dentro do setor educacional, sinalizando uma grande oportunidade para os gestores de outras instituições de ensino que almejam atuar nesse mercado. No entanto, diversas questões permanecem obscuras para o gestor de uma Instituição de Ensino Superior (IES) que pretende ingressar na educação virtual e lançar um curso superior via *web*. Neste sentido, este capítulo irá abordar o caso do UVB, que é a iniciativa mais relevante do segmento autorizada pelo MEC até hoje.

O UVB, durante mais de três anos, percorreu toda a curva aprendizagem do *e-learning*. Durante esse período, aplicou mais de 20 cursos de extensão universitária, atuou como uma instituição fornecedora para o mercado de treinamento corporativo e prestou consultoria para IES interessadas em adentrar nesse mercado. Foram mais de 10 mil alunos que passaram por seus cursos. No entanto, esses números, mais do que representar qualquer sucesso do empreendimento, representam o conhecimento minucioso de todos os processos que compõem essa nova forma de relação entre o ensino e a aprendizagem.

Assim, o entendimento do caminho percorrido pelo UVB poderá ajudar os gestores de IES que querem se aprofundar neste tema emergente, no sentido de indicar alternativas para suas instituições se transformarem em instituições virtuais.

HISTÓRICO DO INSTITUTO UVB

A Rede Brasileira de Ensino a Distância, ou Instituto UVB, é o resultado da sociedade de 10 instituições de ensino superior do País. Essa associação apoiou-se nos seguintes princípios: soma de competências acadêmicas, compartilhamento de estruturas físicas, integração virtual de bancos de dados, serviços de suporte acadêmico e criação de metodologias e tecnologias inovadoras para a oferta de educação a distância com qualidade.

Essas universidades formam uma rede que, além da pesquisa e da cooperação nas áreas de tecnologia e pedagogia, se apresenta como geradora de conteúdos e de atendimento qualificado para a oferta de cursos a distância. Durante esse período, criou ferramentas de interação em conformidade com padrões internacionais e desenvolveu uma metodologia de aprendizado baseado no modelo cooperativo. Dedicada exclusivamente ao ensino a distância, a rede tem à sua disposição 50 campi espalhados pelo País.

ESTRUTURA ORGANIZACIONAL DE RELACIONAMENTO

O caso do UVB é um exemplo importante de implantação de ensino a distância justamente por ter uma abrangência em nível nacional. No modelo adotado pelo Instituto, cada IES sócia mantém um setor (chamado NEAD ou Núcleo de Educação a Distância) responsável pela atuação do Instituto no âmbito de cada Unidade Federada na qual tenha sua sede, para poder operar, de forma cooperativa (mão dupla), todo o processo seletivo de ingresso acadêmico, de avaliação da aprendizagem (presencial) e de registro e controle acadêmico, utilizando um sistema de gerenciamento de secretaria.

Esse escritório é formado por um funcionário do NEAD da IES, que é um gestor dos processos administrativos/acadêmicos/pedagógicos do NEAD e conhece em profundidade todas as questões relativas a esses processos (criação e produção de disciplinas; sistemas de avaliação; familiaridade com o ambiente virtual de aprendizagem; relacionamento com professores-autores e tutores; atendimento aos alunos – monitoria e suporte técnico; arquivamento de prontuários e registros acadêmicos dos alunos, etc).

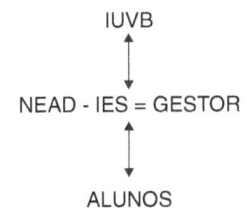

```
         IUVB
          ↕
  NEAD - IES = GESTOR
          ↕
        ALUNOS
```

Esse gestor está capacitado para o esclarecimento de dúvidas dos alunos, ou para encaminhá-las à área de atendimento e suporte ao aluno. Além dessa capacitação, o gestor recebe, como material de apoio, um guia impresso contendo informações sobre todos os processos administrativos, acadêmicos, pedagógicos e técnicos relacionados com os cursos.

A principal função do **gestor** é o atendimento aos candidatos por meio do esclarecimento de dúvidas sobre:

- o processo seletivo (incluída a seleção via Enem);
- as requisições para a inscrição;
- os documentos para a matrícula e rematrícula e os respectivos prazos e pré-requisitos;
- o funcionamento dos cursos;
- os preços dos cursos e a forma de pagamento;
- as requisições técnicas para participação nos cursos;
- os conteúdos programáticos e as ementas;
- as atividades síncronas, por meio de salas de bate-papo (escrito e falado);
- as atividades assíncronas, por meio de leituras, exercícios, trabalhos individualizados e em grupo;
- o sistema de avaliação presencial e a distância;

- a obrigatoriedade da presença nas atividades;
- o uso do ambiente virtual de aprendizagem;
- o acompanhamento pedagógico dos alunos por tutores e monitores;
- o envio e o recebimento de materiais impressos e *on-line*;
- o abono de faltas;
- as revisões das provas e dos trabalhos;
- os pagamentos em atraso;
- os processos de transferência entre turmas e cursos;
- as atividades complementares presenciais e a convalidação dos estudos;
- o credenciamento pelo MEC e a sua autorização para ministrar os bacharelados;
- a certificação dos cursos;
- o funcionamento dos pólos de apoio ao aluno (biblioteca, salas e laboratórios dos campi);
- a emissão da carteirinha de acesso ao campus;
- as áreas de abrangência dos pólos;
- o reaproveitamento de créditos cursados em uma outra instituição;
- a transferência do aluno de uma outra instituição;
- os portadores de deficiências físicas;
- o jubilamento do aluno;
- os atestados e dispensas de atividades;
- a emissão do histórico escolar;
- o Provão.

Além disso, é dele a responsabilidade pelo envio e conferência de documentos dos alunos locais para a secretaria; a coordenação relativa à aplicação dos exames presenciais (seletivos e avaliações das disciplinas) e o interfaceamento para tratar de relacionamentos com eventuais professores locais das IES.

Capacitação dos Gestores dos NEADs

Para manter a qualidade dos seus profissionais, o Instituto UVB promoveu um treinamento interno garantindo uma identidade única em todas as regiões onde atende. Para isso, implementou as estratégias que seguem.

Capacitação presencial dos 10 gestores de cada IES, com fornecimento de manuais contendo todos os procedimentos necessários para um bom relacionamento entre as IES.

Treinamento no uso do sistema administrativo para os gestores, juntamente com um funcionário da área de registro e da secretaria acadêmica de cada IES.

PRODUÇÃO DAS DISCIPLINAS

O primeiro aspecto importante para a produção das disciplinas se refere à linha a ser imprimida aos conteúdos. O Instituto UVB procurou dar ênfase à aplicação dos conteúdos ao mercado, com a inclusão, principalmente, de estudos de casos, visando a um perfil de aluno diferenciado, que já trabalha e procura um aperfeiçoamento, porém que não pode participar de um curso de graduação presencial.

O segundo aspecto importante foi a decisão do UVB em relação à produção das disciplinas: a produção deveria ser centralizada ou distribuída nas IES que compõem a Rede?

O Instituto UVB possui uma equipe multidisciplinar experiente na produção de cursos a distância para o varejo (venda direta de cursos) e para o mercado corporativo (fornecimento de conteúdos de *e-learning* voltados para o treinamento corporativo). Com a sua produção centralizada, o UVB atende as suas diversas demandas em um curto espaço de tempo: a coordenação é centralizada, toda produção segue o mesmo padrão, e a implementação é fácil e rápida.

Para produção das disciplinas, o UVB segue os seguintes passos:

Composição dos Programas dos Cursos

A composição dos programas dos cursos foi realizada pelos coordenadores de curso das IES associadas, em conjunto com a Coordenação Pedagógica do UVB.

Essa elaboração levou em conta as competências e habilidades necessárias ao profissional de cada área, tendo em vista as particularidades da modalidade do curso *on-line*. Para garantir uma proposta eficaz, foi realizada uma seleção criteriosa das disciplinas, para que fossem asseguradas todas as condições de aprendizagem necessárias a cada situação.

Programa das Disciplinas

Concluído o processo de elaboração dos programas dos cursos, o segundo passo foi o desenvolvimento dos programas das disciplinas.

Para a realização desta etapa foram convocados professores das IES associadas. Todos os professores envolvidos são especialistas nas áreas de negócios e com larga experiência no magistério superior.

A elaboração dos programas e conteúdos de cada disciplina baseou-se na relevância e na aplicabilidade dos saberes, levando em conta os fatores sociais e temporais que implicam a atualização das informações.

Esse processo foi totalmente acompanhado pelos coordenadores de curso e pelos profissionais da Coordenação Pedagógica e Acadêmica do UVB.

Revalidação dos Programas

Finalizada a elaboração dos programas das disciplinas, a direção da Instituição entendeu que seria importante reconduzi-los a um olhar crítico dos especialistas das IES, com o objetivo de atender plenamente os aspectos regionais dos conteúdos a serem ministrados. Neste sentido, foram convocados os conselheiros do CEPE (Conselho de Ensino Pesquisa e Extensão), que é um órgão deliberativo e de assessoramento do UVB em matéria de ensino, pesquisa e extensão.

O CEPE é formado por representantes acadêmicos e técnicos das IES associadas, e entre suas responsabilidades está a deliberação sobre os programas e os conteúdos dos cursos.

O processo de revalidação dos programas permitiu aos especialistas de todas as IES contribuírem nos programas das disciplinas suprimindo, substituindo ou atribuindo novas informações.

A operacionalização dessa estratégia foi realizada de forma clara e aberta. Foi criada uma extranet na qual foram disponibilizadas as sugestões de cada IES para apreciação de todos os conselheiros das IES.

Para concluir os trabalhos, foram realizados encontros síncronos, utilizando-se uma ferramenta de colaboração via *web*.

Nessas reuniões, foram debatidos os diferentes aspectos programáticos sugeridos anteriormente e deliberadas as modificações a serem realizadas nos conteúdos dos programas.

Professores – Autores

A produção dos cursos teve início com o desenvolvimento dos conteúdos elaborados por professores-autores das instituições que compõem o UVB e de outras instituições de renome que não fazem parte da rede.

Antes de iniciarem a elaboração dos conteúdos, os professores-autores passaram por um processo de capacitação, para adequarem os seus conteúdos ao modelo de ensino *on-line*.

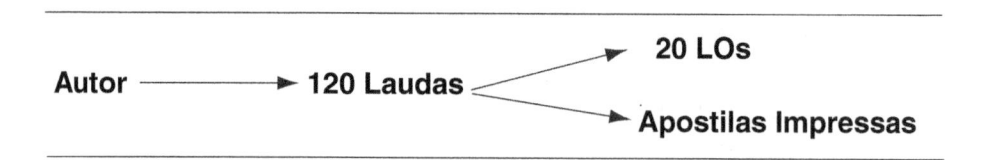

Autor ⟶ 120 Laudas ⟶ 20 LOs
⟶ Apostilas Impressas

Produção dos Conteúdos

Após a elaboração e a entrega dos conteúdos, inicia-se a fase de roteirização que consiste no planejamento do desenvolvimento detalhado das aulas, por meio de *instructional designers* e da coordenação pedagógica do UVB.

Para que se tenha uma visualização mais objetiva do que vem a ser o roteiro, segue um exemplo ilustrativo:

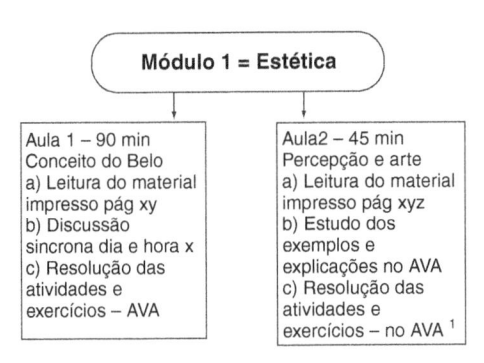

```
                    Módulo 1 = Estética
                    ┌──────────┴──────────┐
        Aula 1 – 90 min              Aula2 – 45 min
        Conceito do Belo             Percepção e arte
        a) Leitura do material       a) Leitura do material
        impresso pág xy              impresso pág xyz
        b) Discussão                 b) Estudo dos
        sincrona dia e hora x        exemplos e
        c) Resolução das             explicações no AVA
        atividades e                 c) Resolução das
        exercícios – AVA             atividades e
                                     exercícios – no AVA ¹
```

A roteirização está pautada na divisão das unidades temáticas em módulos com duração média de três horas (quatro horas/aula) para as disciplinas de 80 horas. Cada módulo é dividido em aulas que contemplam conceitos, atividades e exercícios, estudos de casos e exemplificações.

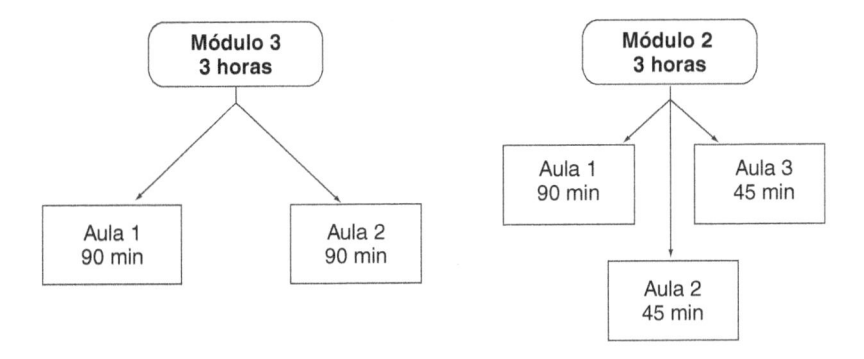

```
        Módulo 3                        Módulo 2
        3 horas                         3 horas
    ┌──────┴──────┐              ┌─────────┴─────────┐
  Aula 1       Aula 2          Aula 1            Aula 3
  90 min       90 min          90 min            45 min
                                    │
                                 Aula 2
                                 45 min
```

Nesta etapa, ainda, definem-se quais e como serão os objetos de aprendizagem para cada conteúdo e quais são os temas, a forma de abordagem e o material disponível para as atividades síncronas relativas ao conteúdo.

---

[1] Ava – este texto utiliza o termo AVA como a abreviação de "Ambiente Virtual de Aprendizagem"; também é utilizado de forma indistinta para designar o *software* ou a plataforma de gestão da aprendizagem (Learning Content Management System).

- Cada disciplina de 80 horas contém, em média, 20 objetos de aprendizagem, 5 horas de aulas síncronas por meio de uma ferramenta de colaboração e 4 horas presenciais para aplicação de exame final.

- Cada disciplina de 40 horas contém, em média, 10 objetos de aprendizagem, 2,5 horas de aulas síncronas por meio de uma ferramenta de colaboração e 2 horas presenciais para aplicação de exame final.

Os objetivos e a concepção dos objetos de aprendizagem são definidos pela própria equipe, que decide seguindo os pré-requisitos:

- desenvolvimento em conformidade com padrão SCORM;[2]
- verificação do conteúdo submetendo-o à ferramenta *Conformance Test Suite*.

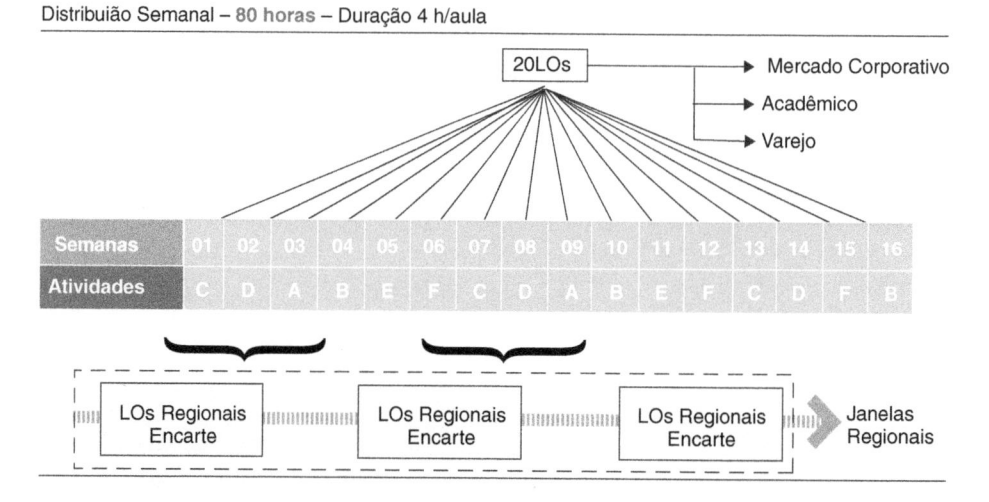

Distribuião Semanal – **80 horas** – Duração 4 h/aula

No processo de roteirização das disciplinas, é produzida uma guia de projeto que serve de apoio para a produção da equipe de *designers* contendo:

- Escopo do projeto.
- Tema com descrição.
- Módulos com as respectivas descrições.
- Estrutura.
- Links e referências.
- Referências bibliográficas.

---

[2] *Sharable Content Object Reference Model* ou Modelo de Referência de Objetos de Conteúdo Compartilhados.

- Objetivos gerais e específicos.

- Mapa geral e detalhado com a árvore de composição do curso, conforme o esquema a seguir.

> **Ajuda Inicial**
> **Menu Principal da Disciplina**
> **Pré-teste**
> **Tela 1 do pré-teste**
> **Tela 2 do pré-teste**
> ...
> **Tela _n_ do pré-teste**
> **Módulo 1**
> **Lição 1 do módulo 1**
> **Tela 1 da lição 1**
> **Tela 2 da lição 1**
> ...
> **Tela _n_ da lição 1**
> **Lição 2 do módulo 1**
> **Tela 1 da lição 2**
> **Tela 2 da lição 2**
> ...
> **Tela _n_ da lição 2**
> ...
> **Módulo _n_**
> **Avaliação Final**
> **Tela 1 da avaliação final**
> **Tela 2 da avaliação final**
> ...
> **Tela _n_ da avaliação final**

Após a roteirização dos conteúdos e elaboração da guia de projeto, a equipe de *designers* e programadores inicia o processo de montagem das disciplinas no padrão SCORM. Anteriormente à produção das disciplinas, elabora-se um *storyboard* em *Powerpoint* para que os coordenadores responsáveis pelo projeto possam validá-lo (ver figura na p. 210).

Ao final da produção, os módulos são entregues para alocação no ambiente de aprendizagem (LCMS).

Para as aulas síncronas, são produzidos materiais de apoio para o professor, como apresentações em *Powerpoint,* planilhas em *Excel* e outros, baseados nos conteúdos elaborados pelos professores-autores.

Material Impresso

Além do desenvolvimento dos conteúdos digitais para serem ministrados pela internet, há a produção de material impresso baseado nos conteúdos digitais e um caderno de exercício por disciplina para o aluno aprofundar seus conheci-

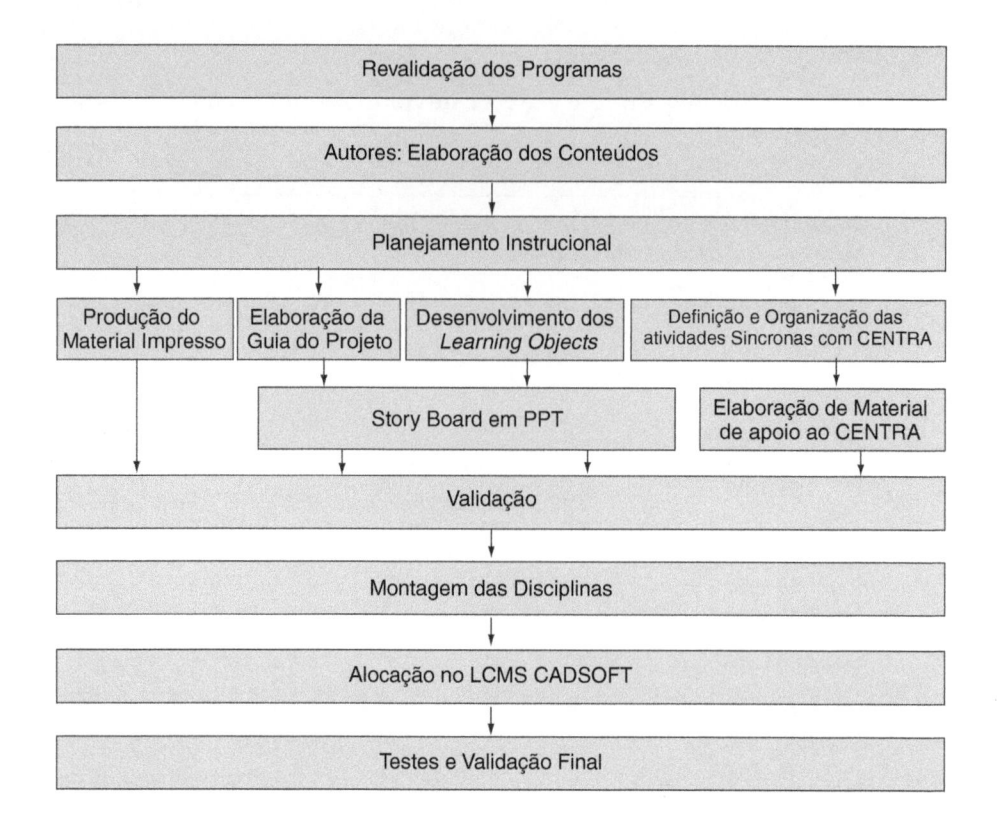

```
┌─────────────────────────────────────────────┐
│         Revalidação dos Programas           │
└─────────────────────┬───────────────────────┘
                      ▼
┌─────────────────────────────────────────────┐
│     Autores: Elaboração dos Conteúdos       │
└─────────────────────┬───────────────────────┘
                      ▼
┌─────────────────────────────────────────────┐
│           Planejamento Instrucional         │
└──┬──────────┬──────────────┬────────────┬───┘
   ▼          ▼              ▼            ▼
┌──────┐ ┌──────────┐ ┌────────────┐ ┌──────────────┐
│Produção│ │Elaboração│ │Desenvolvim.│ │Definição e   │
│do Mat. │ │da Guia do│ │Learning    │ │Organização   │
│Impresso│ │Projeto   │ │Objects     │ │ativid. CENTRA│
└───┬────┘ └────┬─────┘ └─────┬──────┘ └──────┬───────┘
               ┌──────────────┐        ┌──────────────┐
               │Story Board   │        │Elaboração de │
               │em PPT        │        │Mat. apoio CEN│
               └──────┬───────┘        └──────┬───────┘
                      ▼                       ▼
┌─────────────────────────────────────────────┐
│                  Validação                   │
└─────────────────────┬───────────────────────┘
                      ▼
┌─────────────────────────────────────────────┐
│           Montagem das Disciplinas          │
└─────────────────────┬───────────────────────┘
                      ▼
┌─────────────────────────────────────────────┐
│         Alocação no LCMS CADSOFT            │
└─────────────────────┬───────────────────────┘
                      ▼
┌─────────────────────────────────────────────┐
│          Testes e Validação Final           │
└─────────────────────────────────────────────┘
```

mentos. A construção do material impresso utiliza as melhores práticas de material e arte gráfica. Esta qualidade é imprescindível, pois é a forma mais tangível de contato do aluno com o UVB.

A figura da página seguinte demonstra, de forma esquemática, o processo de produção e de aplicação.

MINISTRAÇÃO DAS DISCIPLINAS

Para o processo de ministração das aulas, dois recursos são essenciais: material didático e acompanhamento docente.

Ao mesmo tempo em que são produzidos os materiais impressos e digitais, tem início todo o processo de estrutura de recursos humanos e físicos para a aplicação das aulas assíncronas e síncronas.

A metodologia de trabalho adotada no UVB prevê a participação de elementos essenciais ao processo de acompanhamento do aluno:

Diagrama

```
Formas de entrega          Produção
das aulas
mat.impresso -
a.v.a - centra

                    Coord. Curso    Professores    Coord.Pedagógico iuvb
Planejamento da Disciplina

                                          Prospecção e Compra: Direitos
                                          autorais Material Impresso
    Professores                           **Equipe Pedagógica**
         ↓    ↓      { Roteirização  →    Desenvolvimento dos objetos de
      Coord.            de Aulas          Aprendiz A.V.A
   Pedagógico iuvb                        Treinamento e gerenciamento das
                                          Ativ. Sincronas

                      Professores  →   **Montagem das Aulas A.V.A**
   Equipe Pedagógica

     Professores   +   Monitor    →   Tutoria das Aulas
```

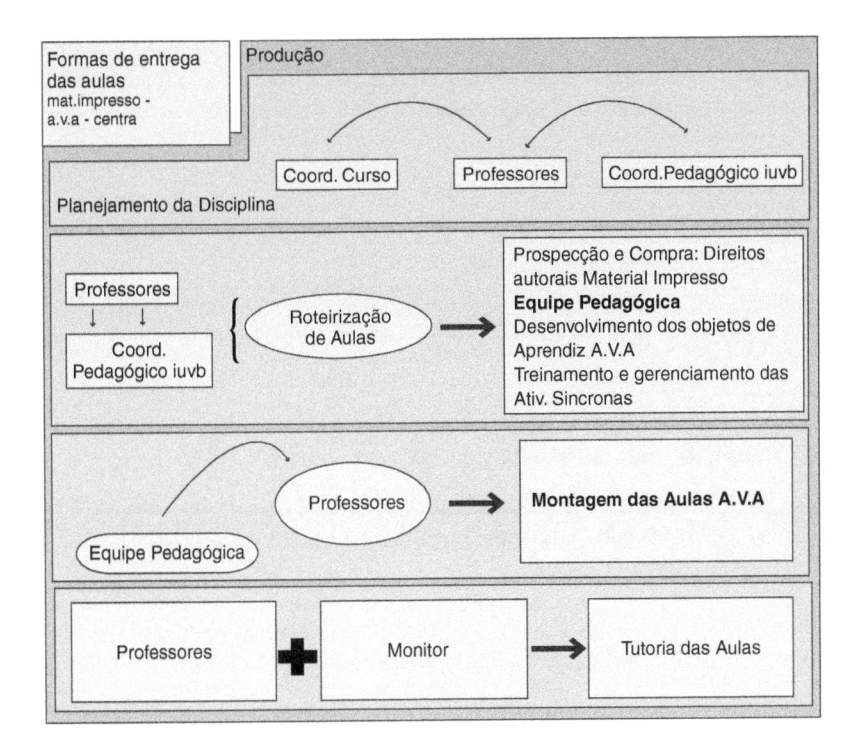

Professores-Tutores

Durante a aplicação dos cursos, o aluno é acompanhado por um professor-tutor, em cada disciplina, que está presente nas atividades síncronas e oferecendo suporte às atividades assíncronas. O tutor é o responsável por ministrar aulas síncronas via *web* conferência ou *chat*, acompanha o desenvolvimento de cada aluno sobre a disciplina ministrada, assistindo-o em trabalhos, dúvidas, fóruns, etc.

São responsabilidades do professor-tutor a elaboração e a correção das avaliações realizadas na disciplina. Esta atividade é realizada exclusivamente pelo tutor.

Monitor

Este agente atua como um intermediário entre os alunos e os professores-tutores, auxiliando na resolução de questões simples pertinentes ao conteúdo e no encaminhamento das situações mais complexas aos professores-tutores; na publicação e pesquisa de materiais adicionais; na publicação de atividades síncronas e assíncronas; na organização dos trabalhos e pendências de avaliação, entre outras.

O monitor auxilia os alunos na organização de suas agendas de encontros síncronos, oferecendo informações e esclarecimentos gerais sobre o funcionamento do curso, atendendo às dúvidas de utilização do sistema tecnológico, entre outras.

Coordenadores de Curso

Os coordenadores de curso coordenam e orientam todas as atividades relacionadas aos cursos. Eles têm como função:

- administrar as atividades acadêmicas relacionadas ao curso;
- indicar ao coordenador acadêmico a contratação e a dispensa de professores;
- distribuir entre o corpo docente as disciplinas de cada semestre de acordo com suas especialidades e disponibilidades;
- planejar, juntamente com os docentes, os planos de ensino de cada disciplina, bem como as estratégias pedagógicas a serem utilizadas;
- acompanhar o desempenho docente na realização de suas tarefas;
- acompanhar o processo de avaliação, observando os resultados e reavaliando os procedimentos acadêmicos para sua maximização;
- atender os alunos presencialmente ou a distância, sempre que necessário;
- gerenciar (ou indicar um responsável pelo acompanhamento de) todo o processo referente às atividades presenciais, desde a pesquisa e a informação atualizada até sua normatização e convalidação;
- conferir grau, assinar diplomas e certificados;
- analisar documentação relativa a adaptações e dispensa de disciplinas já cursadas pelo aluno que assim o requisitar;
- acompanhar as pesquisas e avaliações indicadoras de qualidade realizadas pelo corpo docente e pelo discente;
- apresentar ao coordenador acadêmico todas as informações necessárias para elaboração dos calendários;
- auxiliar o coordenador acadêmico na atualização dos calendários de atividades acadêmicas, com dados colhidos junto a cada uma das IES que compõem a rede;
- apresentar ao coordenador acadêmico proposta de treinamentos e atualizações para a equipe docente;
- ministrar apresentações e palestras dentro e fora da organização, sempre que solicitado.

Coordenador Acadêmico

Além dos coordenadores de curso, e, inclusive, acima deles, há um coordenador acadêmico responsável pela coordenação e pela orientação de todas as atividades relacionadas aos cursos, tais como:

- Escolha e adequação dos programas de curso e currículos.
- Contratação e dispensa de professores.
- Supervisão dos trabalhos da Secretaria Geral.
- Definição dos calendários de todos os cursos, bem como gerenciamento dos encontros presenciais para realização de avaliações e outros que se fizerem necessários.
- Gerenciamento dos coordenadores de curso no processo de informação, realização e normatização das atividades complementares presenciais em cada curso.
- Apresentação das normas acadêmicas que servem de balizamento para a elaboração de manuais de alunos e professores, bem como do material para divulgação.
- Acompanhamento do desempenho dos coordenadores dos cursos quanto à análise de processos de adaptações, transferências, dependências e matrículas especiais.
- Acompanhamento das pesquisas e avaliações indicadoras de qualidade realizadas pelo corpo docente e pelo discente.
- Atualização dos calendários de atividades acadêmicas, com dados colhidos junto a cada uma das IES que compõem a rede.
- Realização de pesquisas e fomento aos treinamentos para a equipe docente.
- Elaboração de apresentações e palestras dentro e fora da organização.

Estrutura Física

O projeto físico está baseado na montagem de células de trabalho para cada conjunto de um professor e um monitor, equipadas com um computador, acesso à rede interna e à internet.

No mesmo local, estão localizados os coordenadores, com salas próprias, a secretaria acadêmica e a equipe de suporte técnico.

As relações didático-pedagógicas entre a instituição e os alunos estão baseadas no fomento, na interação e no acompanhamento de turmas virtuais de 30 alunos por professores-tutores e monitores. Cada conjunto de professor-tutor e monitor é responsável pela gestão de 5 classes virtuais (150 alunos).

Durante o semestre, o aluno cursará, em média, 6 disciplinas. Tomando como exemplo o curso de Administração, temos:

1. Filosofia - 80 horas
2. Comunicação e Expressão - 80 horas
3. Gestão Empresarial - 80 horas
4. Matemática Básica - 80 horas
5. Direito I - 40 horas
6. Informática - 40 horas

As disciplinas serão ministradas simultaneamente, no período de 16 semanas. A duração das aulas fica assim estabelecida:

Filosofia – 80 horas/aula

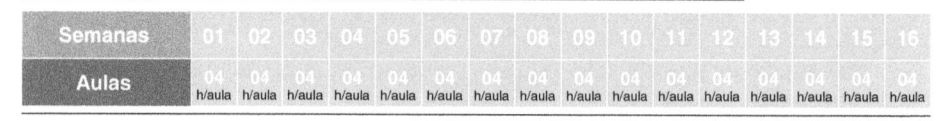

Semanas	01	02	03	04	05	06	07	08	09	10	11	12	13	14	15	16
Aulas	04 h/aula	04 h/aula	04 h/aula	04 h/aula	04 h/aula	04 h/aula	04 h/aula	04 h/aula	04 h/aula	04 h/aula	04 h/aula	04 h/aula	04 h/aula	04 h/aula	04 h/aula	04 h/aula

Informática – 40 horas/aula

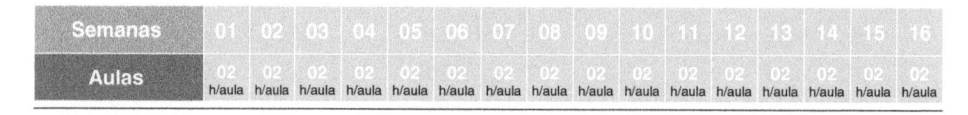

Semanas	01	02	03	04	05	06	07	08	09	10	11	12	13	14	15	16
Aulas	02 h/aula	02 h/aula	02 h/aula	02 h/aula	02 h/aula	02 h/aula	02 h/aula	02 h/aula	02 h/aula	02 h/aula	02 h/aula	02 h/aula	02 h/aula	02 h/aula	02 h/aula	02 h/aula

Seguindo esta divisão, a instituição elaborou propostas de atividades para cada uma das semanas:

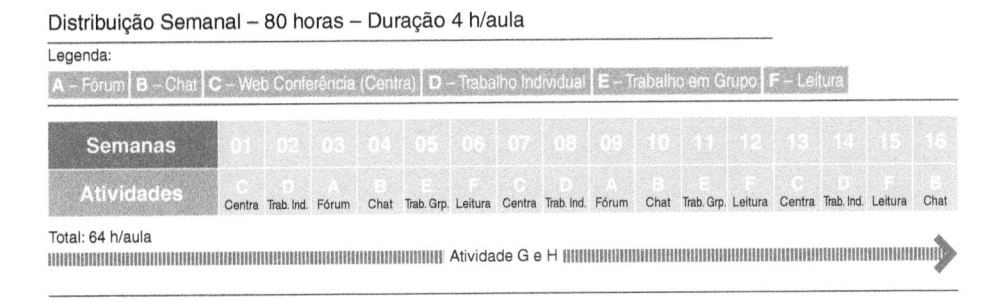

Distribuição Semanal – 80 horas – Duração 4 h/aula

Legenda:
| A – Fórum | B – Chat | C – Web Conferência (Centra) | D – Trabalho Individual | E – Trabalho em Grupo | F – Leitura |

Semanas	01	02	03	04	05	06	07	08	09	10	11	12	13	14	15	16
Atividades	C Centra	D Trab. Ind.	A Fórum	B Chat	E Trab. Grp.	F Leitura	C Centra	D Trab. Ind.	A Fórum	B Chat	E Trab. Grp.	F Leitura	C Centra	D Trab. Ind.	F Leitura	B Chat

Total: 64 h/aula

||||||||||||||||||||||||||||||||||||||||||||||| Atividade G e H |||||||||||||||||||||||||||||||||||||||||||||||||

As propostas de atividades descritas no semanário fazem menção às tarefas de produção e interação entre alunos e professores.

Também estão previstas atividades de leitura e estudo individual e em grupo, ampliação dos conteúdos por meio de pesquisas, consultas ao tutor, entre outras.

Exemplo:

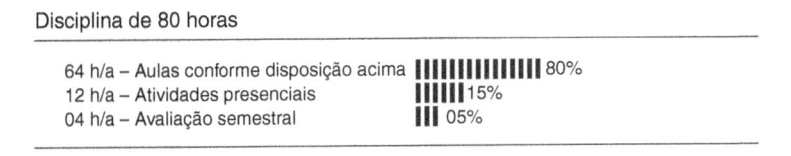

Disciplina de 80 horas

64 h/a – Aulas conforme disposição acima |||||||||||||||| 80%
12 h/a – Atividades presenciais ||||||| 15%
04 h/a – Avaliação semestral ||| 05%

Cada tutor e cada monitor estarão responsáveis por 5 turmas de 30 alunos cada uma. Para ministrar as aulas com o máximo de eficácia, o tempo das atividades foi estimado conforme segue.

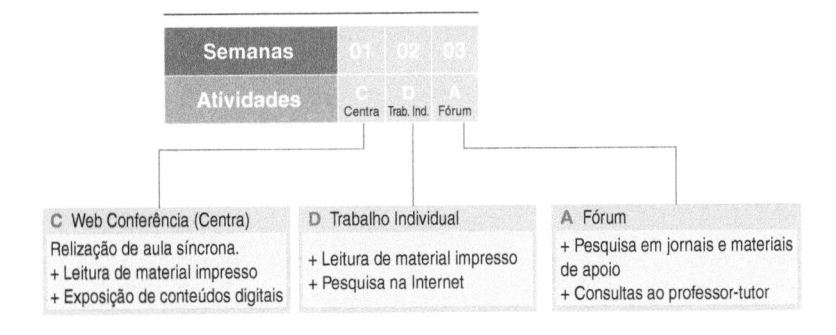

Semanas	01	02	03
Atividades	C Centra	D Trab. Ind.	A Fórum

C Web Conferência (Centra)
Relização de aula síncrona.
+ Leitura de material impresso
+ Exposição de conteúdos digitais

D Trabalho Individual
+ Leitura de material impresso
+ Pesquisa na Internet

A Fórum
+ Pesquisa em jornais e materiais de apoio
+ Consultas ao professor-tutor

Tutoria (por turma)

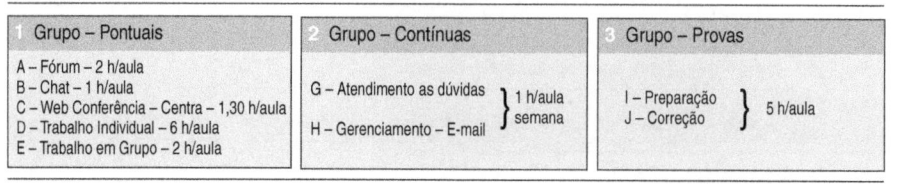

1 Grupo – Pontuais	2 Grupo – Contínuas	3 Grupo – Provas
A – Fórum – 2 h/aula B – Chat – 1 h/aula C – Web Conferência – Centra – 1,30 h/aula D – Trabalho Individual – 6 h/aula E – Trabalho em Grupo – 2 h/aula	G – Atendimento as dúvidas } 1 h/aula H – Gerenciamento – E-mail } semana	I – Preparação } 5 h/aula J – Correção

Somatória dos tempos (5 turmas)

Atividades Grupo 1 – 33,5 h/aula x 5 turmas = 167,5 h/aula
Atividades Grupo 2 – 16 h/aula para todas as turmas
Atividades Grupo 3 – 5 h/aula x 5 (turmas) = 25 h/aula } 208,5 h/aula por semestre letivo

Tempo de dedicação tutor: 13 h/aula por semana

Monitoria (por turma)

1 Grupo – Pontuais	2 Grupo – Contínuas
A – Fórum – 2 h/aula B – Chat – 1 h/aula C – Web Conferência – Centra – 1,30 h/aula D – Trabalho Individual – 3 h/aula E – Trabalho em Grupo – 1 h/aula	G – Atendimento às dúvidas H – Gerenciamento – E-mail } 6 h/aula por dia I – Pesquisa

Somatória dos tempos (5 turmas)

Atividades Grupo 1: 22,5 x 5 t = 112,5 ÷ 4m = 28,13 ÷ 4 s = 7 h/aula por semana
Atividades Grupo 2: 35 h/aula para todas as turmas por semana } 44 h/aula por semana

Tempo de dedicação monitor: 44 h/aula por semana

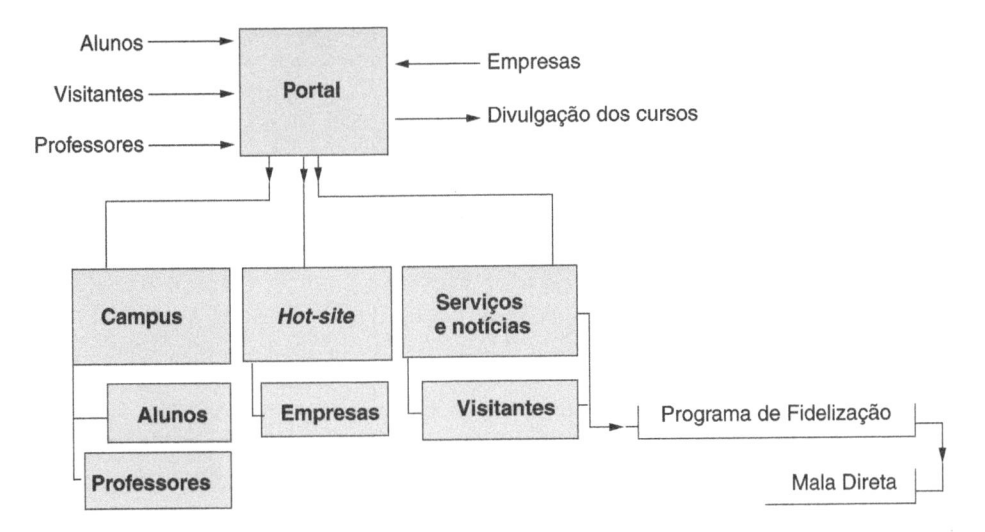

PORTAL

```
Alunos ──────▶ ┌─────────┐ ◀────── Empresas
Visitantes ──▶ │ Portal  │
Professores ─▶ │         │ ──────▶ Divulgação dos cursos
               └─────────┘
```

```
┌─────────┐  ┌──────────┐  ┌──────────┐
│ Campus  │  │ Hot-site │  │ Serviços │
│         │  │          │  │ e notícias│
└─────────┘  └──────────┘  └──────────┘
     │            │              │
┌─────────┐  ┌──────────┐  ┌──────────┐   ┌─────────────────────┐
│ Alunos  │  │ Empresas │  │Visitantes│──▶│Programa de Fidelização│
└─────────┘  └──────────┘  └──────────┘   └─────────────────────┘
┌─────────────┐                                      │
│ Professores │                             ┌─────────────┐
└─────────────┘                             │ Mala Direta │
                                            └─────────────┘
```

O Portal é a porta de entrada para uma instituição virtual. Além de oferecer os cursos, informações e serviços diversos para o aluno, deve também ser atraente para despertar o interesse de visitantes, seja para conhecer melhor a instituição seja para visitá-la esporadicamente.

O Portal do UVB tem duas áreas. Uma é aberta e nela estão os serviços de apoio ao estudante, como recursos didáticos (*links* para bibliotecas, *sites* de jornais e revistas, etc.), notícias e atualidades e outros serviços, além de informações sobre a instituição ("quem somos") e as ementas dos cursos.

Na área fechada, estão os cursos, que são acessados somente com a digitação de um *login* e uma senha. Neste espaço, o aluno, além de poder frequentar o ambiente virtual de aprendizagem, tem acesso normal a todos os serviços abertos.

O cadastro de visitantes é facultativo e garante apenas o envio de boletins informativos e outros serviços, como *chats* abertos, etc.

O UVB tem como objetivo criar um campus virtual, mantendo o panorama de serviços e divulgando os produtos oferecidos pelo Instituto (cursos de graduação e extensão), garantindo assim uma fidelização maior dos seus visitantes. Neste sentido, o portal irá integrar-se com um *software* de CRM que será o responsável pela gestão de todos os processos de fidelização dos usuários e pela realização de diversas ações de comunicação e *marketing*, como *e-mail marketing*, publicação de informações segmentadas, etc.

O portal agrega, também, áreas específicas para o mercado empresarial, com a divulgação diferenciada dos serviços que oferece para o segmento corporativo, além de ser uma ferramenta para vendedores externos, com tabelas de preços, modelos de contrato e protótipos de demonstração para apresentações externas (Manual Corporativo).

Os serviços de ajuda e o acesso aos recursos didáticos têm seu acesso condicionado ao preenchimento de um cadastro prévio. Para poder fazer pesquisas e utilizar ferramentas como bibliotecas, o visitante terá de incluir seu nome e *e-mail* em um formulário eletrônico. O objetivo da instituição é a criação de um banco de dados para o envio de boletins e informativos sobre os cursos (mala-direta), além de ser um excelente programa de fidelização, transformando um visitante esporádico em um cliente fiel, já que os serviços são entregues sem nenhum pagamento.

Essa estratégia é usada por diversos portais, como UniVir e Universia. Outros serviços interessantes, como *e-mail* gratuito, deverão ser introduzidos gradativamente com o objetivo de gerar maior personalização dos serviços e, consequentemente, maior fidelização do usuário.

Os serviços e os recursos didáticos estão acessíveis na área de estudo de cada estudante, como, por exemplo, Midiateca, *chat*, fórum, entre outros. Assim, cria-se para o aluno a sensação de pertencimento a uma comunidade acadêmica, na qual alunos e professores promovem seus encontros virtuais por meio do ambiente virtual de aprendizagem.

Os professores têm à sua disposição uma área para elaboração de suas disciplinas e de suas apresentações virtuais síncronas. Uma ferramenta de autoria e de desenvolvimento de conteúdos bastante amigável permite aos professores, após uma capacitação prévia, construir os seus materiais de apoio didático de forma simples e rápida. O resultado da produção dos conteúdos desenvolvidos é colocado em um grande repositório de conteúdos, do qual os professores poderão lançar mão para a criação de novas disciplinas. Esse processo está apoiado no conceito repositório de *learning objects*, que visa à construção de um grande banco de objetos reutilizáveis destinados ao uso de professores-autores na elaboração de suas aulas e materiais de apoio. Essa ferramenta de autoria permite a produção dos *learning objects* de acordo com o padrão SCORM, que viabiliza a reutilização dos referidos objetos em materiais diversos, como aulas, slides de apresentação, etc. A grande vantagem desse processo recai sobre dois importantes aspectos: viabiliza a produção em escala dos conteúdos diretamente pelos professores e permite a criação de eixos transversais entre as disciplinas, por meio da concatenação de objetos de aprendizagem criados originalmente com a finalidade única de cobrir um certo tema na aplicação de uma determinada disciplina.

Além disso, esse tipo de ambiente permite a criação de uma comunidade docente, na qual os professores de diversos locais e com diferentes pontos de vista podem discutir sobre o processo de criação dos cursos, ampliando seus conhecimentos e trocando experiências.

Como em um campus tradicional, o campus virtual tem um pátio, no qual os alunos e professores podem criar comunidades de discussão, promovendo conversas sobre assuntos acadêmicos ou extraclasse. O pátio ajuda a promover uma interação maior entre os membros da comunidade da IES, permitindo uma aproximação entre todos. Alunos podem formar grupos de estudo com colegas de turma e professores podem trocar idéias sobre temas e tópicos para as suas atividades, etc.

REFERÊNCIAS

ALVES, João Roberto Moreira. *A educação a distância no Brasil: síntese histórica e perspectivas.* Rio de Janeiro: Instituto de Pesquisas Avançadas em Educação, 1994.

AMARAL. A. A. P. F. *Abordagem colaborativa à gestão do conhecimento: soluções educativas virtuais.* Dissertação (Mestrado) – Universidade Portucalense, 2002.

AZEVEDO, Wilson. *EAD antes e depois da Internet.* Disponível em: <http://www.estudefacil.com.br>. Acesso em: 8 maio 2003.

BRANDON-HALL. *Is the Holy Grail of Integration Close at Hand?* Disponível em: <http://www.brandon-hall.com>. Acesso em: 2001.

BUSINESS 360. *E-Learning Market Overview.* Disponível em: <http://www.business360.com>. Acesso em: jul. 2000.

CHUTE, A.G. et al. *The McGraw-Hill handbook of distance learning.* New York: McGraw-Hill.

CORPORATE FOUNDATIONS FOR E-LEARNING SUCESS. *The Third Annual Xbec McGraw-Hill Survey into the Use and Take Up of On-Line Learning amongst UK Training Professionals.* Disponível em: <http://www.xbec-online.com>. Acesso em: out. 2000.

DRUCKER, Peter. E-ducação. *Exame Digital,* São Paulo, p. 65-67, jun. 2000.

E-LEARNING SURVEY RESULTS 2001. *A Survey Conducted by Epic Group Plc Among Representatives of 50 Leading UK Organisations, to Assess Current and Future Trends In E-Learning.* Disponível em: <http://www.epic.co.uk>. Acesso em: mar. 2001.

EUROPEAN INSTITUTE FOR E-LEARNING. *Competences for E-learning.* Disponível em: <http://www.eife-l.org>. Acesso em: 2001.

FAGUNDES, Lea da Cruz et al. *Aprendizes do futuro: as inovações começaram.* Programa Nacional de Informática na Educação (PROINFO/MEC), Laboratório de Estudos Cognitivos (LEC/UFRGS), 1999. Coleção Informática para a Mudança na Educação.

HALL, B. *E-learning for enterprise what network planners need to know.* Packet – Cisco Systems Users Magazine, 2000.

____. New Study Seeks to Benchmark Enterprises with Word-Class E-learning in Plac. *E-Learning,* v. 1, n. 1, p. 18-29, 2000.

____. *Web-based training cookbook.* New York: Wiley, 1997.

HALL, B.; ADKINS, Sam S. *Market Analysis of the 2002 U.S. E-Learning Industry*: Convergence, Consolidation and Commoditization. Brandon-Hall.com, 2002.

HALL , B.; SNIDER, A. *Glossary: the hottest buzz words in the industry.* E-Schreiber, D. A., & Berge, Z. L. 1998.

IDC. BR. *Brazil e-Learning Market and Trends 2001.* ago. 2001.

KEEGAN, D. *Foundations of distance education.* 2. ed. London: Routledge. 1991.

LANDIM, C. M. M. P. F. *Educação à distância: algumas considerações.* Niterói: s. Ed., 1998.

LARSON, R. C.; STREHLE, G. P. *Edu-tech: what's a president to do?* Center of Advanced Educational Services Massachusetts Institute of Technology, 2000.

MAIA, C. *Guia brasileiro de educação a distância 2002/2003.* São Paulo: Editora Esfera, 2002.

McISAAC, Marina; RALSTON, Kelvin. *Third Generation Distance Learning.* Educational Media and Computer Program at Arizona State University. Disponível em: <http://seamonkey.ed.asu.edu/~mcsiaac/disted/week1/2focuslt.html>. Acesso em: 24 out. 1997.

MORAN, José Manuel; MASETTO, Marcos; BEHRENS, Marilda. *Novas tecnologias e mediação pedagógica*. São Paulo: Papirus, 2000.

Noções de educação a distância. Disponível em: <http://www.colegioeinstein.com.br/consuelo.html>.

NUNES, I. B. Educação a distância e o mundo do trabalho. *Tecnologia Educacional*, Rio de Janeiro, v. 21, n. 10, jul./ago. 1992. ABT.

____. *Revista Educação a Distância*, Brasília, n. 4/5, p. 7-25, dez./93-abr./94. Disponível em: <http://www.intelecto.net/ead/ivonio1.html>. Instituto Nacional de Educação a Distância.

PALDÊS, R. A. *O uso da internet na educação superior de graduação: estudo de caso de uma universidade pública brasileira*. Dissertação (Mestrado)—Universidade Católica de Brasília, 1999.

SIMÕES, L. et al. *Educação e redes digitais potencialidades para uso da infovia CNI*. CNI/UPET, out. 2000.

WENTILING, T. L. et al. *E-Learning – A Review of Literature*. Urbana-Champaign: University of Illinois, set. 2000. Knowledge and Learning Systems Group.

____. *The future of e-learning: a corporate and an academic perspective*. Urbana-Champaign: University of Illinois, 2000. Knowledge and Learning Systems Group.

Parte IV
Gestão Aplicada aos Segmentos

Capítulo 13

Gestão Universitária em Tempos de Mudança

Paulo Antonio Gomes Cardim

INTRODUÇÃO

A questão de como gerenciar uma instituição de ensino superior na fase atual do conhecimento tem preocupado todos os dirigentes em escalas diferenciadas, segundo o ambiente em que se encontram, o grau de complexidade de sua organização e o próprio nível de comprometimento com o futuro.

A questão da organização universitária e seu processo de gestão e decisão é assunto constante na pauta das discussões que vem preocupando os mantenedores e administradores de instituições de ensino superior e demais participantes que interagem nesse processo frente aos desafios presentes na sociedade de hoje. Esses desafios são fruto da conjuntura econômica, social, política e educacional.

Os cenários que fizeram aflorar os novos desafios começaram a ser desenhados a partir da nova constituição de 1988; continuaram com a Lei 9.131/95, que criou o Conselho Nacional de Educação e o Exame Nacional de Cursos; com o Decreto 2.026, de outubro de 1996, que institucionalizou o sistema nacional de avaliação, substituído depois pelo 3.860/2001; com a Nova Lei de Diretrizes e Bases da Educação Nacional, que criou um novo arcabouço normativo do ensino superior e com os demais atos regularizadores expedidos pelo Ministério da Educação.

Todos esses eventos de ordem legal começaram a alterar o perfil do ensino superior brasileiro e as características de sua oferta. Contudo, o fator determinante para uma nova postura dos mantenedores foi a política de expansão do ensino superior. Até pouco tempo, a política governamental tinha fluxos e refluxos, ora abria ora fechava, mudando agora para uma política de expansão deliberada, ainda com predominância de cursos tradicionais. Se antes não havia concorrência e os mantenedores podiam respirar sossegados, oferecendo seus serviços sem preocupação de que ao seu lado poderiam surgir outras instituições, hoje esse cenário mudou radicalmente. A expansão que começou a ocorrer mais fortemente ao final dos anos 1980 e durante toda a década de 1990, mudou completamente a relação de forças entre as diferentes instituições. Cada instituição se apercebe agora com maior oferta de serviços, quando não do mesmo tipo e no mesmo espaço geográfico das demais, com preços diferentes, com infra-estrutura diferente, com metodologias diferentes, com estratégias de mercado diferentes e com novos mantenedores mais ou menos agressivos, mais ou menos ortodoxos.

Um novo modo de pensar e agir começa a tomar conta: a preocupação com o mercado, com o negócio, com o cliente, com a gerência dos serviços para evitar a queda na produtividade, a perda de alunos, a perda de rentabilidade, a perda de espaço, enfim, a marginalização. A preocupação com a qualidade dos serviços tomou conta da sociedade e não apenas na área da educação. Nesta última, a instauração de uma política de avaliação, com diversas nuanças, instrumentos e modalidades, deixa as instituições em alerta contínuo e condicionadas a um *check list* diário de suas condições. O resultado anual dos exames nacionais de cursos, aliados à divulgação dos indicadores de qualidade que devem ser preenchidos em cada curso oferecido, obriga as instituições a investirem pesado na qualificação e no recrutamento na área de recursos humanos, na atualização de bibliotecas e laboratórios, no oferecimento de serviços diferenciados.

A educação, diante dessas mudanças, está na mídia falada, escrita, televisiva, etc.

Nesse novo cenário, as palavras mais freqüentes são: competência, competitividade, produtividade, avaliação, controles, participação, estratégias de *marketing*, foco no cliente e agregação de valores sociais e econômicos, sendo os primeiros para o cidadão e os demais para a organização.

A grande e crucial pergunta que se coloca neste contexto é: como gerenciar a nova organização educacional com todas essas preocupações, com todos esses novos desafios?

CONSTRUINDO OS INSTRUMENTOS DO PROCESSO DE GESTÃO UNIVERSITÁRIA

De que Instituições Estamos Falando

Quando falamos de instituições de ensino superior, estamos nos referindo àquelas que oferecem ensino superior em suas diversas modalidades. Oferecem e prestam serviços em sua maioria absoluta remunerados mediante mensalidades, créditos ou outras formas de pagamento. A depender do tamanho, da diversidade de oferta e do tipo de instituição, elas podem ser mais ou menos complexas.

No ensino superior brasileiro, fundamentalmente, temos os seguintes tipos de instituições universitárias:

- Universidades.
- Centros Universitários.
- Faculdades Integradas.
- Faculdades.
- Institutos Superiores de Educação.
- Centros de Educação Tecnológica, dentre outras organizações possíveis.

Cada uma dessas organizações tem missão, objetivos e características próprias e peculiares, mesmo que o arcabouço normativo não os decline. Apesar de poderem oferecer, em tese, os mesmos serviços, o que se verifica é a diferença do grau de complexidade entre uma e outras, o mesmo devendo ocorrer com relação ao nível de exigências. Apenas para ilustrar, a universidade possui finalidades, objetivos e características próprias que a diferenciam das demais instituições de ensino superior. Nesse contexto, quando falamos do processo de gestão universitária, estamos nos referindo a essas organizações, independentemente de seus graus de autonomia.

Que Perguntas Devem Ser Respondidas pelos Instituidores

Segundo Tramontin (2002), toda e qualquer instituição que se instala para oferecer serviços educacionais, dada a natureza da atividade e do cliente destinatário, deve ter uma filosofia, uma concepção clara de educação, deve saber o que quer. Essa filosofia educacional é que molda, esculpe, define a identidade, o SELO, a MARCA da instituição e a diferencia no universo das congêneres. Ela não pode e não deve ser um clone.

Nessa linha, o mesmo autor indica algumas perguntas que o instituidor deve responder ao criar uma instituição:

- Qual o pensamento educacional que preside a instituição?
- Quais os princípios que a instituição assume como diretrizes de sua orientação?
- Quais os objetivos específicos da instituição?
- Como identifica as funções formativas e instrutivas e como as identifica nos serviços que pretende oferecer: ensino em suas diversas modalidades, pesquisa, ação comunitária, prestação de serviços, etc.?
- Como se instrumentaliza para implementar a prática quotidiana?

- Como entende, atualiza, compara o seu papel no processo informativo e formativo perante as demais agências como rádio, TV, jornal, revista, internet, etc.?
- De que forma pretende a instituição atuar frente às demais congêneres?
- Qual a área geográfica que prevê como de influência de seus serviços ou onde pretende atuar, em que território?
- Que recursos pretende mobilizar para implementar as ações previstas: institucionais, materiais, humanos, tecnológicos, econômico-financeiros, etc.?

Quem São os Mantenedores e Gestores?

A diversidade de instituições de ensino superior esconde também uma diversidade de tipos de mantenedores e administradores. Não é objetivo deste trabalho analisar os tipos de mantenedores e suas síndromes. Todavia é necessário ter presente que não adianta ter uma Ferrari se o motorista não é competente, se não tem habilidade para dirigir. O mesmo pode ser dito de uma instituição de ensino superior. Enquanto as instituições navegavam sem turbulências, sem concorrência, com um número maior de demandantes em relação às vagas oferecidas, com uma economia e um poder de compra em melhores condições, era até simples "cuidar" do caixa da instituição, do fluxo financeiro, do "dinheiro arrecadado" e dar-lhe um destino.

Hoje os tempos são outros e precisamos notar essas mudanças para podermos entrar e ficar no mercado. Hoje vivemos a era do conhecimento, da liderança, da competência. Com isso, queremos dizer que os gestores precisam ter competência suficiente para poder administrar as suas instituições. Quando falamos de competência, queremos dizer: ter conhecimento, possuir habilidades, manter experiências acumuladas, exercer liderança e suportes. Diz Teixeira (2002): "Quando afirmamos que alguém está competente para realizar uma tarefa, estamos admitindo que essa pessoa detém um conjunto de conhecimentos mínimos necessários para o desempenho satisfatório desta tarefa". E continua o mesmo autor – como se expressa essa competência:

- competência para executar – normas e procedimentos;
- competência para planejar cada passo do processo;
- conhecimento intuitivo para prever fatores imponderáveis;
- competência para decidir – experiência acumulada na solução de problemas e situações diversas.

Com isso queremos deixar claro que hoje precisamos profissionalizar a gestão das instituições. Esse trabalho não é mais para amadores. Precisamos treinar e formar os executivos de amanhã, preparar os sucessores, os filhos, os netos, se mostrarem pendores, interesse e vontade de aprender, pois competência é um estado temporal. Hoje posso ter competência e amanhã vê-la defasada, vencida, despojada da evolução das normas e procedimentos e dos processos de gestão. Com isso, estamos concluindo que competência é relativa, e o resto, pretensão. Um aviso final aos gestores: fiquem fechados em seus gabinetes com a pretensão de que sabem tudo, e o mercado certamente os excluirá. Analisem as instituições que estão espacialmente bem localizadas, têm bons professores, boas instalações e equipamentos e, no entanto, começam a andar para trás. Por quê? Porque não têm gestores competentes, que se cerquem de pessoas competentes as quais disponham de conhecimentos e habilidades, conheçam métodos, técnicas, conceitos, rotinas e que saibam obedecer a regras de mercado, da vida, que saibam segui-las, enfim.

Que Instrumentos a Instituição Pode e Deve Utilizar para Ficar e Atuar no Mercado

Não se pretende ensinar ninguém a administrar sua instituição, todavia é fundamental sinalizar o instrumental de suporte ao processo de gestão hoje disponível e imprescindível para sobreviver e obter bons resultados na conjuntura atual. Além disso, alguns desses instrumentos se tornaram obrigatórios no processo de credenciamento, reconhecimento e renovação de reconhecimentos e de avaliação.

Quando falamos em processo de gestão, de administração de serviços educacionais, não pretendemos ser genéricos. Englobamos nessa gestão o administrar o ensino academicamente com toda a estrutura decisória de colegiados, com suas regras, com os suportes normativos e, principalmente, com os recursos humanos disponíveis; englobamos o administrar o patrimônio, os recursos financeiros, os recursos humanos e suas peculiaridades; englobamos o administrar o futuro da organização mediante os processos cotidianos de escolha, entre outros; englobamos o administrar a concorrência mediante um olhar atento, arguto e observador que possibilite compreender, analisar e mudar os rumos quando as exigências de mercado assim o recomendarem.

Taylard de Chardin, ao falar na China sobre a evolução das espécies, mudou o discurso e abordou o caminho da felicidade que teria três requisitos:

- Conhece-te a ti mesmo.
- Conhece a comunidade que te rodeia.
- Tem um ideal.

Esses mesmos requisitos podem ser aplicados ao processo de gestão de instituições de ensino superior que ofereçam ensino, pesquisa e extensão. Saber o que se é e o que se quer é o primeiro passo; conhecer a comunidade para a qual se oferecem os serviços, suas potencialidades, sua capacidade de compra, suas necessidades mais básicas e, principalmente, conhecer sua cultura; saber o que significa envolver-se com suas necessidades econômicas, sociais, culturais, espirituais, dentre outras. E, por fim, ter ideal. Precisamos alimentar ideais que sustentam a caminhada de qualquer instituição ou organização. Trabalhar por resultados apenas financeiros significa não dar sentido à própria vida. Quem assim pensa e atua que legado deixará para as gerações futuras?

No arsenal de instrumentos que hoje são colocados à disposição para facilitar o processo de gestão, podemos citar:

a) Projeto Institucional e Pedagógico (PIP).
b) Plano de Desenvolvimento Institucional (PDI).
   Diagnósticos estratégicos
   Planos operativos anuais
   Acompanhamento e avaliação de resultados
c) Avaliação Institucional
d) Projetos Pedagógicos de Curso

Antes de discorrer sobre alguns desses instrumentos, é preciso ter presente que as instituições de ensino não diferem muito das empresas em qualquer área, exceto na missão e nos objetivos específicos. Não se diferenciam no que diz respeito ao trabalho e aos encargos do dirigente, ao planejamento e à estrutura da organização. Contudo, a instituição de ensino é essencialmente diferente das empresas nos seus negócios. É diferente na finalidade, possui valores diferentes, promove contribuições diferentes no processo de desenvolvimento e bem-estar da sociedade.

Devemos considerar, também, que há um conjunto de novas forças configurando a indústria do conhecimento nestes tempos de mudanças aceleradas, quais sejam:

- Ameaça de novos tipos de organizações que estão entrando no mercado. Na última década, a maioria das IES não precisou preocupar-se com a concorrência. Hoje, em cada esquina, há ofertas dos mesmos serviços com preços diferenciados, que possibilitam ao consumidor escolher, fazer opções. Faculdades e cursos são criados todos os meses, bastando cumprir os requisitos fixados pelo aparato burocrático do Estado. Não há mais a análise da necessidade social, e assim cada instituição deve lutar pelo seu espaço em busca de diferenciais que lhe dêem uma posição de conquista de clientes no mercado.
- Mudança do poder de barganha dos fornecedores e consumidores: o que posso oferecer de diferente para atrair os clientes. Em que posso ceder, como negociar preços, condições. O senhor cliente tem hoje um poder de barganha dez vezes maior que há alguns anos. A renda da classe média no Brasil caiu expressivamente nos últimos anos. Além disso, o perfil da demanda ao ensino superior tem mostrado o crescente aumento de participação de clientes das classes C e D, cuja renda média não lhes permite pagar mais do

que R$ 250 mensais pelos serviços educacionais. Como equacionar esse obstáculo?

- Mudança do tipo de consumidor dos serviços – o senhor cliente hoje é exigente, não aceita mais qualquer serviço. Ele está pagando e quer qualidade, disponibilidade, tempo, preço e conforto. O cliente hoje exige qualidade, atenção, disponibilidade, tempo e preço acessível.

- Mudança do tipo de serviço educacional com a oferta de novos produtos: a diversidade de serviços educacionais é uma realidade cada vez mais presente. Hoje o cliente pode escolher com mais tranquilidade um curso sequencial, um curso superior de tecnologia, uma graduação tradicional, uma especialização profissional, um mestrado profissional ou acadêmico e até mesmo um doutorado. O problema está em como diferenciar essa gama de ofertas que apareceu nos últimos anos alavancada por uma propaganda massiva. Cursos sequenciais? Para qual mercado? Curso superior de graduação tecnológica? As corporações tradicionais resistem em abrir os supostos domínios. Cursos tradicionais de maior duração? Que diferenças qualitativas e de agregação de valor em termos de conhecimentos, competências e habilidades é possível destacar em cada uma dessas ofertas?

- Inovações no campo do processo educacional: os tempos mudaram e mudaram as tecnologias, isto é, modificaram-se o arsenal de instrumentos e os processos para oferecer serviços diferenciados. Quem não lançar mão das tecnologias da informação estará fadado a fracassar. Hoje o aluno tem acesso aos meios de comunicação, ao computador, à Internet, ao CD rom, etc., mais até que os próprios professores, o que obriga as instituições a repensar suas estratégias de atuação.

As forças das mudanças encontram sustentação:

- nos imperativos financeiros – escassez de recursos, inadimplência, concorrência, etc.: qual o preço que vou cobrar pelos meus serviços? Qual o ponto de equilíbrio? Qual a margem de resultados que espero obter? Antigamente, os "lucros" eram maiores, pois não havia concorrência, e menos ainda ofertas diferenciadas. Os tempos mudaram e vão mudar cada vez mais. Não adianta oferecer um produto com preço fora da realidade do mercado onde atua a instituição. É preciso conhecer a capacidade de pagamento, analisar se o produto oferecido compensa para o cliente, analisar a relação custo-benefício: se você estivesse no lugar do cliente, compraria o serviço pelo preço ofertado?

- na sociedade, que tem novas necessidades e cobra novos serviços e produtos de qualidade: a diversidade de ocupações, a mobilidade no mercado ocupacional, as novas exigências que o mundo do trabalho – que mudou e precisamos notar – está fazendo, obrigam as IES a reimaginarem o *mix* de serviços que põem em suas prateleiras de ofertas;

- no imperativo tecnológico – para ficar no mercado, novas tecnologias aceleram as mudanças e tornam obrigatória a reimaginação construtiva de todos os cenários de atuação;
- nas forças do mercado, que têm a sua própria lógica.

Os instrumentos para o processo de gestão institucional podem ser apresentados em forma de documentos separados, para efeitos metodológicos e didáticos, ou podem ser formatados em documento único, como, por exemplo, no Plano de Desenvolvimento Institucional.

Projeto Institucional e Pedagógico – (PIP)

O Projeto Institucional e Pedagógico de uma Instituição traduz sua filosofia organizacional e de educação, suas grandes diretrizes balizadoras e as estratégias para seu desenvolvimento. Constitui-se no mapa que orienta a trajetória da instituição com o detalhamento dos seguintes itens:

- definição da missão da instituição;
- definição da visão da instituição;
- definição de princípios e valores;
- definição dos indicadores de qualidades técnica e humana;
- definição das políticas institucionais para as diversas áreas de atuação da instituição.

Plano de Desenvolvimento Institucional – (PDI)

O Plano de Desenvolvimento Institucional (PDI) constitui-se em instrumento de trabalho da instituição para orientação de sua ação no cumprimento de seus objetivos institucionais. É um instrumento obrigatório para todas as instituições que atuam no ensino superior, tendo uma cobertura quinquenal, conforme Resolução do CNE de 10/2002, com possibilidade de 10 anos, na medida em que o recredenciamento institucional assim o recomendar.

A elaboração do PDI segue um roteiro oficial para fins burocráticos de credenciamento institucional junto ao MEC. Todavia, sua metodologia de elaboração deve obedecer à do Planejamento Estratégico, se o mesmo servir como documento importante do processo de gestão institucional.

Ao pensar o futuro e o dia a dia de qualquer organização que oferece serviços educacionais, não se pode esquecer de que:

- a falta de planejamento estratégico numa sociedade competitiva e canalizada para a globalização sinaliza a estagnação e a falência no médio prazo. Sem previsão, não há salvação. Neste contexto, planejar é requisito fundamental à sobrevivência;
- qualidade e excelência envolvem custos e, muitas vezes, só as mensalidades não são suficientes para cobri-los. Por isso, a busca criativa de fontes alternativas é fundamental;
- o processo de organização institucional atualizado e sintonizado com as novas tecnologias exige vontade política, ética e responsabilidade dos donos;
- num mercado competitivo, não se pode pensar em oferecer o mínimo e extrair o máximo para segurar o cliente. O cliente satisfeito é a melhor propaganda, o melhor *marketing* institucional, substituindo, muitas vezes, os gastos excessivos com publicidade enganosa;
- não se pode mais trabalhar com apenas fluxo de caixa na área financeira. É fundamental o planejamento orçamentário anual e mesmo plurianual;
- no jogo do poder, conseguir o que se quer e fazer melhor que antes deve ser a regra;
- a avaliação é atividade permanente. A criação da cultura da avaliação é inexorável.

Planejamento Estratégico – uma ferramenta indispensável para sobreviver na sociedade competitiva atual

Podemos simplificar o entendimento dizendo que se trata simplesmente de uma técnica administrativa que parte da análise do ambiente onde se localiza a instituição, levantando e analisando suas oportunidades e ameaças, seus pontos fortes e fracos para ajudar a planejar o futuro e o dia a dia da organização no cumprimento de sua missão. Essa análise possibilita estabelecer o rumo da instituição, as estratégias a seguir para aproveitar as oportunidades levantadas e evitar os riscos sinalizados.

Já o plano estratégico, como resultado do processo que é contínuo pela realimentação, representa o caminho que a instituição escolhe para crescer e se desenvolver no presente com as perspectivas e a visão de futuro.

Essa visão de futuro deve conter as seguintes descrições:

- Como será o setor do ensino superior a médio e longo prazos?
- Como será o desenho do mercado onde a instituição atua e atuará?
- Quais serão os competidores e concorrentes e em que concorrerão?
- Que serviços oferece hoje e que produtos pretende oferecer no futuro?

- Que valor agregado pretende oferecer aos clientes como atrativos diferenciais para que comprem seus serviços?
- Que vantagens pretende ter e quais os indicadores que as sustentam?
- Qual a margem de resultados que pode ser prevista?

O plano estratégico da instituição, que pode ser denominado de PDI, deve conter uma visão da organização e de sua evolução ao longo da própria existência, de suas experiências, seus valores, de sua produção e de suas competências. Analisando o passado, pode-se concluir o que foi bem feito e deu certo, e o que não funcionou. Ele representa uma excelente oportunidade para avaliar a situação anterior, compreender a presente e projetar a do futuro; pode permitir traçar um mapa mostrando a direção, o caminho que a instituição pode seguir; pode finalmente projetar a posição que a instituição terá no mercado do futuro.

A instituição precisa a partir de sua trajetória histórica e de suas experiências analisar o cenário atual. A partir desse posicionamento, deve definir as políticas institucionais referentes a seu negócio, que constituem a oferta de serviços educacionais, a saber:

- para o ensino sequencial;
- para o ensino superior de tecnologia;
- para o ensino de graduação;
- para os cursos de especialização/aperfeiçoamento/extensão;
- para o ensino de pós-graduação;
- para a pesquisa;
- para os serviços comunitários e para a prestação de serviços;
- para a gestão acadêmica/administrativa/patrimonial/financeira/ de recursos humanos;
- para esporte e lazer;
- para ciência e tecnologia;
- para instalações gerais e para biblioteca, laboratórios e multimeios;
- para inovação e avaliação;
- outros serviços;
- de *marketing*;
- de divulgação.

Ao elaborar o PDI, trabalha-se com perspectivas de planejar o futuro fazendo previsões com relação a:

- demanda/oferta;
- evolução de matrículas/concluintes;
- expansão de cursos e programas;
- expansão e melhoria da infraestrutura geral;
- expansão e melhoria da biblioteca e dos laboratórios;
- expansão e melhoria dos recursos institucionais;
- expansão e melhoria dos recursos humanos e seu tempo de dedicação;
- orçamento-programa com detalhamento dos investimentos;
- previsão de metodologias de ensino-aprendizagem com aplicação de novas tecnologias, novas abordagens;
- gestão estratégica dos serviços acadêmico/administrativos;
- gestão da inovação e da qualidade;
- gestão dos processos de avaliação.

O QUE AS INSTITUIÇÕES TÊM FEITO PARA SE ADEQUAR E SE ATUALIZAR DENTRO DESSES NOVOS CENÁRIOS DE MUDANÇAS E NOVAS POSTURAS DE GESTÃO?

No IV Fórum do Ensino Superior Particular, realizado em São Paulo, Dr. Raulino Tramontin (2002b), em sua palestra, foi enfático ao afirmar:

> A sobrevivência e o desenvolvimento do ensino superior particular estão vinculados no início dos anos 2000, diretamente à capacidade de criação, inovação, diversificação e adaptação às novas demandas da sociedade e, principalmente, à capacidade de financiamento para o setor.

Todas as instituições de ensino superior públicas e privadas foram afetadas pelas mudanças que vieram para ficar. Dessas mudanças, algumas foram de caráter estrutural, organizacional e cada uma das instituições, a seu tempo, foi procurando cumprir os rituais e se adaptar. Essas mudanças aconteceram para adaptação à nova LDB e cumprimento aos novos rituais de credenciamento, recredenciamento, reconhecimento e renovação de reconhecimento de cursos e programas e para atender aos novos padrões de qualidade.

Cada instituição foi obrigada a uma rápida adaptação estrutural e infraestrutural em termos de instalações, laboratórios, bibliotecas para responder não somente às exigências formais, mas, e principalmente, para propiciar melhores condições de oferecimento de serviços de qualidade. Aliás, justiça seja feita ao setor privado que foi o que mais investiu, nos últimos anos, em infraestrutura: construíram-se novos, amplos e modernos espaços para bibliotecas, laboratórios, redes de computadores e outros. O setor de bibliotecas foi o que mais ampliou a oferta, fruto, é claro, das exigências dos padrões mínimos de qualidade de cada curso.

Cada instituição hoje tem um olho em si mesma e no concorrente, pois ela se deu conta de que não está mais sozinha. E, dessa forma, cada uma procura oferecer melhores instalações, melhores equipamentos, melhores metodologias, melhores professores e melhores condições de aprendizagem. A propósito, não se pode esquecer do que Kjell Nordstrom e Jonas Ridderstgrale, em Funky Business, dizem: "A sociedade do excesso tem um excesso de empresas similares, que empregam pessoas similares, de formação similar, com idéias similares, que produzem coisas similares, por preços similares e de qualidade similar". Este é o novo desafio de cada instituição: quais são, neste novo mundo, seus diferenciais de oferta, de qualidade, de relacionamento, de gestão e de comprometimento com a cidadania?

Todavia, há mudanças que extrapolam a ordem legal e dependem fundamentalmente de comportamentos, de gerenciamento de postura frente à nova ordem das coisas. Há uma frase de Geoff Yang que expressa bem os tempos de mudanças rápidas que estamos vivendo, a necessidade de adaptação. Diz ele: "Antes os grandes comiam os pequenos; agora os rápidos comem os lentos".

Para sobreviver, hoje o mapa de relacionamentos de qualquer instituição de ensino superior deve levar em consideração:

a) Valores e a cultura através de sua missão e visão.

b) O *mix* de serviços e produtos oferecidos.

c) A conjuntura.

d) Os concorrentes.

e) Os fornecedores.

f) A estrutura da organização dos processos.

g) O modelo de gestão.

Tudo isso para fazer frente às quatro grandes revoluções que afetam sobremaneira a vida das Instituições, quais sejam (Oliver, 1999):

- A Revolução Tecnológica – telecomunicações; microeletrônica/computadores; robótica/biotecnologia; desenho de novos materiais; mudanças na forma de operar as organizações: a automatização e as novas oportunidades e ameaças.

- A Revolução da Globalização – Integração mundial – economia, finanças, comunicação, negócios; a formação de blocos econômicos; fluxo de capitais internacionais; queda nas barreiras alfandegárias.

- A Revolução de Gestão – qualidade e produtividade; gestão democrática participativa da liderança; organização em rede; equipes e times de alto desempenho; parcerias e alianças; pessoas com novas mentalidades;
- A Revolução de Valores – ética e respeito; qualidade de vida; proteção ao meio ambiente; ascensão da mulher; integridade; responsabilidade; volta à essência humana e à espiritualidade.

Devemos observar que essas revoluções trazem, para dentro das IES, novos e constantes desafios, quais sejam:

- Na globalização, a concorrência externa; nas rápidas mudanças sociais e no mercado produtivo, a mudança do perfil do profissional desejado pelo mercado de trabalho.
- Qualidade como fator competitivo – quem tem qualidade ficará no mercado e quem não tem desaparecerá; capacitação de professores para uso de novas metodologias e recursos avançados da tecnologia.
- Cada vez mais as IES devem se preocupar em formar o cidadão para enfrentar os desafios gerais da vida, formar empreendedores com capacidade de pensar, agir, escolher, selecionar, e não formar para empregos. Formar para empregabilidade é um desafio cotidiano.
- Inovação e atualização tecnológica de laboratórios e serviços.
- Desenvolvimento e treinamento de valores humanos para o atendimento ao aluno cliente.
- Gestão estratégica e programas de qualidade; gestão orçamentária e gestão de custos; gestão da inadimplência.
- Avaliação institucional como processo de monitorização contínua da qualidade e do nível de satisfação da comunidade envolvida; análise contínua de forças, fraquezas, ameaças e oportunidades para pensar na frente, com visão renovada.
- Sistema de informação gerencial – banco de dados – hoje nenhuma instituição pode prescindir de um banco de dados que lhe permita fácil acesso a informações para atendimento às demandas do Estado e principalmente para fazer frente aos desafios de cada dia.

Como deve ser o processo de gestão universitária? Essa pergunta pode ter múltiplas respostas:

- Em instituições mais centralizadas, terá um tipo de estratégia e um desenho da estrutura de comando.

- Em instituições menos centralizadas e com maior participação dos atores no processo decisório e de gestão, o esquema será outro.

Todavia, toda e qualquer instituição hoje deve ter presente algumas questões:

- Objetivos claros, definidos, com identidade própria. Cópias se apagam com o tempo e somente individualidades permanecem.
- A forma ou o desenho institucional depende dos objetivos, das finalidades e vontades dos autores e atores principais.
- Não pode haver neutralidade na sociedade. É necessário haver opções claras, assumir responsabilidades pelas decisões: esquerda, direita, centro.
- A falta de planejamento estratégico, em uma sociedade competitiva e canalizada para a globalização, sinaliza a estagnação e a falência no médio prazo. Sem previsão, não há salvação. Neste contexto, planejar é requisito fundamental à sobrevivência.
- Qualidade e excelência envolvem altos custos, e somente mensalidades, muitas vezes, não são suficientes; por isso a criação de fontes alternativas é fundamental.
- O processo de organização institucional atualizado e sintonizado com as novas tecnologias exige vontade política, ética e responsabilidade dos donos.
- Em um mercado competitivo, não se pode pensar em oferecer o mínimo e extrair o máximo para segurar o cliente. O cliente satisfeito é a melhor propaganda, o melhor *marketing* institucional, substituindo, muitas vezes, os gastos excessivos com publicidade enganosa.
- A principal propaganda é o produto.
- Não se pode mais trabalhar com apenas fluxo de caixa na área financeira. É fundamental o planejamento orçamentário anual e mesmo plurianual.
- No jogo do poder, conseguir o que se quer e fazer melhor que antes deve ser a regra. Todavia, conseguir o poder não é suficiente, é fundamental aprender a usá-lo com inteligência. Sucesso é produto de visão, realismo e satisfação. Não se pode esquecer que, no exercício do poder, o uso da força resulta numa força oposta.
- A avaliação é atividade permanente. A criação da cultura da avaliação é inexorável.

O *superavit* da empresa de livre iniciativa está, cada vez mais, do lado do empresário-educador competente e, cada vez mais, longe do esperto.

> Somos o que fazemos, mas somos, principalmente o que fazemos para mudar o que somos.

REFERÊNCIAS

TEIXEIRA, E.A. *Criatividade – ousadia & competência*. São Paulo: Makron Books, 2002.

XAVIER, R. de Almeida. *Competência para o Sucesso*. São Paulo. Editora STS, 2002.

CHIAVENATO, I. *Construção de Talentos*. Rio de Janeiro.Ed.Campus. 2002.

GRAMIGNA.M. R. *Modelo de Competências e Gestão de Talentos*. São Paulo. Mkron Books. 2002.

TACHIZAWA.T.; ANDRADE R.O. *Gestão de Instituições de Ensino*. Rio de Janeiro: FGV, 1999.

TRAMONTIN,R. *Nos novos cenários do ensino superior brasileiro*. São Paulo/Anais/Semesp/2002b.

DOCUMENTOS OFICIAIS DO MEC-CNE/SESU/CNE/CES.

TRAMONTIN, R. *Construindo os instrumentos do processo de gestão universitária*. Brasília (inédito) 2002a.

OLIVER, R. W. *Como serão as coisas no futuro* – sete mandamentos para vencer no novo mundo dos negócios. São Paulo: Negócio Editora, 1999.

Capítulo 14

Discutindo a Gestão de Ensino Básico

Mirza Laranja

NOVO CENÁRIO, NOVA ESCOLA

A concepção de gestão entrou para o universo escolar muito recentemente. Por certo, se esta publicação tivesse sido idealizada na década de 1980, já no final do século XX, teria enfoque totalmente diverso. Se muito, poderíamos nos deparar com uma obra voltada para *administração escolar*, abordando princípios e normas de ordenação e controle. Nos últimos anos, houve, no entanto, uma grande evolução que trouxe benefícios para o setor. Ao desatar as amarras do lado operacional, o gestor escolar percebeu-se inserido em um contexto muito maior, cujo dinamismo precisava ser incorporado pelas instituições de ensino. E não foi o setor educacional que naturalmente identificou a necessidade de mudança e se preparou para esse processo. Ao contrário, a dificuldade de sobreviver em um novo contexto social e econômico impeliu as escolas a buscarem novos caminhos. Fez-se clara uma certeza: o modelo tradicional de administração escolar não estava mais atendendo às necessidades atuais.

Neste início do século XXI, vive-se uma reviravolta nos sistemas público e privado do ensino nacional. Após ter chegado à beira da falência moral, a educação brasileira se reconstrói e passa por avaliações e profundas reformas, buscando resgatar o espaço e a responsabilidade política e social que lhe cabem. O ensino superior recebe então o maior contingente populacional que já atingiu a universidade até então, e sociedade, empresas e governo monitoram atentamente a evolução qualitativa que é esperada. Na outra ponta, avanços científicos e sociais depositam na educação infantil uma valorização nunca antes atribuída, incentivando o profissionalismo e a ampliação dos serviços educacionais para crianças de 0 a 6 anos. E o ensino básico? O que se modifica nesse grande corpo da ação educativa? Qual o papel da iniciativa privada diante das conjeturas? Como gerir essa nova escola?

ESCOLA? EMPRESA?

Educação é, por essência, uma atividade de interesse público. Escola pública de qualidade para todos é um ideal de indiscutível valor, porém um enorme desafio. Sendo assim, quando a demanda da sociedade não é atendida pelo governo, a cobrança automaticamente se reverte para a iniciativa privada, que, a princípio, foi compreendida, no Brasil, como uma alternativa voltada exatamente para suprir essa deficiência. Por consequência, o caráter empresarial das instituições de ensino foi relevado, esquecido ou, por vezes, combatido. A escola particular de ensino básico passa a carregar codinomes como "tubarões do ensino" e é tratada, até pela mídia, como uma categoria de empresários pronta a explorar a classe média. Segundo a opinião pública, "escola não deveria ser uma empresa". Essa percepção acaba impactando diretamente tanto o trato com a clientela, quanto as relações de trabalho.

Mais interessante ainda é notar que boa parte dos educadores, ao defenderem princípios e valores inerentes à atividade-fim, muitas vezes relutam em aceitar a incorporação de estratégias e mecanismos provenientes de outras atividades empresariais, como se, por natureza, as duas realidades – educacional e empresarial – fossem incompatíveis.

Embora já se reconheça o equívoco dessa visão, ainda persiste a resistência em aceitar a legitimidade de se buscar lucratividade por meio da prestação de serviços educativos. Muitas vezes, percebe-se que o senso comum entende que estratégias de *marketing* para escolas de ensino básico pressupõem "enganação", ou que ações de vendas, por sua vez, reduzem a instituição de ensino a uma pejorativa classificação de "comercial". Vários outros exemplos podem ser apontados. Muitos conceitos e posturas, aceitos e incentivados em qualquer empresa, são vistos negativamente quando aplicados à educação. Recentemente, pudemos observar a interferência do governo no setor, quando a tumultuada economia do país ditava planos e normas para regulamentar as relações comerciais entre pais e escolas, uma fase em que, na mídia, o editorial de educação tratava basicamente de valores de mensalidade e planilhas.

Por mais que esse histórico possa ter deixado marcas negativas, foi também por meio das sucessivas crises e planos econômicos que o aspecto empresarial das escolas passou a ser abertamente discutido, tornando questões importantes para o amadurecimento do setor evidentes.

E a própria sociedade tratou de cobrar das escolas particulares um posicionamento empresarialmente responsável e moderno. Diante de uma demanda cada vez mais criteriosa e exigente, sabe-se hoje que a gestão de uma escola deve ter o foco nos dois aspectos – educacional e empresarial –, e que somente o desenvolvimento equilibrado dessas duas realidades levará ao sucesso e à perpetuação do mesmo.

Consequentemente, a gestão moderna da educação básica pressupõe a existência de um líder cujo conhecimento e perfil favoreçam o aprimoramento da instituição nos dois sentidos. Além disso, cabe ao gestor a tarefa de difundir tal postura e formar um grupo de trabalho comprometido com o bom desempenho da escola como um todo, pois esta só terá se apropriado de seu caráter empresarial à medida que cada professor ou funcionário se perceber responsável pela saúde da empresa, ao sugerir uma iniciativa que implique redução de custo, ao portar-se como "cartão de visitas" da instituição, ou ao abrir seus canais de escuta para a clientela com a qual se relaciona direta e diariamente.

O EMPRESÁRIO DO ENSINO

O conjunto de escolas particulares pode ser percebido em subgrupos como, por exemplo, escolas confessionais, escolas de iniciativa privada, de um pequeno grupo de sócios ou mesmo de um único proprietário. As diferenças logo se atenuam quando abordamos uma questão: o comprometimento pessoal com a profissão e seu ideal de educação.

A nobreza da atividade não garante que não aconteçam equívocos administrativos, que podem levar à condenação de propostas maravilhosas do ponto de vista pedagógico. É preciso que a consciência empresarial encontre espaço para que a instituição seja gerida de forma profissional e eficiente.

Qualquer que seja o perfil do mantenedor, percebe-se, na prática, a simbiose ou a confusão entre os objetivos e as metas da escola e os da mantenedora e, por que não dizer, os sonhos pessoais. O determinismo apaixonado das pessoas prejudica a distinção dessas perspectivas. O fundador tem a autoria de uma visão, mas isso não lhe faculta o direito de apropriar-se da instituição.

Se o setor busca longevidade para suas empresas, é necessário compreender que a instituição que surge simplesmente para atender ideais particulares irá envelhecer, adoecer e morrer com eles. Idealistas que são, grandes fundadores precisam se desprender do sentido de propriedade e realizar-se pelo mérito da criação. Empresas familiares se desenvolveram a partir da criação de escolas, grandes conselhos se formaram para conduzir outras, enfim, são novas formas de organização que buscam preservar a missão da instituição, torná-la viável do ponto de vista financeiro, além de oferecer autonomia para que possa iniciar novos ciclos.

ESCOLA: INSTITUIÇÃO DE ENSINO

Quando se conhece a história de uma escola e os fatos que motivaram sua fundação, com frequência nos depararmos com ideais pessoais (individuais ou coletivos) em busca de realização, ou com a determinação de uma entidade, visando à manutenção e à difusão de seus valores e crenças. Porém, embora toda e qualquer escola se organize a partir da intencionalidade de um determinado grupo de pessoas, é necessário que ela se constitua de identidade própria, com suas particularidades e fronteiras bem definidas. Somente dessa forma ela será de fato instituída e irá interagir no macroambiente.

Encontrar sua própria identidade é o primeiro passo de uma longa caminhada, e o que parece fácil tornou-se uma das tarefas mais árduas quando da elaboração inicial do projeto institucional, mesmo, senão principalmente, em escolas em atuação há décadas.

O que torna cada escola única? Para encontrar essa resposta, é preciso ir muito além de questões em torno de conteúdos, grade curricular ou sistema de avaliação. A "impressão digital" da instituição se configura na forma como pessoas, processos e sistemas interagem. É na forma como transcorre o processo educativo e como se organiza a instituição que se evidenciam os valores priorizados. É nesse momento que se dá a real diferenciação entre tantas instituições que, salvo uniforme, localização e mensalidade, oferecem os "mesmos produtos": diplomas de ensinos fundamental e médio.

É preciso valorizar a importância da elaboração do projeto político pedagógico. Não apenas o documento em si. A produção e consecutivas revisões periódicas são o melhor instrumento para a construção e a manutenção da identidade da escola, bem como da apropriação dela por todos os professores e funcionários. É um processo dispendioso, exige grande investimento de verba (pelas inúmeras reuniões necessárias), disponibilidade real de tempo e trabalho, além do desgaste pelas discussões que forçosamente se criam em torno de temas críticos da instituição. A participação de uma boa consultoria tem muito a contribuir para que o trabalho seja bem desenvolvido, pois o grande desafio é que os próprios educadores da escola realizem um trabalho coletivo na produção desse documento, ao mesmo tempo em que realizam suas funções regulares. Mais do que organização, sistema ou instituição, é imprescindível compreender a escola como um organismo capaz de evoluir.

Escola não para! Uma vez instituída, ela precisa se rever, olhar para fora, entender o passado, visar ao futuro e mudar, reinventando-se sempre.

LIDERANÇA: MESTRES E MAESTROS

Como herança de uma prática comercial/empresarial própria de um passado recente, a administração escolar carregou a forte característica de restringir-se ao operacional e funcional. Além disso, trazia arraigada uma cultura de controle, centralizadora e, por vezes, autoritária. A evolução da educação e a ampliação do papel da escola na sociedade mostram que o exercício de liderança nos moldes tradicionais é incompatível com o novo modelo de escola. Não se trata apenas de "quem manda aqui". A gestão escolar moderna precisa superar o caráter personalista de liderança. Para isso, é necessário diferenciar os conceitos e definir os papéis, seja o de mantenedor, o de proprietário (dono de escola) ou o de diretor.

Em uma prática escolar que abre espaço para uma relação de troca e parceria com a família e sociedade, que transcende a idéia de ensino depositário, que entende que conteúdo não é fim último do processo ensino-aprendizagem, buscam-se profissionais engajados, pessoas prontas a interagir com conhecimento, colegas de trabalho e clientela. Um grupo como esse se constitui a partir da ação de um líder capaz de mobilizar a equipe, que tenha credibilidade como implementador e seja inovador, visionário. Longe de ser um super-herói, precisa, antes de mais nada, assumir seu papel como aprendiz e investir em sua própria reciclagem.

Ao diretor cabe, indiscutivelmente, uma postura em consonância com os fundamentos da proposta de escola, pois de nada adianta pregar dogmaticamente uma idéia que não seja de fato vivenciada. É uma outra instância de um currículo oculto do qual partem coerência entre discurso e prática, consistência de trabalho, além de segurança para corpo docente, funcionários, alunos e pais.

O mesmo "aprender a aprender" que se busca com os alunos, a mesma predisposição para novas capacitações que se cobra do professor espera-se em dobro do líder, do diretor, enfim, do novo gestor. Uma vez que é a sua postura que vai mobilizar toda a equipe, espera-se dele que:

- tenha criatividade;
- perceba o macro;
- saiba trabalhar em equipe;
- seja ágil na resolução de problemas;
- se comunique com eficiência.

Respeitadas as particularidades das inúmeras atribuições e cargos que compõem o corpo de trabalho, os aspectos acima citados são competências individuais que em muito podem contribuir se forem trabalhadas por todos os elementos da escola. De fato, é o desenvolvimento pessoal de cada profissional que levará ao sucesso da instituição, e, embora em tese haja consenso em torno deste princípio, implementá-lo não é tarefa fácil, pois isso só é possível em um ambiente seguro, construído a partir de uma rede de relações de confiança.

Talvez este seja o ponto central da nova gestão escolar: valorizar e investir no capital humano, conferir autonomia e responsabilidade aos profissionais envolvidos e conferir autoridade ao líder que atue como organizador, articulador e mobilizador dos diversos processos que se desenvolvem na escola.

PESSOAS

Deparamo-nos então com outra questão: como motivar e mobilizar as pessoas que fazem a escola? O desafio está em resgatar o orgulho de "ser professor". A busca por crescimento profissional é necessidade inerente ao que se espera desse novo profissional de educação, que deve ser empreendedor, comprometido com sua profissão e com a instituição em que trabalha. Disso depende o sucesso da escola. É o professor que entrega, em sala de aula, o que cada família está esperando receber pelos serviços contratados. Somente a consciência dessa responsabilidade levará um profissional, antes acomodado, a apropriar-se de seu espaço e assumir a gestão de sua aula, de seu grupo classe. É preciso que seja um gestor visionário, capaz de implementar seus projetos, imbuído de uma ambição pessoal pelo sucesso no exercício da docência.

Percebe-se atualmente, no ensino superior, uma migração de profissionais de diversas áreas para a educação. De certa forma, isso provoca um reorganizar de idéias, cria-se naturalmente a discussão de valores e práticas até então adotados. O mesmo não acontece no ensino básico. É necessária a determinação da instituição para se trabalhar o professor que está lá, carente de prestígio e reconhecimento social, e é fruto de uma educação fundada em pressupostos diferentes dos que hoje constroem um bom profissional. O projeto de capacitação planejado pela escola deve, então, ir além de aspectos técnicos da prática docente e alcançar o patamar do desenvolvimento pessoal, visando ao perfil profissional almejado.

Nesse sentido, a escola torna-se, também para o professor, um centro de aprendizagem.

CURSOS, DISCIPLINAS, SETORES

Quando se fala em ensino básico, na verdade tratamos de três realidades totalmente diferenciadas: ensino fundamental de 1ª a 4ª série, ensino fundamental de 5ª a 8ª e ensino médio. Há evidentemente uma série de aspectos que merecem abordagens particulares, pois visam a objetivos específicos e devem ser adequados à faixa etária que atendem. Nada justifica, porém, a estratificação ou a departamentalização que foram criadas e cultivadas nas escolas. Formam-se sistemas independentes, isolados e, muitas vezes, conflituosos.

Outras segmentações são facilmente identificadas: entre disciplinas, entre setor pedagógico e setor educacional, ou mesmo entre administrativo e pedagógico/educacional. Por mais que do ponto de vista funcional tais classificações sejam compreensíveis e mostrem-se positivas, para o aluno a escola é um sistema único, ou assim deve ser. A realidade fragmentada, compartimentalizada, prejudica a prática educativa. Por exemplo: muito se discute sobre inter, multi ou transdisciplinaridade do ponto de vista metodológico, e embora conceitualmente pareça uma questão amadurecida, a dificuldade prática em implementar um projeto pedagógico nesta concepção origina-se na própria estrutura da organização escolar.

Da mesma forma, diversos processos importantes em uma instituição de ensino seriam aprimorados se fossem compreendidos em sua amplitude, dentre eles, avaliação, matrícula, aula, comunicação e, principalmente, ensino-aprendizagem. Diferentes perspectivas devem tramitar entre setores para que um compreenda o outro e todos compreendam o processo como um todo.

Uma eficiente estratégia para superar os entraves criados pela segmentação, melhorar o fluxo de informação e comunicação e integrar a ação institucional é criar grupos de trabalho por processo ou projeto, equipes multidisciplinares que reúnam pessoas de todos os setores envolvidos, representantes selecionados pela importância de sua participação direta no processo, independentemente de hierarquia ou cargo que ocupem. Um determinado projeto, do qual participem diretores, coordenadores e professores, pode ser coordenado por um professor de uma área específica. Essa alternância de papéis favorece a integração e enriquece o ambiente de trabalho: a escola – cenário onde se desenrolam vários processos pelos quais o gestor transita estrategicamente.

ADMINISTRAÇÃO DO TEMPO E ESTRATÉGIA

No dia a dia, é um grande desafio encontrar, em meio à rotina escolar, o tempo que deve ser dedicado aos objetivos maiores da empresa como um todo. O gestor não pode satisfazer-se com o bom desenrolar de cada dia; deve procurar ver a médio e longo prazos e realizar ações que visem a:

- planejamento estratégico;
- desenvolvimento dos processos;
- avaliação dos resultados alcançados.

Parece fácil e óbvio, não fossem os acidentes no parque, incidentes na porta da escola, faltas de professor, reuniões com pais, e por aí vão as inúmeras atribuições que acabam recaindo sobre o diretor, independentemente do número de pessoas destinado àquela atribuição. E este deve ser o começo: distribuição de funções, o que implica definir responsabilidades e conferir autonomia para possibilitar a resolução de problemas. Por si só, essa clareza já evitará um fato comum em qualquer escola – vários profissionais atuando numa mesma questão, sem que, na verdade, isso seja necessário. Por certo, nesse contexto algo deixou de ser feito! Agrega-se a isso o fato de o atendimento ao aluno e as rotinas escolares serem sempre prioritárias e movidas a prazos de urgência. Então, ações como planejar, registrar e avaliar não recebem a dedicação que lhes cabe. Uma boa escola, assim como qualquer empresa, precisa de um diretor atuante, mas não preso à rotina de forma a impedir uma participação mais ampla e estratégica.

PENSANDO O FUTURO

Muitas reportagens apontam a educação como o negócio do futuro. Para a escola particular de ensino básico no Brasil, essa é uma perspectiva difícil de se vislumbrar. O mercado passa por uma crise de oferta excessiva e demanda em queda. A escola particular atende às retraídas classes média e alta, do ponto de vista de poder aquisitivo, que vêm mostrando mudanças no padrão de comportamento. Fatores como redução do número de filhos, realocação de moradia e incorporação de outros hábitos que implicam gastos concorrentes ao investimento na escolarização dos filhos afetam diretamente o setor privado da educação básica.

Em contrapartida, as escolas recebem grande cobrança da comunidade e veem seu papel social ampliar-se a cada dia.

Desenha-se hoje um contexto crítico para o futuro das instituições: em um mercado potencial retraído, cresce, a cada dia, a pressão por menor preço e maior qualidade.

O QUE SE ENTENDE POR QUALIDADE?

O maior desafio hoje é resgatar a credibilidade da escola que, perante a opinião pública, tem sua imagem desgastada. Isso vai exigir de cada instituição que inicie um trabalho interno de real esforço para fortalecer-se diante de sua própria comunidade.

O passo inicial deve ser da escola, ao definir seus objetivos e metas e alinhá-los às expectativas do cliente. Trata-se de uma via de duas mãos. Mesmo que se conseguisse mapear todos os valores que definem o que seria uma boa escola sob o ponto de vista da sociedade, é tecnicamente impossível realizar essa escola. Não só pela inviabilidade do idealizado, mas também, e principalmente, porque o cliente não sabe o que quer! É frequente nos depararmos com famílias que matriculam os filhos em escolas que parecem em dissonância com o discurso dos próprios pais. Nem sempre o que se desejaria parece a melhor escolha. A opção por uma determinada instituição retrata o real, o prioritário e o possível.

A escola não pode se portar de forma a tentar satisfazer a clientela a qualquer custo. É como a atuação do médico: todo paciente gostaria de escutar boas notícias, mas o que ele espera, na verdade, é que aquele profissional resolva seu problema de saúde. Satisfazer o cliente não é fazer o que ele quer de uma forma imediata.

Seja paciente ou aluno, o cliente irá avaliar segundo seus critérios e escolher o médico ou escola que lhe pareça melhor, dentre aqueles que possa pagar. Credibilidade, localização, linha de conduta, estética, custo, indicação – são uma série de critérios e valores ordenados de forma muito particular. Com certeza, o que é melhor para uma família não é para outra. Porém, na tentativa de solucionar a questão da ociosidade, muitas escolas particulares posicionam-se de forma generalista, visando a atender a todas as necessidades e expectativas do novo cliente. No dia a dia, isso acaba se transformando em insatisfação.

Outro movimento comum nas escolas é oferecer serviços afins (como reforço escolar, aulas extras) ou ampliar benefícios e comodidades (como transporte e alimentação). A diversificação é positiva como forma de expansão de negócio, mas não pode perder de vista os limites de crescimento, pois buscar o desenvolvimento de novas competências só é saudável à instituição quando se pode garantir a preservação da qualidade da competência essencial, do foco principal da escola.

A escola de ensino básico lida, além de tudo, com a multiplicidade de clientes: é o aluno de 6, o de 16 anos e vários outros clientes em torno dos quais estão agregados pai, mãe, avós, pediatra, terapeuta, escola de educação infantil, etc.

É preciso ter a coragem de conhecer o mercado em sua complexidade, desenhar a escola que se pretenda e, após uma análise empresarial, formatar uma composição que seja viável. Fazer opções faz parte do processo. Isso implica abrir mão de alguns aspectos idealizados.

INFORMAÇÃO OU FORMAÇÃO?

A dificuldade de compreender o que distingue uma escola de outra leva a sociedade a desenvolver classificações no anseio de esclarecer suas próprias opções e seu próprio risco. Hoje criou-se uma dicotomia entre formação e informação, como se os dois aspectos não coexistissem na ação educativa. Em decorrência das transformações sociais vividas nas últimas décadas, a escola de ensino básico vem, inevitavelmente, ampliando o papel que desempenha e agregando funções sociais que antes cabiam à família, à igreja ou a outras instituições. A escola também assume a responsabilidade pelo caráter formativo da educação de uma criança ou jovem, além de necessariamente ter de oferecer orientação e suporte para a família. Porém, desempenhar bem este novo papel não abre precedente para que a escola releve a segundo plano o aspecto que a distingue como instituição, que é o acadêmico, o do conhecimento.

UMA BOA ESCOLA

A escola precisa dar o passo à frente e dizer a que vem, quais objetivos se compromete a perseguir. Cumprir, ou não, aquilo a que se compromete é o que determina se uma instituição é boa ou não. A escola de ensino básico ainda precisa evoluir muito nesta questão: aprender a autoavaliar-se. Ultimamente, ela tem se restringido a critérios de avaliação externos, como, por exemplo, índice de aprovação em um determinado concurso vestibular. Será essa a medida do que seja uma boa escola? Embora haja um discurso voltado para a importância do caráter formativo da escola, na ausência de outros critérios ou indicadores claros, vemos atualmente uma forte tendência em se avaliar a qualidade da escola de ensino médio – ou mesmo fundamental – em função do acesso ao ensino superior. Por certo, cabe à escola preparar o indivíduo para dar continuidade a seus estudos, bem como enfrentar situações competitivas. O que não se pode é restringir a ação educativa a essa questão.

É preciso declarar seus objetivos e metas, comprometer-se com resultados e desenvolver métodos de avaliação que confiram credibilidade a sua ação educativa. O desafio é grande. Poucos são os serviços que vendem o que não se sabe se poderá ser entregue. Podemos garantir o conteúdo que o aluno irá aprender? Podemos atestar a formação de uma pessoa? A subjetividade do tema gera insegurança: se os serviços contratados são de ensino, o resultado esperado é o de aprendizagem. A escola precisa se provar eficiente.

TOMANDO AS RÉDEAS DE SEU FUTURO

Ao iniciar-se um milênio em que índices de desenvolvimento humano tornam evidente a importância da escolarização básica, deparamo-nos com uma crise de credibilidade desta escola.

É preciso ver nascer um novo ciclo por meio de uma gestão que torne a escola capaz de aprender, de perceber a necessidade de mudança e de renovar-se continuamente.

Assim como qualquer empresa, a escola fracassará se não souber se livrar de um passado que pode ter sido de sucesso para reinventar seu futuro. Somente uma gestão moderna possibilitará que o ensino básico supere a lentidão e a rigidez que tradicionalmente o caracterizam e crie processos organizados e sistemáticos para aprender e inovar, cultivando mecanismos dinâmicos que naturalmente promovam a renovação.

Se em um passado recente as escolas se debatiam entre normas e regras pré-estabelecidas por um sistema burocrático e padronizador, a nova legislação rompeu tais limitações e abriu espaço para que cada escola pudesse reinventar-se. Infelizmente, a fotografia do sistema de ensino básico não é hoje muito diferente daquele que julgamos ultrapassado.

O sucesso da escola de ensino básico está entregue a esse novo gestor, que tem o desafio de criar uma organização não apenas capaz de responder rapidamente a movimentos percebidos na clientela, mas também, e principalmente, capaz de ser pró-ativa, antecipando problemas e oportunidades e planejando as mudanças necessárias.

REFERÊNCIAS

BACON, Brian; O'DONNELL, Ken. *No olho do furacão*. Salvador: Casa da Qualidade, 1999.

CARVALHO, Adalberto (org.). ALMEIDA, Leandro; AFONSO, Manuela; ARAÚJO, Etelvina. *A construção do projecto de escola*. Porto: Porto Editora, 1993.

CARVALHO, Angelina; DIOGO, Fernando. *Projeto educativo*. Porto: Edições Afrontamento, 2001.

GEUS, Arie de. *A empresa viva, como as organizações podem a prender a prosperar e se perpetuar*. Editora Campus, 1998.

MACHADO, Nilson José. *Educação: projetos e valores*. São Paulo: Escrituras Editora, 2000.

MANDELLI, Pedro. *Muito além da hierarquia*. Editora Gente, 2001.

PIERCE, Milli; STAPLETON, Deborah (Eds.). *The 21st-century principal*. Harvard Education Press, 2003.

WHITELEY, Richard C. *A empresa totalmente voltada para o cliente*. Editora Campus, 1992.

Capítulo 15

A Gestão da Educação Infantil – Particularidades

Márcia Rosiello Zenker

CONVITE

>Chega mais perto e contempla as palavras.
>Cada uma tem mil faces secretas sob a
>face negra
>e te pergunta, sem interesse pela resposta,
>pobre ou terrível, que lhe deres:
>Trouxeste a chave?
>
> Carlos Drummond de Andrade

Esse é um convite que lhe fazemos. Aproximar-se das palavras que estão emergindo destas folhas e estabelecer um diálogo com elas. Seja você um diretor ou mantenedor escolar, professor ou auxiliar administrativo, não se esqueça de trazer a sua chave. Como diz o nosso poeta maior, cada palavra tem mil faces e só a chave da sua consciência e da sua subjetividade é que terá o poder de abrir um novo horizonte para a gestão da educação infantil.

Abordaremos o tema com base na crença profunda de que o trabalho de educar sustenta a evolução da idéia de democracia; de que a educação escolar, seja ela qual for, envolve toda a comunidade (diretores, crianças, pais, professores, etc.) em uma participação responsável por sua construção. Neste sentido, acreditamos que as escolas de educação infantil ainda busquem uma identidade que, muitas vezes, aparece depreciada por si própria (como "escolinha" na qual as "tias" brincam com as crianças) mas, ao mesmo tempo, desejosa de uma valorização. Frente a isso, seu gestor tem uma responsabilidade delicada. Cremos que cabe a ele conduzir mudanças significativas.

QUE ESCOLA É ESSA?

Um Pouco de História

A educação infantil é fruto de um processo histórico tanto do ponto de vista social quanto do político-pedagógico.

No início do século XX, houve as primeiras reivindicações de trabalhadores por creches em fábricas; na década de 1950, o avanço da industrialização e a entrada de mulheres da classe média no mercado de trabalho contribuíram significativamente para o aumento da procura por serviços que atendessem a crianças pequenas.

Além disso, a especulação imobiliária modificou a geografia das cidades e "roubou" a rua (grande espaço de recreação) das crianças. A todos esses fatores conjugados, somou-se a mudança na organização e na estrutura das famílias. De um modelo burguês, nuclear, composto por pai, mãe e algumas crianças vivendo numa casa provida pelo homem, a realidade cotidiana tem mostrado grandes transformações a partir da legalização do divórcio, em 1977.

Cremos que a busca de educação extrafamiliar para as crianças não foi somente determinada pela entrada das mães no mercado de trabalho, mas também pela perda do sentido do modelo descrito acima. Assim, o casamento, a sexualidade, a família fazem parte de um cenário em que a individualidade é muito importante. Papéis e funções antes pré-estabelecidos mudaram. A figura da mãe como a única responsável pela sua cria pode dividir o cuidado e a educação das crianças com pessoas e lugares diferenciados – as creches e pré-escolas. Concomitantemente, com o avanço dos meios de comunicação, a criança e os aspectos de seu desenvolvimento começaram a fazer parte do cotidiano da sociedade em geral; houve uma valorização da chamada primeira infância, o que também aumentou as demandas por uma educação institucionalizada para crianças de 0 a 6 anos.

Hoje, em pleno século XXI, na era da informação, vivemos modificações aceleradas que estão introduzindo novos valores e novas configurações de interação social. O mundo está se tornando cada vez mais complexo, incerto e difícil. A infoera exige do homem, desde pequeno, um novo olhar diante da realidade. A busca do compartilhamento dessas incertezas e a preocupação com o futuro da criança se traduzem também na expectativa de que outros ambientes educativos que recebam crianças pequenas propiciem um homem (ou super-homem?) idealizado pelas novas exigências sociais.

Apesar de todo esse percurso histórico, a lei 5.692, promulgada em 1971, no Brasil, em seu artigo 19, refere-se ao período pré-escolar sem nenhuma ênfase: "Os sistemas de ensino *velarão* (grifo nosso) para que as crianças de idade inferior a 7 anos recebam conveniente educação em escolas maternais, jardins de infância e instituições equivalentes" (Ministério da Educação e do Desporto, 1971). É importante ressaltar a consideração dada às instituições de atendimento à primeira infância nessa época: a de caráter assistencialista, no qual o enfoque era a guarda, a higiene, a alimentação e os cuidados das crianças enquanto seus pais trabalhavam. Para trabalhar nas creches, não era preciso formação acadêmica. Por outro lado, as propostas dos jardins da infância dirigidas às classes média e alta davam ênfase à socialização da criança e à preparação para o antigo primário.

Recentemente, este cenário começa a mudar. Mudam as formas de pensar e fazer a educação de crianças; o espaço para recebê-las passa a ser chamado de educativo. A Constituição Brasileira de 1988 define a creche como um direito da criança, um dever do Estado e uma opção da família. Surge, também, uma oposição à visão assistencialista e higienista das instituições de crianças pequenas. O Estatuto da Criança e do Adolescente, de 1990, destaca o direito da criança ao atendimento em instituição. Ao mesmo tempo, há um aumento de berçários e pré-escolas mantidas por entidades particulares, empresas industriais e comerciais.

Frente a tantas mudanças, na promulgação, em 1996, da Lei das Diretrizes e Bases da Educação Nacional, a educação infantil passa a ser considerada, pela primeira vez, a primeira etapa da educação básica; legalmente, cuidar e educar se vinculam, integram-se. Em 1998, é publicado o Referencial Curricular Nacional para a Educação Infantil (Ministério da Educação e do Desporto,1998), baseado em pareceres de especialistas das principais universidades do Brasil. Esse parâmetro sugere idéias e orientações pedagógicas que objetivam melhorar a qualidade do contexto das escolas de educação infantil.

Nessa trajetória histórica, vê-se também, nas duas últimas décadas, a produção de e a preocupação com projetos específicos para contextos coletivos infantis. Considerando que as crianças estão sendo incluídas cada vez mais nesses ambientes, a caracterização e o papel das interações criança-criança, criança-educador, criança-atividades/brincadeiras, criança-espaço constituíram e constituem objeto de pesquisa. Além disso, em estudo do Ministério da Educação e do Desporto ("Proposta pedagógica e currículo em educação infantil: um diagnóstico e a construção de uma metodologia de análise", 1996) constatam-se uma diversidade e uma heterogeneidade do que se pensa e do que se faz em escolas de educação infantil.

Não há, portanto, uma sistematização de conhecimentos e um instrumento nacional que oriente processos de avaliação dessa etapa da educação. Nas escolas da rede particular, verifica-se também uma pluralidade de propostas curriculares, muitas delas, na sua prática, ainda fragmentando o cuidar e o educar; pré-ocupando-se com eventos e arrumação de ambientes; alfabetizando crianças maiores para o ingresso no ensino fundamental; substituindo o tempo que é preciso para se dedicar ao desenvolvimento e à formação dos educadores pela confecção de cartazes e presentes.

Dentro dessa multiplicidade de aspectos relativos ao atendimento de crianças de 0 a 6 anos, numa perspectiva histórica, colocam-se também, hoje, em debate, a importância e as competências dos profissionais que atuam na educação infantil. Somente a partir da Constituição de 1988 é que as Secretarias de Educação dos Estados Brasileiros e também as Secretarias de Educação Municipais produziram documentos para orientar os profissionais que trabalham com crianças nas pré-escolas. O Referencial Curricular Nacional para a Educação Infantil (1998) tenta manter um diálogo com esses educadores. E a Lei das Diretrizes e Bases dispõe, no título VI, artigo 62, que: "A formação de docentes para atuar na educação básica far-se-á em nível superior, em curso de licenciatura, de graduação plena, em universidades e institutos superiores de educação, admitida, como formação mínima para o exercício do magistério na educação infantil e nas quatro primeiras séries do ensino fundamental, a oferecida em nível médio, na modalidade Normal".

Há, portanto, no plano legal (com a atenção devida de que a lei não garante a qualidade do docente) e no plano social mais amplo (exigência dos pais, por exemplo, questionando sobre a qualificação profissional das pessoas que estão em contato direto com as crianças, especialmente nas escolas particulares) a busca por uma legitimidade no que se refere às competências do educador infantil. Cabe salientar aqui que utilizamos a denominação "educador infantil" para designar todos os profissionais responsáveis pelo atendimento de crianças até 6 anos, tenham eles formação especializada ou não. Muitos deles exercem as funções de berçaristas, auxiliares, monitores, recreacionistas, etc., sem formação escolar mínima, que deverão ser reconsideradas de alguma forma.

Essa breve história retrata a necessidade de organizar saberes e aproveitar o que de melhor foi construído até hoje na trajetória multifacetada da educação infantil. Ao mesmo tempo, lança o desejo de encontrar uma identidade própria implicada com a dimensão ampla do ato de educar, garantindo às crianças seus direitos ao bem-estar físico e psicológico, à expressão, ao movimento, à segurança, ao brinquedo e ao conhecimento. Neste sentido, reafirmamos, sem dúvida: o gestor escolar tem uma responsabilidade delicada.

> É preciso navegar. Deixando atrás as terras e os portos dos nossos pais e avós, nossos navios têm de buscar a terra de nossos filhos e netos, ainda não vista, desconhecida. (Nietzsche)

CONTEXTO DA EDUCAÇÃO INFANTIL: PARTICULARIDADES MUITO PRÓPRIAS – CONSTATAÇÕES E COMENTÁRIOS

Além dos aspectos históricos narrados acima (dos quais o gestor escolar sofre influência), a escola de educação infantil caracteriza-se por algumas especificidades e dinâmicas diárias que a contornam e a singularizam.

A configuração de seu universo é uma comunidade infantil (de 0 a 6 anos) cujas dimensões afetivas, emocionais, sociais e cognitivas requerem atendimento abrangente. Elas englobam muitos detalhes: desfraldamento, observação do sono e da alimentação, higienização, saúde, horários de remédios, integridade física e psíquica, apresentação do conhecimento advindo de várias áreas, diálogos quase que diários com os pais, etc.

É o primeiro lugar em que as crianças se separam de suas famílias e se inserem regularmente em ambiente coletivo, entrando em contato com muitas crianças e com outros adultos. As organizações espacial e temporal constituem-se diferentemente das rotinas de sua casa. É grande, portanto, a diversidade cultural com que a criança e sua família se deparam. É um espaço eminentemente de convivência e naturalmente repleto de conflitos. Isso inclui profissionais interessados pela criança, atentos a ela como pessoas, identificando suas necessidades e se responsabilizando por elas. Neste sentido, o perfil profissional de quem trabalha com a primeira infância impõe uma competência muito importante: a polivalência. Ressaltamos que este aspecto diz respeito ao trabalho amplo que o profissional abraça: desde o lidar com os seus próprios conteúdos emocionais, com as representações que faz a respeito de criança e de educação, com a autovalorização, com o desejo de fazer parte do universo infantil (construindo e reconstruindo constantemente seus pensamentos e ações educativas) até o fazer projetos de qualidade. Evidenciamos, também, ser equivocada a atitude romântica e idealizada de que gostar de criança e ter experiência com filhos e sobrinhos, tratando-os bem, sejam qualificações para uma contratação profissional. Isso não basta.

Outra particularidade da escola de educação infantil refere-se à abrangência dos horários de atendimento (meio período, períodos especiais, período integral) e também ao recebimento de crianças a qualquer tempo durante o ano. Este fato requer decisões quanto aos horários dos profissionais, às intenções das propostas educativas nestes períodos estendidos e especialmente à consideração que se tem quanto à pessoa responsável pelo grupo de crianças nessas condições. Vemos, muitas vezes, os agentes da escola hierarquizarem o trabalho conferindo-lhe uma divisão entre as atividades recreativas de períodos prolongados e a atividade intelectual do professor, no outro período. Cremos que, por esse cenário, transitam questões seríssimas e sutis que urge serem revistas pelo gestor da educação infantil frente a sua equipe:

- O que são atividades recreativas?
- Os chamados monitores dos períodos integrais educam?
- Qual a concepção da escola sobre o brincar junto ao professor e junto a outros profissionais?
- Os períodos estendidos ofertam atividades para "preencher" o tempo das crianças até seus pais chegarem? Elas têm o direito de ficarem sós por algum tempo?
- Por que os profissionais desses períodos geralmente ganham menos? Desses profissionais não é exigida qualificação como educador?
- As famílias desse grupo de crianças necessitam de maior atendimento? Como isso é planejado?

Outras facetas poderiam ser consideradas. Selecionaremos mais algumas, intrinsicamente aplicáveis à rede particular:

- Geralmente, são empresas familiares ou constituídas por laços de afinidade.
- O dono pode ser o diretor, o responsável administrativo/financeiro e o coordenador pedagógico ao mesmo tempo.

- Normalmente, os proprietários advêm de formação em ciências humanas e constroem os conhecimentos sobre administração, finanças, *marketing* e recursos humanos através da sua prática no dia a dia. Percebemos que, nos últimos anos, tem ocorrido maior interesse pela necessidade de profissionalização nessas áreas.

Esse panorama sinaliza movimentos positivos e negativos, dependendo da reflexão (ou da falta dela) que o gestor faz sobre sua atuação. Deparamo-nos com vivências e conquistas riquíssimas que fundamentam o olhar sobre seu negócio. Porém, a própria natureza do trabalho, a sobreposição de funções, a dispersão do cotidiano, os inesperados que ocorrem todos os dias (criança machucada, falta do auxiliar, adaptação de criança nova, etc.) e, muitas vezes, uma postura centralizadora acarretam uma hiperatividade institucional (aceleração de todos numa constante falta de tempo) – síndrome que pode comprometer a gestão da educação infantil.

DUAS PECULIARIDADES RELEVANTES

A Família e a Escola: Diálogos Transversais

Quando a criança é incluída na escola de educação infantil, já ocorreu anteriormente uma escolha de seus pais por aquele lugar. A princípio, são apresentadas regras de funcionamento, espaço, serviços extras, propostas pedagógicas; algumas expectativas são ajustadas no diálogo inicial da visita (geralmente, os donos e/ou orientadores recebem o pai, a mãe, ou os dois, ou os avós) e, uma vez efetivada a matrícula, família e escola começam a estabelecer uma espécie de jogo. Nele, acontecem as mais variadas formas de jogar visto serem, escola e família, universos complexos de crenças, valores, costumes, etc. que vão se desembrulhando e se tornando visíveis no dia-a-dia. Além disso, por se tratar do primeiro espaço de separação pais-filhos, pode-se criar ansiedade em ambos os lados.

A dimensão afetiva, de reações emocionais de todos os envolvidos, varia quanto ao tempo e à intensidade: escola, criança e pais começam a estabelecer rituais de confiança (ou desconfiança). Esses rituais não são fixos e eternos; eles se transformam; oscilam em função dos sistemas de representação feitos pela escola do que seja família e vice-versa: dos sistemas de representação feitos pela família do que seja escola de educação infantil.

Segundo a nossa percepção, esses são os aspectos mais complicados e arriscados no jogo inter-relacional entre as duas partes. Complicados, porque envolvem experiências pessoais de escolarização, de internalização de modelos ideais de escola/família por parte de toda a comunidade: educadores, auxiliares, gestores, pai, mãe, etc. São muitos atores nesse cenário! Arriscados, porque não são possíveis atitudes únicas e preconceituosas do pessoal interno diante das diversidades familiares.

A insensibilidade e a incompetência de lidar com isso pode comprometer a imagem da escola e, em última instância, perder o aluno. Vemos necessários e urgentes o revisitar conceitos de família e o produzir estratégias de inclusão e de conversações mais profundas com os pais, abrindo canais de comunicação criativos para *escutá-los*, sem defesas. Encontramos, muitas vezes, gestores preocupados em delimitar território como se tivessem medo de uma invasão e prosseguirem, assim, com as tradicionais (e gostosas!) festas de confraternização, com as reuniões de pais (às vezes, não tão produtivas) e com a agenda (recurso indispensável à comunicação de tantos detalhes) usada, entre outras coisas, para expor comportamentos indesejáveis da criança; e vice-versa: pais queixosos que, nas entrelinhas da agenda, expõem algo invisível sobre a escola, necessário de ser desvelado. É preciso desarmar-se, qualificar a relação, pois ambos, escola e família, podem aprender mutuamente, redimensionando suas funções sociais. Afinal, o interesse comum das duas *é a criança*. Quando dizemos "escutá-los (os pais) sem defesa", referimo-nos aos discursos cotidianos dos ambientes escolares:

"Ah, ela (a criança) é assim porque a mãe é solteira e quem cria são os avós.";
"A mãe está assim porque foi abandonada pelo marido e ele já está com outra.";
"Não tem jeito, pois, ele (a criança) é adotivo";
"... e ainda me criticou! Eu é que fico o dia todo com o filho dela!!"
"Você viu só? É o pai que cuida, é o pai que vem às reuniões,..."

Há, nessas falas, muitas questões:

- O pai não é considerado educador?
- A família só é saudável se apresenta o modelo nuclear?
- Configurações familiares monoparentais, homossexuais são um perigo para o desenvolvimento infantil?

É preciso refletir, avançar. Sair do discurso da exclusão, preparar-se para diálogos transversais diários e fazer a gestão desse conhecimento de forma educativa.

O Educador Infantil: Papel Redimensionado

A escola de educação infantil é responsável, cada vez mais, pela formação da criança. O contexto histórico-social em que vivemos impõe-lhe outras atribuições e exigências, ampliando o espectro de seu trabalho.

O papel do educador infantil, antes limitado pelo seu próprio olhar e pelo olhar da sociedade em geral (ironicamente, em tempos idos, chamado, algumas vezes, de "babá de luxo"), hoje redimensiona-se. Ele passa a ser o indispensável mediador da aprendizagem; o conciliador de conflitos entre as crianças e entre os pais; o modelo de curiosidade, de comportamentos saudáveis e de espírito crítico. Ele, na escola, pode e deve antever um futuro melhor para as crianças alicerçando, no presente, a solidariedade, a não violência, o não às drogas e ao consumismo, os valores e a ética necessários ao convívio social.

O Não às Drogas

Sabemos que o consumo e o tráfico de drogas está aumentando muito no mundo inteiro. A droga promete, principalmente ao jovem, o paraíso, a felicidade, o prazer, a conquista rápida do que ele imagina. Sabemos, também, que escolher a via da droga está ligado ao não suportar as frustrações, ao "vazio" que a pessoa sente diante dos outros e de si própria.

Como entra o educador nesse âmbito? Trabalhando constantemente a autoestima do grupo e a conquista da autonomia que necessariamente envolvem:

- a aprendizagem para lidar com a frustração;
- o saber ouvir um "não", sem se destruir e/ou destruir os outros;
- o aprender a dizer um "não".

O Não à Violência

Em pleno século XXI, vemos, *on-line*, grupos se debatendo, pessoas se matando. Os conflitos de religião, de diferenças raciais, a competição são fenômenos que não têm fim.

O que o educador pode fazer? Muito trabalho *em* e *com* o grupo de crianças, exercitando cada vez mais:

- saber ouvir;
- saber esperar;
- saber tolerar as diferenças.

O Não ao Consumismo

A mídia nos convence de que somos felizes quando temos um corpo eternamente jovem; quando compramos todos os acessórios da moda; quando consumimos os mesmos produtos que rápida e magicamente mudam de um dia para o outro.

A criança, nesta história, tornou-se um alvo atraente para o adulto (seus pais, seus padrinhos, seus avós, etc.) comprar em excesso. Parece que pais culpados (até por não terem o tempo de que gostariam para se dedicarem aos filhos) se perdoam dando bens materiais às crianças. Este fenômeno é delicado porque facilmente podem ser criadas relações em que *ter* é que é *ser melhor*.

O que o educador tem a ver com isso? Tudo:

- Ensinando que a pessoa vale pelo que ela é.
- Assegurando que a criança não se sinta menos ou menor porque ela não tem o brinquedo que a outra trouxe.
- Que ela pode manifestar o desejo de querer, porém, se não for possível, não é o fim do mundo.
- Estimulando o talento, a criatividade e valores essenciais à vida em grupo.

O GESTOR ESCOLAR – ARQUITETO DA CONSTRUÇÃO DE UMA NOVA IDENTIDADE DA EDUCAÇÃO INFANTIL

Desamarrar-se das tradições e, ao mesmo tempo, movimentar-se de forma singular na busca do sujeito-criança, que é o objeto de trabalho da educação infantil, requerem ousadia do seu gestor. Estamos convictos de que tecer a malha do cotidiano dessas escolas, priorizando critérios de qualidade, reflete a sua missão: socializar as crianças. Vemos, porém, que esse eixo norteador, muitas vezes, é pensado de maneira fragmentada; algumas outras, abordado de forma reducionista; em alguns momentos do ano letivo, desconsiderado e fragilizado pela incoerência entre a teoria e a prática educativas.

Sintetizaremos alguns critérios que, segundo a nossa percepção, não podem se distanciar da gestão da educação infantil e que nos parecem ser importantes condutores de uma escola de qualidade:

- Ir além dos aspectos legal e burocrático na relação com os NAES- Núcleos de Ação Educativa (São Paulo), solicitando mais informações e orientações sobre a realidade da escola percebida por eles.
- Superar os jargões digitados no projeto político-pedagógico tornando-o vivo no coração de todos os profissionais da escola (convidando-os a elaborá-lo e a vivenciá-lo no dia a dia).
- Assumir as especificidades da educação de crianças de 0 a 6 anos.
- Revisitar concepções sobre infância, criança, educação em ambientes coletivos e educadores.
- Trazer à tona as representações e expectativas de cada um quanto a cuidar e educar, principalmente diante da controvérsia criada de que cuidar é função dos auxiliares e de que educar é função do professor.
- Considerar o papel do afeto na relação pedagógica.
- Buscar uma pedagogia que seja representativa de todos aqueles que atuam na escola.
- Estudar as mudanças na estrutura e no papel da família de hoje.

- Fazer aflorar o imaginário da equipe profissional sobre família e escola de educação infantil, reconhecendo preconceitos e idealizações.
- Buscar fontes de pesquisa atuais sobre espaço físico, rotinas, recursos materiais e organização do tempo no atendimento a crianças pequenas.
- Incluir, no planejamento anual, estudo e reflexão sobre sexualidade, agressividade, medos infantis, autoestima, etc.
- Abrir sempre o espaço da escola para a formação continuada de seus educadores.
- Rever as comemorações festivas, a confraternização e a apresentação de danças pelas crianças.
- Promover grupos de estudo das teorias que tratam do desenvolvimento e da aprendizagem infantil.
- Pensar se realmente a criança tem sido protagonista da construção de sua identidade e sua autonomia.
- Avaliar a instituição do ponto de vista de sua comunidade interna e externa.
- Aprofundar o entendimento do brincar da criança.
- Ampliar o profissionalismo da equipe, não se contentando com os "achismos" ou com as colocações sem fundamentação.
- Incrementar a criatividade e abrir espaço para a reflexão do cotidiano.

DESAFIOS E PERSPECTIVAS

> A Criança Nova que habita onde vivo
> Dá-me uma mão a mim
> E a outra a tudo que existe
> E assim vamos os três pelo caminho que houver,
> Saltando e cantando e rindo
> E gozando o nosso segredo comum
> Que é o de saber por toda parte
> Que não há mistério no mundo
> E que tudo vale a pena.
>
> A Criança Eterna acompanha-me sempre.
> A direção do meu olhar é o seu dedo apontando.
> O meu ouvido atento alegremente a todos os sons
> São as cócegas que ele me faz, brincando, nas orelhas.
>
> (Fernando Pessoa)

A educação infantil não está sozinha. A trama da realidade peculiar de cada escola, em sua dimensão cotidiana, é que vai determinar como geri-la. Acreditamos que a perspectiva da gestão é a reflexiva, isto é, através da reflexão de suas ações, os cenários são reconstruídos e ressignificados. Isso não é fácil; é um exercício permanente de autoescuta, de escuta refinada de toda a comunidade (pais, crianças, professores, pessoal de serviços gerais, orientadores, etc.) e de percepção aguçada das mudanças paradigmáticas do mundo contemporâneo. Para tal, é necessária a criação de um modelo norteador, e o ideal é aquele a ser construído enquanto se constrói. Isso não significa espontaneísmo; significa trabalho e intervenção constantes, inclusive ampliando as competências de gestão através da ajuda de profissionais especializados. Segundo a nossa ótica, enumeramos alguns itens importantes a serem lembrados todos os dias.

- Apropriação da missão da escola de educação infantil, fazendo um exercício de seu reconhecimento.

- Comunicação clara da missão para todos os envolvidos com educação de crianças pequenas, fugindo do "pedagogês", porém fundamentando o que expressa.

- Democratização da escola, experimentando compartilhar poderes com a equipe e diminuindo a distância entre a centralização das decisões e a participação da comunidade.

- Liderança da diversidade e da complexidade, sendo este o maior desafio da gestão educacional.

- Superação da autonomia decretada (avanços até sob forma de lei e referencial) para a autonomia real.

- Formação de pessoal interno em mediação de conflitos, visto ser o ambiente educacional repleto deles (direção x funcionários, escola x clientes, criança x criança, professores x criança, etc).

- ....
  .... (espaço reservado para você).

PALAVRA FINAL

Era uma vez uma ciranda.
Ciranda cirandinha é preciso cirandar.
Vamos dar a meia volta, volta inteira vamos dar.
A educação infantil e sua gestão estão na brincadeira tal como a criança que brinca.

REFERÊNCIAS

DELORS, J. (org.). *Educação – um tesouro a descobrir*. São Paulo: Cortez, 1999.

FREIRE, P. *Professora sim, tia não. Cartas a quem ousa ensinar*. São Paulo: Olho d'Água, 1993.

MINISTÉRIO DA EDUCAÇÃO e do Desporto. *Lei das Diretrizes e Bases da Educação Nacional*. 5692. Brasília, 1971.

MINISTÉRIO DA EDUCAÇÃO e do Desporto. Secretaria de Educação Fundamental. *Referencial Curricular Nacional para a Educação Infantil*. Volume 1: Introdução; Volume 2: Formação Pessoal e Social e Volume 3: Conhecimento de Mundo. Brasília, 1998.

OLIVEIRA, Z.M.R. de. (org.). *Educação infantil: muitos olhares*. São Paulo: Cortez, 1974.

OLIVEIRA, Z.M.R. de. *Educação infantil: fundamentos e métodos*. São Paulo: Cortez, 2002.

PESSOA, F. *O Eu profundo e os outros Eus*. Rio de Janeiro: Nova Fronteira, 1980.

Vários autores. *Artigos do III Seminário de Pesquisa – Tomo II do Programa de Pós-Graduação em Psicologia, Departamento de Psicologia e Educação da Faculdade de Filosofia Ciências e Letras de Ribeirão Preto*, Universidade de São Paulo, 2000.

VYGOTSKY, L.S. *A formação social da mente*.São Paulo: Martins Fontes, 1989.

WINNICOTT, D. W. *O brincar e a realidade*. Rio de Janeiro: Imago, 1975.

ZUFFO, A.J. *A Infoera – O imenso desafio do futuro*. São Paulo: Saber, 1977.